Gemeentelijke Hoofdbibliotheek
Beveren

De vondeling

Van dezelfde auteur:

Een verloren liefde

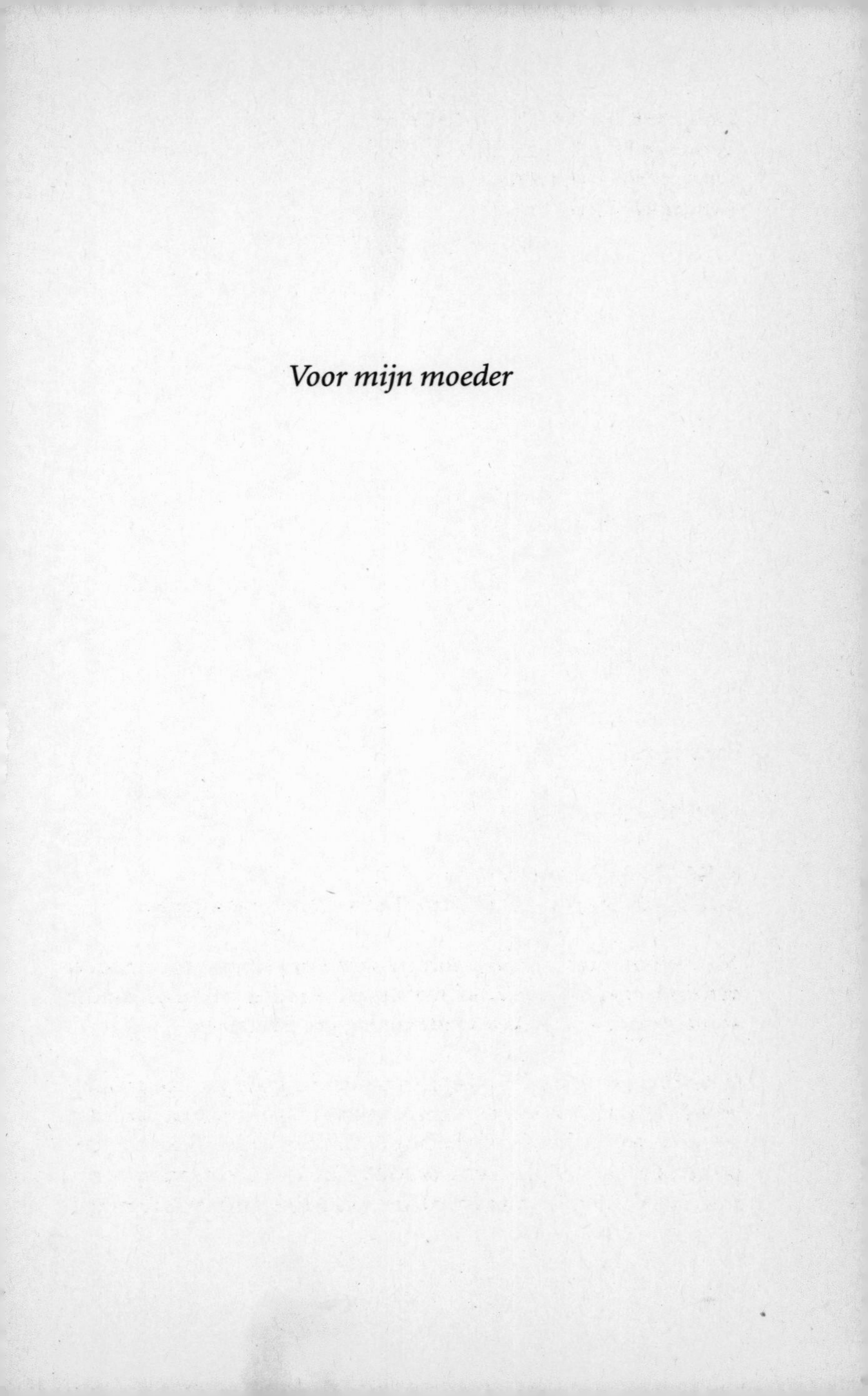

Voor mijn moeder

Anita Shreve

De vondeling

2005 – De Boekerij – Amsterdam

Oorspronkelijke titel: Light On Snow
Vertaling: Mireille Vroege
Omslagontwerp: marliesvisser.nl
Omslagfoto: Getty Images

Tweede druk

ISBN 90-225-4215-7

Buiten het raam van de werkplaats van mijn vader strijkt het midwinterlicht over de sneeuw. Mijn vader staat op en recht zijn rug.

'Hoe was het op school?' vraagt hij.

'Goed,' zeg ik.

Hij legt zijn schuurmachine neer en pakt zijn jas van de haak. Ik ga met mijn hand over het oppervlak van de tafel. Het hout is bedekt met een laagje stof, maar daaronder is het satijnzacht.

'Zullen we?' vraagt hij.

'Oké,' zeg ik.

Mijn vader en ik lopen zijn werkplaats in de schuur uit en de kou in. De lucht is droog en stil en doet pijn aan mijn neus bij het ademhalen. We rijgen onze sneeuwschoenen dicht en stampen er hard mee tegen de korst. De schors heeft een roestkleur en de zon maakt paarsachtige schaduwen achter de bomen. Zo nu en dan werpt het licht een schittering van pokdalig glas de lucht in.

We zetten er flink de pas in, ontwijken lange dennentakken, en krijgen een enkele keer een lading sneeuw in onze nek. Mijn vader zegt: 'Ik voel me net een hond die aan het eind van de dag uitgelaten wordt.'

De stilte van het bos is altijd een verrassing, alsof een

publiek de adem inhoudt voor de voorstelling begint. Tussen de stilte door hoor ik dode bladeren ritselen, een takje breken, een beekje onder een dunne laag ijs stromen. Aan de andere kant van het bos hoor je het holle gejammer van een weg, van een vrachtwagen op Route 89, het geronk van een vliegtuig op weg naar Lebanon. We lopen over een pad dat we goed kennen, dat eindigt bij een stenen muur vlak bij de top. De muur, die een U-vorm met rechte hoeken heeft, liep ooit om de grond van een boer heen. Het huis en de schuur zijn er niet meer; alleen de fundamenten liggen er nog. Als we bij de muur aankomen gaat mijn vader er soms op zitten en steekt hij een sigaret op.

Op deze middag halverwege de maand december ben ik twaalf jaar (hoewel ik nu dertig ben) en ik weet nog niet dat de puberteit op de loer ligt; nog even en dan is samen met mijn vader na school door het bos wandelen, op wat voor dag dan ook, wel het laatste waar ik zin in heb – met dank aan het niet-aflatende narcisme van een tiener. Samen wandelen is een gewoonte die mijn vader en ik samen ontwikkeld hebben. Mijn vader zit veel te lang over zijn werk gebogen, en ik weet dat hij de buitenlucht in moet.

Als de tafel klaar is zet mijn vader hem in de voorkamer, samen met de andere meubels die hij heeft gemaakt. Veertien stukken in twee jaar tijd is niet bepaald een hoge productie, maar hij heeft het zichzelf uit boeken moeten leren. Wat hij niet uit handboeken kan leren, vraagt hij aan een man, ene Sweetser, die bij de ijzerhandel werkt. De meubels van mijn vader zijn eenvoudig en functioneel, en dat vindt hij prima zo. Ze hebben een aardige belijning en de afwerking kan er ook mee door, hoewel dat er allemaal niet toe doet. Wat er wel toe doet is dat hij iets om handen heeft en dat dat in de verste verte niet lijkt op wat hij tot nu toe gedaan heeft.

Een takje breekt en krast langs mijn wang. De zon gaat onder. We hebben misschien nog een minuut of twintig waarin het enigszins licht is. De weg terug naar het huis is gemakkelijk – gewoon naar beneden –, en duurt nog geen tien minuten. We hebben nog tijd om bij de muur te komen.

Op dat moment hoor ik de eerste schreeuw; volgens mij is het een kat. Ik blijf onder een baldakijn van dennentakken staan en luister – daar hoor ik het weer. Een ritmische schreeuw, gejammer.

'Papa,' zeg ik.

Ik doe een stap naar het geluid toe, maar even abrupt als het begonnen is, is het nu gestopt. Achter me valt de sneeuw met een doffe plof op de bovenlaag.

'Een kat,' zegt mijn vader.

We beginnen aan de steile klim de heuvel op. Onder aan mijn benen vallen mijn voeten zwaar neer. Als we boven zijn, zal mijn vader het licht beoordelen, en als we tijd hebben zal hij op de stenen muur gaan zitten en kijken of hij ons huis kan zien – een vleugje geel tussen de bomen door. 'Daar,' zal hij dan tegen me zeggen, terwijl hij omlaag wijst, 'kun je het nu zien?'

Mijn vader weegt niet meer zo veel als toen hij nog een zittend leven leidde. Zijn spijkerbroek is op zijn dijen versleten en is overdekt met het roestige dons van zaagsel. In het beste geval scheert hij zich om de dag. Zijn parka is beige, met vlekken olie en vet en hars. Zijn haar knipt hij zelf, en zijn blauwe ogen zijn altijd een verrassing.

Ik loop achter hem aan en ben er trots op dat ik er geen moeite meer mee heb om hem bij te houden. Hij gooit me over zijn schouder een Werther's-snoepje toe, en dat vang ik. Ik trek mijn wanten uit, stop ze onder mijn arm en haal het cellofaan eraf. Terwijl ik dat doe, hoor ik in de verte een autoportier dichtslaan.

We luisteren naar het geluid van een draaiende motor. Het lijkt uit de richting van een motel aan de noordoostkant van de heuvel te komen. De ingang van het motel ligt verder buiten de stad dan de weg die naar ons huis leidt, en er is voor ons zelden reden om erlangs te rijden. Toch weet ik dat het daar ligt, en soms zie ik het tijdens onze wandelingen tussen de bomen door liggen: een laag gebouw met rode dakspanen, dat in het skiseizoen redelijk draait.

Op dat moment hoor ik een derde schreeuw – hartverscheurend, smekend, wegstervend in een siddering.

'Hé!' roept mijn vader.

Hij begint zo goed en zo kwaad als het gaat met zijn sneeuwschoenen aan in de richting van de schreeuw te rennen. Om de tien passen blijft hij staan om zich door het geluid te laten leiden. Ik ren achter hem aan en onderwijl wordt de lucht steeds donkerder. Hij haalt een zaklamp te voorschijn en knipt die aan.

'Pap,' zeg ik, en ik voel de paniek in mijn borst omhoogkomen.

Terwijl hij rent, zwenkt de lichtbundel over de sneeuw. Mijn vader beschrijft nu een boog met de zaklamp, van voor naar achter, van links naar rechts. De maan stijgt van de horizon op alsof hij met ons meezoekt.

'Is daar iemand?' roept hij.

We trekken zijwaarts langs de voet van de helling. De zaklamp hapert en mijn vader schudt ermee om te zorgen dat de batterijen weer contact maken. Hij glipt uit zijn handschoen en valt in een zachte berg sneeuw naast een boom, waardoor onder de bovenlaag een griezelige lichtkegel ontstaat. Hij bukt om hem op te rapen, en terwijl hij weer omhoogkomt valt het licht op een stuk blauwgeruite stof tussen de bomen.

'Hallo!' roept hij.

Het bos is stil en drijft de spot met hem, alsof het een spelletje is.

Mijn vader zwaait de zaklamp heen en weer. Ik vraag me af of we niet beter kunnen omkeren en teruggaan naar het huis. 's Avonds is het gevaarlijk in het bos; je verdwaalt zo. Mijn vader doet nog een stap met de zaklamp, dan nog een, en het lijkt of hij wel twintig stappen moet zetten voor hij weer een stukje blauwgeruite stof vindt.

Er ligt een slaapzak in de sneeuw, met bij de opening een hoekje flanel omgeslagen.

'Wacht jij hier maar,' zegt mijn vader.

Ik kijk hoe mijn vader met zijn sneeuwschoenen aan naar voren rent, zoals je soms in een droom doet: niet in staat je benen snel genoeg te laten gaan. Hij zakt door zijn knieën om beter kracht te kunnen zetten en houdt de slaapzak goed in het oog. Wanneer hij bij het geruite flanel is, scheurt hij het open. Ik hoor hem een geluid maken dat ik nog nooit eerder heb gehoord. Hij valt op zijn knieën in de sneeuw.

'Papa!' roep ik, en ik ren al naar hem toe.

Mijn armen maaien door de lucht en ik heb het gevoel alsof er iemand tegen mijn borst drukt. Mijn muts valt af, maar ik ploeter voort door de sneeuw. Wanneer ik eenmaal bij hem ben, adem ik moeizaam, en hij zegt niet dat ik weg moet gaan. Ik kijk omlaag naar de slaapzak.

Een gezichtje kijkt naar me op, met grote ogen, ondanks de vele plooien. Het sprieterige zwarte haar is plakkerig van geboortevocht. De baby is in een bebloede handdoek gewikkeld en zijn lipjes zijn blauw.

Mijn vader brengt zijn wang naar het minuscule mondje. Ik begrijp wel dat ik geen kik mag geven.

Met één snelle beweging pakt hij de ijskoude slaapzak op, drukt hem dicht tegen zich aan en komt overeind. Maar de zak is van goedkope en gladde stof, en hij krijgt er niet goed greep op.

Ik steek mijn armen uit om de baby op te vangen.

Hij knielt weer neer in de sneeuw. Hij legt zijn bundeltje neer, doet de rits van zijn jack open en rukt zijn flanellen hemd open, waarbij de knopen eraf springen. Hij haalt de pasgeboren baby uit de bebloede handdoek. Uit de navel van de baby hangt een stukje van tien centimeter – later begrijp ik dat dat de navelstreng moet zijn geweest. Mijn vader houdt het kindje dicht tegen zijn huid, met het hoofdje rechtop in de palm van een hand. Zonder te weten dat ik erop gelet heb, begrijp ik toch dat de baby een meisje is.

Mijn vader komt wankelend overeind. Hij wikkelt zijn flanellen hemd en zijn parka om het kindje heen en vouwt de jas met zijn armen strak dicht. Hij verschuift zijn bundel, zodat hij een dicht pakketje heeft.

'Nicky,' zegt mijn vader.

Ik kijk hem aan.

'Hou mijn jas maar vast als je wilt,' zegt hij, 'maar zorg dat je niet verder dan een halve meter achter me blijft.'

Ik pak de punt van zijn parka.

'Hou je hoofd omlaag en kijk naar mijn voeten.'

We lopen op de geur van rook. Soms ruiken we hem, soms niet. Ik zie het silhouet van de bomen, maar niet hun takken.

'Hou vol,' zegt mijn vader, maar ik weet niet of hij het tegen mij heeft of tegen de pasgeboren baby tegen zijn borst.

Half glijdend, half rennend dalen we de lange heuvel af, en mijn dijen branden van de inspanning. Mijn vader is de zaklamp kwijtgeraakt bij de slaapzak in de sneeuw, en we hebben geen tijd om hem te gaan halen. We lopen tussen de bomen door en de takken krassen in mijn gezicht. Mijn haar en nek zijn drijfnat van de gesmolten sneeuw, die op mijn voorhoofd weer opvriest. Zo nu en dan word ik overspoeld door angst: we zijn verdwaald en zijn niet op tijd terug met de baby. Ze zal in de armen van mijn vader sterven. Nee, nee, houd ik mezelf voor, dat laten we niet gebeuren. Als we het huis niet vinden, komen we uiteindelijk bij de snelweg. Dat kan niet anders.

Ik zie het licht van een lamp in mijn vaders werkplaats. 'Kijk, pap,' zeg ik.

De laatste honderd meter lijken me wel de langste afstand die ik ooit hardgelopen heb. Ik doe de deur open en houd hem voor mijn vader tegen. In de schuur hebben we onze sneeuwschoenen nog aan, en terwijl we naar de houtkachel lopen maken het bamboe en onze schoenzolen een kletterend geluid. Mijn vader gaat in een stoel zitten. Hij doet zijn jas open en kijkt naar het gezichtje. De baby heeft haar oogjes dicht; de lippen zijn nog steeds een beetje blauw. Hij brengt de rug van zijn hand naar het mondje, en aan de manier waarop hij zijn ogen sluit weet ik dat ze nog ademt.

Ik maak de veters van mijn sneeuwschoenen los en dan de veters van die van mijn vader.

'Een ambulance kan de heuvel niet op,' zegt mijn vader. Hij houdt het kindje tegen zijn huid en staat op. 'Kom mee.'

We lopen de deur van de schuur uit, door de gang naar het huis en dan het halletje aan de achterkant in. Mijn vader loopt met twee treden tegelijk de trap op en gaat zijn slaapkamer in. De vloer ligt bezaaid met kleren en op het bed ligt een waaier aan tijdschriften. Ik kom bijna nooit in de slaapkamer van mijn vader. Hij pakt een trui van de grond, maar gooit die weer neer omdat de wol te ruw is. Hij pakt een flanellen hemd en realiseert zich dan dat dat nog niet gewassen is. In de hoek staat een wasmand van blauw plastic waar mijn vader en ik ongeveer één keer in de week mee naar de wasserette gaan. In de tussentijd gebruikt hij hem als een soort bureaula.

'Geef dat ding eens aan,' zegt hij, en hij wijst.

Met één arm veegt hij de tijdschriften van het bed. Ik zet de wasmand op de matras. Hij haalt de baby te voorschijn, wikkelt haar in twee schone flanellen hemden, van voor naar achteren, met het gezichtje boven de stofplooien uit. In de mand maakt hij een nestje van lakens, en daar legt hij de pasgeboren baby voorzichtig in.

'Oké,' zegt hij om zichzelf te kalmeren. 'Oké.'

Ik klauter in de truck. Mijn vader zet de mand op mijn schoot.

'Gaat het een beetje?' vraagt hij.

Ik knik, want ik weet dat geen enkel ander antwoord in aanmerking komt.

Mijn vader stapt in de truck en steekt het sleuteltje in het contact. Ik weet dat hij nu bidt dat de motor zal starten. 's Winters slaat hij maar één op de twee keer bij de eerste keer proberen aan. De motor kucht, en hij weet hem tot gejammer op te porren. Ik durf niet naar de baby in de plastic mand te kijken; ik ben bang dat ik de minuscule ademwolkjes in de koude lucht niet meer zie, die een nabootsing zijn van die van mij.

Mijn vader rijdt zo hard als hij durft. In de karrensporen zet ik mijn tanden op elkaar. De bevroren landweg zit vol richels van eerdere sneeuwval en dooi uit de herfst. In het voorjaar, voor de gemeente langskomt om de weg te effenen, kun je er bijna niet meer overheen. Vorig voorjaar moest ik tijdens een periode van dooi die twee weken duurde bij mijn vriendin Jo logeren, anders kon ik niet naar school. Mijn vader, die veel moeite had gedaan om alleen te kunnen zijn, was op een dag lopend naar de stad gekomen, zowel om zijn dochter te zien als om zijn door isolement veroorzaakte somberheid te doorbreken. Marion, die bij Remy's achter de kassa zit, probeerde hem in haar Isuzu naar huis te brengen, maar ze kwam niet verder dan de eerste bocht. De rest moest mijn vader lopen, en hij had nog dagen pijn in zijn kuitspieren.

De baby snurkt; ik schrik me dood. Ze slaakt een kreetje, en zelfs in het zwakke licht van het dashboard zie ik de boze rode kleur van haar huid. Mijn vader streelt haar. 'Stil maar, meisje,' fluistert hij in het donker.

Hij laat zijn hand licht rusten op de zachte berg van flanellen hemden. Ik vraag me af of hij nu aan de beweging waarmee hij Clara troostte moet denken en of dat hem pijn in zijn borst bezorgt. De weg de heuvel af lijkt nog langer dan ik me hem herinner. Ik hoop dat de baby de hele weg naar het Mercy-ziekenhuis zal huilen.

Wanneer we op de straatweg zijn, trapt mijn vader het gaspedaal in, en door het ijs dat in het loopvlak van de banden zit slingert de truck. Hij laat de kilometerteller net zo hoog oplopen als hij aankan zonder de macht over het stuur te verliezen. We komen langs het Mobiltankstation en de bank en de uit één klaslokaal bestaande basisschool waar ik net vorig jaar af gekomen ben. Ik vraag me af of mijn vader bij Remy's zal stoppen en de baby aan Marion zal geven, die een ambulance zou kunnen bellen. Maar mijn vader rijdt langs de winkel, want stoppen zou alleen maar uitstel betekenen van datgene waar hij nu toch al mee bezig is: de baby afleveren bij iemand die weet wat hij met haar moet doen.

We rijden langs het kleine dorpsplein dat in de winter dienstdoet als schaatsbaan. In het midden staat een vlaggenstok met een schijnwerper erop.

Wie heeft de baby in de slaapzak achtergelaten?

Mijn vader slaat bij het bord voor het Mercy-ziekenhuis af. Aan weerskanten van de oprit naar het ziekenhuis staan gele lampen, en ik kan de baby zien, die haar gezichtje samentrekt en er nu lelijk uitziet. Maar ik weet nog hoe haar ogen in het bos naar me opkeken: donkere ogen, stil en waakzaam. Mijn vader parkeert voor de Eerste Hulp en drukt aanhoudend zijn claxon in.

Het portier aan mijn kant zwaait open en een beveiligingsmedewerker in uniform steekt zijn hoofd naar binnen.

'Waarom toetert u?' vraagt hij.

Ik zie de baby achter zware automatische deuren verdwijnen. Mijn vader brengt zijn hoofd achterover en doet zijn ogen dicht. Wanneer we in de verte een sirene horen gillen gaat hij rechtop zitten. Hij veegt zijn neus af aan de mouw van zijn jas. Hoe lang huilt hij al? Hij draait de sleutel in het contact om; de startmotor snerpt, want de motor is al aan. Hij rijdt nu alsof hij net zijn rijbewijs heeft en volgt de borden naar de parkeerplaats. Wanneer we uit de auto stappen kijkt hij omlaag, en realiseert zich dan pas dat onder zijn jas zijn hemd nog steeds openstaat.

Op de stoep voor de ingang van de Eerste Hulp aarzelt mijn vader.

'Pap?'

Hij legt zijn arm om mijn schouder en we lopen naar de ingang; onze zolen glijden over de zoutkristallen.

De beige-en-mintkleurige ingang is leeg, en zo te zien is er wel erg veel metaal. Ik knijp mijn ogen half dicht in het veel te felle licht dat flikkert als een stroboscoop. Ik vraag me af waar de baby is en waar we heen moeten. Mijn vader volgt de borden voor Triage, en elke stap voorwaarts op de tegels is een inspanning. Wij horen hier niet. Niemand trouwens.

We slaan een hoek om en zien een kamertje waar een stuk of vijf mensen op aan de muur bevestigde plastic stoelen zitten. Een vrouw met een spijkerbroek en een trui aan beent heen en weer; in haar gele haar zit nog de afdruk van haar krulspelden. Zo te zien is ze ongeduldig, boos op een stuurse jongen die haar zoon zou kunnen zijn. Hij zit op een plastic stoel, met zijn jas nog aan, zijn kin belegerd door boze pukkels. Ik geloof dat ik wel begrijp waarom hij hier is: door de manier waarop hij zijn rechterhand vasthoudt. Een vinger? Een pols? Mijn vader loopt naar het loket voor Triage en gaat bij de opening staan, terwijl een vrouw aan het bellen is en geen aandacht aan hem besteedt.

Ik stop mijn handen in de zakken van mijn jas en kijk de gang door. Ergens achterin is een kamer met een wiegje en een dokter die met een baby bezig is. Leeft ze nog? De receptioniste tikt op het raam om de aandacht van mijn vader te trekken.

'Ik heb een baby gebracht,' zegt mijn vader. 'Ik heb haar in het bos gevonden.'

De vrouw is even stil. 'Hebt u een baby gevonden?' vraagt ze.

'Ja,' zegt hij.

Ze schrijft iets op een blocnote. 'Had het kind verwondingen?' vroeg ze.

'Dat weet ik niet.'

'Bent u de vader?'

'Nee,' zegt hij. 'Ik heb haar in het bos gevonden. Ik ben geen familie. Ik heb geen idee wie ze is.'

De receptioniste kijkt hem nog eens onderzoekend

aan, en ik weet wat ze ziet: een vrij lange man in een beige parka die onder de vlekken zit; veertig, vijfenveertig jaar; een baard van drie dagen; donkerbruin haar met een grijze gloed; scherpe verticale rimpels tussen de wenkbrauwen. Ik bedenk dat mijn vader sinds het ontbijt van eergisteren waarschijnlijk niet meer heeft gedoucht.

'En wat is uw naam?'

'Robert Dillon.'

Ze schrijft snel, met rode inkt. 'Adres?'

'Bott Hill.'

'Bent u verzekerd?'

'Ik ben particulier verzekerd,' zegt mijn vader.

'Mag ik uw pasje zien?' vraagt ze.

Mijn vader voelt in al zijn zakken, en houdt er dan mee op. 'Ik heb mijn portefeuille niet bij me,' zegt hij. 'Die heb ik op een plankje in de gang laten liggen.'

'Ook geen rijbewijs?'

'Nee,' zegt mijn vader.

De receptioniste kijkt uitdrukkingsloos. Ze legt haar pen neer en vouwt haar handen op een langzame, beheerste manier ineen, alsof ze bang is voor abrupte bewegingen. 'Neemt u plaats,' zegt ze. 'Er komt zo iemand bij u.'

Ik ga naast een man met een pafferig gezicht zitten, die stilletjes kucht in de kraag van een doorgestikte parka met de kleur van onkruid. Het licht is meedogenloos en onflatteus, waardoor de oudere mensen eruitzien of ze bijna dood zijn en zelfs de kinderen vlekkerig zijn van de onvolkomenheden. Na een tijdje – twintig minuten? een halfuur? – komt een jonge arts met een witte jas aan het vertrek binnen, met een maskertje los om zijn hals, een stethoscoop in een borstzakje gestoken. Achter hem staat een politieagent in uniform.

'Meneer Dillon?' vraagt de arts.

Mijn vader staat op en loopt naar de mannen in het midden van het vertrek toe. Ik sta ook op en loop achter hem aan. De arts is bleek en blond, en ziet er te jong uit om dokter te zijn. 'U bent degene die de baby heeft gevonden?' vraagt hij.

'Ja,' zegt mijn vader.

'Ik ben dokter Gibson, en dit is inspecteur Boyd.'

Ik weet dat inspecteur Boyd, een van de twee politieagenten in het stadje Shepherd, de vader van Timmy Boyd is. Ze zijn allebei te dik en hebben dezelfde rechthoekige zwarte wenkbrauwen. Inspecteur Boyd haalt een blocnote en een stompje potlood uit de zak van zijn uniform.

'Hoe gaat het met haar?' vraagt mijn vader aan de dokter.

'Ze zal een vinger moeten missen, en misschien ook een paar tenen,' antwoordt de dokter, terwijl hij over zijn voorhoofd wrijft. 'En haar longen kunnen aangetast zijn. Maar dat kunnen we nog niet met zekerheid zeggen.'

'Waar hebt u haar gevonden?' vraagt de inspecteur aan mijn vader.

'In het bos achter mijn huis.'

'Op de grond?'

'In een slaapzak. Ze lag met een handdoek om zich heen in die slaapzak.'

'Waar zijn die handdoek en slaapzak nu?' vraagt inspecteur Boyd, en hij likt aan de punt van zijn potlood – een gebaar dat ik mijn oma heb zien maken als ze bezig was haar boodschappenlijstje op te stellen. Hij praat zoals de meeste mensen die in New Hampshire geboren zijn: met langgerekte a's en r's, en een vaag ritme in de zinnen.

'In het bos. Die heb ik daar laten liggen.'

'U woont op Bott Hill, toch?'

'Ja.'

'Ik heb u wel eens gezien,' zegt inspecteur Boyd. 'In Sweetser's.'

'Volgens mij was het in de buurt van dat motel daar,' zegt mijn vader. 'Ik weet niet meer hoe het heet.'

De inspecteur wendt zich van mijn vader af en zegt iets in een zender die met een clip aan zijn schouder vastzit. Ik bekijk de parafernalia op zijn uniform.

'Hoe lang heeft ze daar gelegen?' vraagt de dokter aan mijn vader.

'Dat weet ik niet,' zegt mijn vader.

Dan zie ik het beeld voor me van de baby die nog steeds in het donker in de sneeuw ligt. Ik maak een geluidje. Mijn vader legt zijn hand op mijn schouder.

'Vertelt u eens hoe u haar gevonden hebt,' zegt inspecteur Boyd tegen mijn vader.

'Mijn dochter en ik waren aan het wandelen, en toen hoorden we geschreeuw. We wisten eerst niet wat het was. Misschien een kat, dachten we. En daarna leek het wel een mens.'

'Hebt u iets gezien? Was er iemand in de buurt van de baby?'

'We hebben een autoportier horen dichtslaan. Daarna sloeg er een motor aan,' zegt mijn vader.

De zender van inspecteur Boyd maakt een snerpend geluid. Hij praat in zijn schouder. Hij maakt een geagiteerde indruk, en hij wendt zich van ons af. Ik hoor hem zeggen 'in al die achtentwintig jaar' en 'hij is hier'.

Ik hoor hem zachtjes vloeken.

Hij draait zich weer naar ons toe en stopt zijn blocnote en potlood weg. Daar doet hij heel lang over. 'Kunnen we met meneer Dillon ergens heen?' vraagt de inspecteur aan de dokter. 'Er komt een rechercheur van de afdeling Ernstige Misdrijven van de staatspolitie uit Concord.'

De dokter knijpt in de brug van zijn neus. Zijn ogen zijn rozeomrand van vermoeidheid. 'Hij mag wel in de personeelskamer gaan zitten,' zegt de dokter.

'Ik kan dat meisje wel thuisbrengen,' zegt inspecteur Boyd, alsof ik er niet eens bij ben. 'Ik moet toch die kant op.'

Ik leun tegen mijn vader aan. 'Ik wil bij jou blijven,' fluister ik.

Mijn vader bekijkt mijn gezicht. 'Zij blijft bij mij,' zegt hij.

We lopen achter de dokter aan naar een lunchroom vlak bij de wachtkamer. Binnen bevinden zich hoge metalen kluisjes, in een hoek staan een paar crosscountryski's, op een formica tafel tegen de muur ligt een stapel jassen. Ik ga aan een andere tafel zitten en bestudeer de automaten. Ik realiseer me dat ik honger heb. Ik bedenk dat mijn vader zijn portemonnee niet bij zich heeft.

Ik denk aan de baby, die haar vinger zal moeten missen en misschien ook een paar tenen. Ik vraag me af of ze dan gehandicapt zal zijn. Zal ze zonder haar tenen moeite hebben met leren lopen? Zal ze zonder die vinger kunnen basketballen?

'Ik kan de moeder van Jo wel bellen,' zegt mijn vader. 'Dan komt die je wel halen.'

Ik schud mijn hoofd.

'Dan haal ik je op zodra dit allemaal achter de rug is,' voegt hij eraan toe.

'Nee, laat maar,' zeg ik. Ik zeg niet dat ik honger heb, want dan word ik zeker naar Jo gestuurd. 'Komt het goed met de baby?' vraag ik.

'Dat zullen we moeten afwachten,' zegt mijn vader.

'Pap?'

'Ja?'

'Raar was het, hè?'

'Zeg dat wel.'

Ik verschuif op mijn stoel en ga op mijn handen zitten. 'En ook eng,' zeg ik.

'Een beetje wel.'

Mijn vader pakt zijn sigaretten uit zijn jaszak, maar bedenkt zich dan.

'Wie denk je dat haar daar heeft achtergelaten?' vraag ik.

Hij wrijft over de stoppels op zijn kin. 'Ik heb geen flauw idee,' zegt hij.

'Denk je dat ze haar aan ons zullen geven?'

Mijn vader lijkt verrast door die vraag. 'De baby is niet van ons; wij mogen haar niet zomaar hebben,' zegt hij voorzichtig.

'Maar wij hebben haar gevonden,' zeg ik.

Mijn vader buigt zich naar voren en vouwt zijn handen tussen zijn knieën in elkaar. 'Wij hebben haar gevonden, maar ze is niet van ons. Ze zullen proberen de moeder te vinden.'

'De moeder wil haar niet,' breng ik ertegen in.

'Dat weten we niet zeker,' zegt mijn vader.

Met de gedecideerdheid van een twaalfjarige schud ik mijn hoofd. 'Natúúrlijk weten we dat wel zeker,' zeg ik. 'Welke moeder laat haar baby nu in de sneeuw doodgaan? Ik heb honger.'

Mijn vader haalt een Werther's uit zijn parka en schuift die me over de tafel toe.

'Wat gaat er met de baby gebeuren?' vraag ik, terwijl ik het cellofaan eraf haal.

'Dat weet ik niet zeker. Dat kunnen we aan de dokter vragen.'

Ik stop het snoepje in mijn mond en duw het in mijn wang. 'Maar papa, stel nou dat ze zeggen dat wij de baby mogen hebben – zou jij haar dan nemen?'

Mijn vader haalt zijn eigen snoepje uit het cellofaan. Hij maakt er een propje van en stopt dat in zijn zak. 'Nee, Nicky,' zegt hij. 'Dat zou ik niet doen.'

De minuten verstrijken. Er gaat een halfuur voorbij. Ik vraag mijn vader om nog een snoepje. Boven ons hoofd kondigt een nieuwslezer op een televisie bezuinigingen aan. Drie pubers uit White River Junction zijn na een poging tot beroving aangeklaagd. Er komt een stormfront aanzetten. Ik bestudeer de weerkaart en kijk dan op de klok: tien over zes.

Ik sta op en loop het vertrek door. Het is niet erg groot. Aan het eind van de rij kluisjes hangt een spiegel ter grootte van een boek. Door mijn beugel steekt mijn mond naar voren. Ik probeer niet te glimlachen, maar soms kan ik er niets aan doen. Ik heb een gladde huid – geen puistje te bekennen. Ik heb de bruine ogen van mijn moeder, en ook haar golvende haar, dat op dit moment boven op mijn hoofd helemaal piekerig is. Ik probeer het met mijn vingers glad te strijken.

Een man met een donkerblauwe jas aan en een rode sjaal om komt zonder te kloppen het vertrek binnen; ik neem aan dat hij ook dokter is. Hij wikkelt zijn sjaal los en legt hem over een stoel. Ik zie dat mijn vader de rits van zijn jas open wil doen, maar dat kan hij niet. Er zitten geen knopen aan zijn hemd.

De man trekt zijn jas uit en legt hem over de sjaal heen. Hij wrijft zich in de handen alsof hij zich op iets leuks verheugt. Hij heeft een zwarte kabeltrui en een colbertje aan, en zijn gezicht is bezaaid met korrelige littekens van de acne. Rechts van zijn kin zit een extra huidflap, alsof hij een auto-ongeluk heeft gehad of met een mes gestoken is.

'Robert Dillon?' vraagt de man.

Het verbaast me dat deze dokter weet hoe mijn vader heet, maar dan realiseer ik me dat hij helemaal geen dokter is. Ik ga wat rechter op mijn stoel zitten. Mijn vader knikt.

'George Warren,' zegt de man. 'Zeg maar Warren. Wilt u koffie?'

Mijn vader schudt zijn hoofd. 'Dit is mijn dochter,

Nicky,' zegt mijn vader. Warren steekt zijn hand uit en ik schud hem.

'Was zij bij u toen u de baby vond?' vraagt Warren.

Mijn vader knikt.

'Ik ben rechercheur bij de staatspolitie,' zegt Warren. Hij haalt wat kleingeld uit zijn zak en steekt het in de koffieautomaat. 'U hebt tegen inspecteur Boyd gezegd dat u de baby op Bott Hill hebt gevonden,' zegt hij met zijn rug naar mijn vader toe.

'Dat klopt,' zegt mijn vader.

Een bekertje van dik papier valt op zijn plaats. Ik kijk hoe de koffie uit het tuitje stroomt. Warren pakt het bekertje en blaast erop.

'De slaapzak en de handdoek zouden er nog moeten liggen,' voegt mijn vader eraan toe. 'Ze lag in een slaapzak toen ik haar vond.'

Warren roert met een houten stokje in zijn koffie. Zijn haar is grijs, maar zijn gezicht is jong. 'Waarom hebt u die daar laten liggen?' vraagt hij. 'De slaapzak.'

'Die was te glibberig,' zegt mijn vader. 'Ik was bang dat ik de baby zou laten vallen.'

'Hoe hebt u haar gedragen?'

'Ik heb haar in mijn jas gestopt.'

Warrens ogen glijden naar de jas van mijn vader. Met de neus van zijn Timberland-schoen trekt de rechercheur een stoel van de tafel naar achteren. Hij gaat zitten. 'Hebt u een identiteitsbewijs bij u?' vraagt hij.

'Ik heb mijn portefeuille thuis laten liggen,' zegt mijn vader. 'Ik had haast; ik wilde de baby zo snel mogelijk naar het ziekenhuis brengen.'

'Hebt u de politie niet gebeld? Of een ambulance?'

'We wonen aan het eind van een lange weg de heuvel op. De gemeente onderhoudt die weg niet zo best. Ik was bang dat de ambulance vast zou komen te zitten.'

Warren neemt mijn vader over de rand van zijn bekertje op. 'Vertel eens over de slaapzak,' zegt hij.

'Die was aan de buitenkant glanzend blauw en aan de binnenkant geruit,' zegt mijn vader. 'Een goedkoop ding, zoals je die bij Ames kunt kopen. Er lag ook een handdoek. Wit, en onder het bloed.'

'Woont u al lang op Bott Hill?' Warren neemt nog een aarzelend slokje van zijn koffie. Zijn ogen staan zowel waakzaam als afwezig, alsof alle belangrijke zaken zich ergens anders afspelen.

'Twee jaar.'

'Waar komt u vandaan?'

'Ik ben opgegroeid in Indiana, maar ik ben uit New York hiernaartoe gekomen.'

'De stad?' zegt Warren, en hij trekt aan een oorlel.

'Ik heb in de stad gewerkt, maar we woonden even ten noorden van de stad.'

'Als u er niet was geweest, meneer Dillon,' zegt Warren, 'hadden we in het voorjaar een stelletje botten gevonden.'

Mijn vader kijkt naar mij. Ik houd mijn adem in. Ik wil niet aan die botten denken.

'Hebt u het warm?' vraagt Warren aan mijn vader. 'Trek uw jas toch uit.'

Mijn vader schokschoudert, maar iedereen kan zien dat hij in deze veel te warme ruimte zit te transpireren.

'Wat was u aan het doen toen u die pasgeboren baby vond?' vroeg de rechercheur.

'We waren een wandeling aan het maken.'

'Hoe laat?'

Mijn vader denkt even na. Hoe laat was het? Hij draagt geen horloge meer, omdat dat te vaak in zijn gereedschap blijft haken. Ik kijk omhoog naar de klok boven de deur. Vijf voor halfzeven. Ik heb het gevoel alsof het al twaalf uur 's nachts is.

'Het was na zonsondergang,' zegt mijn vader. 'De zon was net achter de heuveltop verdwenen. Ik denk dat we haar een minuut of tien, vijftien later gevonden hebben.'

'U was in het bos,' zegt Warren.

'Ja.'

'Gaat u vaak na zonsondergang in het bos wandelen?'

De rechercheur zet de koffiebeker op tafel en haalt een blocnootje uit de zak van zijn overjas. Hij slaat het open en maakt met een stompje potlood een aantekening. Ik wil ook zo'n stompje.

'Op mooie dagen,' zegt mijn vader. 'Ik houd meestal om een uur of kwart voor vier op met werken. Dan maken we voor het helemaal donker is graag nog een wandelingetje.'

'Samen met uw dochter?'

'Ja.'

'Hoe oud ben jij?' vraagt de rechercheur.

'Twaalf,' zeg ik.

'Zit je in de eerste?'

'Ja.'

'Van het Regional?'

Ik knik.

'Hoe laat stap je uit de bus?'

'Om kwart over drie,' zeg ik.

'En dan is het nog een kwartier lopen, verder de heuvel op,' voegt mijn vader eraan toe.

Warren draait zich weer naar mijn vader toe. 'Hoe hebt u de baby gevonden, meneer Dillon?'

'Met een zaklamp. We hadden haar horen huilen. Toen waren we inmiddels al naar haar aan het zoeken. Naar een baby, althans.'

'Hoe lang hadden jullie al gelopen?'

Ze worden onderbroken door een stem door de luidspreker, die dokter Gibson oproept. Zou er iets ernstigs met de baby zijn? 'Ongeveer een halfuur,' zegt mijn vader.

'Hebt u nog iets vreemds gehoord?'

'Ik dacht eerst dat het een kat was,' zegt mijn vader. 'Ik hoorde een autoportier dichtslaan. En toen een auto die werd gestart.'

'Een truck? Een personenauto?'

'Dat kon ik niet horen.'

'Nadat u de baby had gevonden?'

'Nee, daarvoor.'

'Voordat of nadat u haar voor het eerst had horen huilen?'

'Daarna,' zegt mijn vader. 'Ik weet nog dat ik dacht: dat zal wel een man of een vrouw zijn die een wandeling met een baby maakt.'

'In het bos? In de winter?'

Mijn vader schokschoudert. 'Ik liep aan de achterkant van Bott Hill. Daar is een stenen muur. Dat is vaak het einddoel van onze wandeling, als het ware.'

Ik denk aan alle keren dat mijn vader op de muur heeft gezeten en een sigaret heeft gerookt. Zullen we daar ooit nog naartoe gaan?

'Zou u de plek kunnen terugvinden waar u de baby hebt gevonden?' vraagt Warren.

'Ik weet het niet,' zegt mijn vader. 'Misschien zijn er ondiepe sporen. We hadden onze sneeuwschoenen aan, maar de bovenlaag was hard. Morgenochtend zou ik u min of meer kunnen laten zien waar het was.'

Rechercheur Warren gaat achteruit zitten in zijn stoel. Hij kijkt naar mij en wendt dan zijn blik af. 'Meneer Dillon,' zegt hij, en dan wacht hij even. 'Kent u iemand die deze baby ter wereld gebracht zou kunnen hebben?'

Mijn vader schrikt van de vraag – vanwege de inhoud, omdat die is gesteld waar ik bij ben. 'Nee,' zegt hij – het woord glipt ternauwernood tussen zijn lippen door.

'Bent u getrouwd?'

Ik wend mijn blik af.

'Nee,' zegt hij.

'Hebt u nog andere kinderen?'

Er waait een warme wind door mijn borst.

'Mijn dochter en ik zijn maar met z'n tweeën,' zegt mijn vader.

'Wat was de reden waarom u hiernaartoe bent verhuisd?' vraagt de rechercheur.

Er valt even een stilte, en ik wilde opeens dat ze me er niet bij hadden gelaten. 'Dat leek me toen leuk,' hoor ik mijn vader zeggen.

'Kon u niet meer tegen de druk?' probeert Warren.

Ik kijk op. Mijn vader staart naar de ski's die in de hoek staan. 'Zoiets, ja,' zegt hij.

'Wat deed u voor werk in de stad?'

'Ik werkte voor een architectenbureau.'

Warren knikt en neemt de feiten in zich op. 'En wat doet u nu?' vraagt hij. 'Daar op Bott Hill?'

'Ik ben meubelmaker,' zegt mijn vader.

'Wat voor soort meubels maakt u?'

'Eenvoudige dingen. Tafels. Stoelen.'

Achter me hoor ik de deur van de conversatiekamer opengaan. Dokter Gibson komt binnen; onderwijl trekt hij zijn witte jas uit. Hij gooit hem in een bak in de hoek. Hij knikt de rechercheur gedag. Of ze kennen elkaar, denk ik, of ze hebben elkaar gesproken voordat de rechercheur naar binnen is gegaan. 'Ik ga ervandoor,' zegt de dokter, die duidelijk afgepeigerd is.

'Hoe gaat het met de baby?' vraagt mijn vader.

'Beter,' zegt dokter Gibson. 'Haar toestand stabiliseert zich.'

'Zou ik haar mogen zien?' vraagt mijn vader.

Dokter Gibson haalt een geel-met-zwarte parka uit een kluis. 'Ze ligt op de IC te slapen,' zegt hij.

Ik zie dat de rechercheur en de dokter elkaar even aankijken. De dokter kijkt op zijn horloge.

'Goed dan,' zegt Gibson, 'heel even. Dat lijkt me geen kwaad kunnen.'

We lopen achter dokter Gibson aan door een hele reeks gangen die allemaal in dezelfde deprimerende kleuren mintgroen en beige zijn geschilderd. De rechercheur loopt achter ons en ik stel me zo voor dat hij onder het lopen mijn vader en mij bestudeert.

De kinder-IC is in de vorm van een wiel gebouwd, met de verpleegsterspost als naaf en de patiëntenkamers als spaken. Ik loop langs ouders die op plastic stoeltjes zitten en naar wijzertjes en knipperende rode lampjes kijken. Ik verwacht elk moment dat er iemand gaat gillen.

Dokter Gibson wenkt ons een kamer binnen die reusachtig groot lijkt vergeleken met de minuscule baby in de plastic doos. Hij geeft ons een maskertje en zegt dat we dat voor onze mond moeten doen.

'Ik dacht dat ze op de kraamafdeling zou liggen,' zegt mijn vader door het blauwe papier heen.

'Zodra de baby buiten het ziekenhuis is geweest, kan ze niet meer terug naar de kraamafdeling. Ze zou dan de andere baby's kunnen besmetten,' legt de dokter uit. Hij buigt zich over het bedje heen, schikt iets aan een slangetje en kijkt op een beeldscherm.

De baby ligt in een verwarmde bak van plexiglas. Uit het iele lichaampje steken een in verband gewikkeld handje en voetje, alsof het een pop is. Het haar, zwart en vederlicht, bedekt de rimpelige hoofdhuid als de kruin van een vogel. Terwijl we naar haar kijken maakt ze zwakke zuigbewegingen.

Ik wil mijn wang naar de mond van de baby brengen en de warme adem tegen mijn huid voelen. Dat we haar gevonden hebben is het allerbelangrijkste wat mijn vader en ik ooit gedaan hebben.

'Wat gaat er met haar gebeuren?' vraagt mijn vader.

'De afdeling Jeugd- en Gezinszorg zal zich over haar ontfermen,' zegt dokter Gibson.

'En dan?'

'Pleegzorg. Adoptie, als ze geluk heeft.'

Gevieren gaan we zwijgend met de lift naar beneden. Het valt me op dat mijn vader stinkt. Wanneer we uit de lift stappen steekt dokter Gibson mijn vader zijn hand toe. 'Ik ga terug,' zegt hij. 'Ik ben blij dat u haar hebt gevonden, meneer Dillon.'

Mijn vader schudt de dokter de hand. 'Ik zou u graag morgen willen bellen,' zegt hij. 'Om te horen hoe het met haar is.'

'Ik heb de hele dag dienst,' zegt dokter Gibson. Hij geeft mijn vader zijn kaartje, en we kijken hem na terwijl hij wegloopt.

'Waar staat uw auto?' vraagt rechercheur Warren aan mijn vader.

Mijn vader moet even nadenken. 'Op de parkeerplaats aan de voorkant,' zegt hij.

'Ik wil graag dat u met mij meerijdt,' zegt Warren. 'Ik wil u iets laten zien.'

'Mijn dochter is moe,' zegt mijn vader.

'Ze kan wel hier blijven,' zegt de rechercheur. 'Dan haalt u haar op wanneer ik u terugbreng. Het duurt niet lang.'

'Nee, papa,' zeg ik snel.

De rechercheur doet zijn mond open om iets te zeggen, maar mijn vader is hem voor. 'Zij gaat mee,' zegt mijn vader.

Warren heeft een rode jeep – een beetje vreemde keus voor een politieagent. Hij zal wel niet al te veel undercoverwerk doen. Misschien heeft hij die jeep nodig om misdadigers op achterafwegen achterna te zitten.

'U zult me wel de weg moeten wijzen,' zegt Warren. 'Ik hoef hier niet vaak te zijn.'

'Waar gaan we naartoe?' vraagt mijn vader.

'Naar het motel.'

We rijden door het stadje Shepherd, New Hampshire, genoemd naar Asa Henry Shepherd, een boer die hier in 1763 uit Connecticut naartoe is gekomen om het land te bewerken. In het plaatselijke telefoonboek staan meer dan dertig Shepherds.

'We krijgen zwaar weer morgen,' zegt Warren. 'IJs, volgens de radio. Ik haat ijs.'

Mijn vader zegt niets. Het is steenkoud in de jeep. Ik zit achterin. De rechercheur rijdt met zijn jas open en zijn rode sjaal losjes om zijn hals.

'IJzel is het ergste wat er is,' zegt Warren. 'Twee jaar geleden nam een gezin uit North Carolina de afslag naar Grantham. Ze waren wezen skiën en hadden geen idee dat het geijzeld had. De Chevy waar ze in zaten vloog de lucht in.'

Ik kijk naar het ritme van de bevroren ademhaling van mijn vader.

'In het motel daar bij u heeft een echtpaar ingecheckt,' zegt Warren. 'De eigenares heeft me een beschrijving van de man gegeven, maar zegt dat ze de vrouw niet heeft gezien. Een blanke man, een meter tachtig, twintig, eenentwintig jaar, golvend zwart haar, met een donkerblauwe jopper aan. Ze denkt dat hij in een Volvo rijdt, van een jaar of zes, zeven oud. Ze horen het kenteken te noteren, maar dat had ze niet gedaan.'

'Een Volvo?' vraagt mijn vader verbaasd.

De rechercheur passeert onze weg en rijdt in oostelijke richting naar de oprijlaan die bij het motel uitkomt. Door de koplampen kun je hier en daar even het bos in kijken – hetzelfde bos dat langs ons terrein loopt. Door de voorruit zie ik een vreemde gloed aan de donkere hemel, alsof er boven op de heuvel een kleine stad op ons staat te wachten.

Warren rijdt stroef. Mijn vader heeft het nooit prettig gevonden om passagier te zijn, en is dat ook al jaren niet meer geweest. Ik kan de rechercheur vóór me ruiken: een combinatie van natte wol en koffie, met een vage boventoon van pepermunt.

'Hier eraf,' zegt mijn vader.

Warren draait een geplaveide oprit op die een korte heuvel op gaat, naar een laag motel met rode dakspanen toe. Op de parkeerplaats staan twee surveillancewagens en nog drie andere auto's. Het bos achter het motel is met een aantal krachtige schijnwerpers verlicht.

Warren stapt uit de jeep en gebaart mijn vader te volgen.

'Blijf jij maar hier,' zegt mijn vader tegen mij.

'Ik wil mee,' zeg ik.

'Ik ben zo terug,' zegt hij.

Van een motelkamer staat de deur open, en ik zie binnen twee geüniformeerde politieagenten – een van hen is inspecteur Boyd. Mijn vader loopt achter de rechercheur aan de parkeerplaats over.

Ik trek mijn knieën op en sla mijn armen eromheen. Het raampje naast me is vies, maar ik zie nog wel dat mijn vader de drempel over stapt en de verlichte kamer binnengaat. Ik begrijp niet waarom ze me alleen in de auto hebben gelaten. En als degene die de baby heeft achtergelaten om dood te gaan nu nog rondloopt?

Ik buig me naar opzij en laat me door mijn gewicht op het kussen vallen, zodat ik nu in foetushouding op de achterbank lig. Ik ben in de auto van een rechercheur. In mijn nek voel ik een schokje van iets wat op opwinding lijkt, vermengd met angsttintelingen.

In het licht van de parkeerplaats bestudeer ik de vloer van de jeep. Een leeg colablikje ligt op zijn kant, een gebruikte tissue, een paar losse munten. In het vak van de rugleuning zitten een atlas en een cassettebandje. En wat is dit? Ik voel een ongeopende Snickers. Ik trek mijn hand terug. Onder de stoel van de bijrijder ligt een lang metalen voorwerp dat wel eens een stuk gereedschap zou kunnen zijn. Voor de rest is de jeep vrij schoon, in tegenstelling tot de cabine van de truck van mijn vader, die onder de vodden, stukken hout, zaagsel, gereedschap, jassen en sokken ligt. Het stinkt er ook – naar oude appels. Mijn vader zweert dat er geen appels in de truck liggen, dat hij alles heeft doorzocht, maar ik weet zeker dat er ergens eentje ligt te rotten.

Ik sta mezelf toe eventjes te huilen. Dat doet me goed, hoewel ik mijn neus alleen maar aan mijn mouw kan afvegen. Ik denk aan hoe mijn vader op de parkeerplaats zat te huilen. Het was net alsof hij niet eens wist dat ik erbij was.

Mijn vader en ik hebben iemand het leven gered. Morgenochtend op school ben ik beroemd. Ik hoop dat mijn vader niet zal zeggen dat ik er mijn mond over moet houden. Zou het in de krant staan? Mijn tanden klapperen, en misschien help ik ze wel een handje. Ik denk aan onze wandeling, aan dat we de baby in het bos vonden en aan hoe mijn vader op zijn knieën viel. Zou ik, als ik het te koud krijg, uit de auto mogen stappen en naar binnen mogen gaan?

Ik ga rechtop zitten en tuur uit het raam, dat een beetje beslagen is. Hoe lang is mijn vader nu al weg? Mijn vingers zijn koud. Waar zijn mijn wanten gebleven? Ik barst van de honger. Sinds de lunch op school om halftwaalf heb ik niets meer gegeten. Ik denk aan de Snickers. Zou de rechercheur het merken als ik hem opeet? En als hij het merkt, zou hij het dan erg vinden? Ik haal de reep uit het vak aan de achterkant van de stoel. Ik houd hem even op mijn schoot en kijk snel naar de deur van de motelkamer. Ik zal hem snel moeten opeten en het papiertje moeten verstoppen. Ik wil niet met een halve reep in mijn mond betrapt worden.

Ik scheur de wikkel open. De reep is hard van de kou, maar hij is heerlijk. Ik eet zo snel ik kan, veeg mijn mond met mijn vingers af en prop het papiertje in de zak van mijn spijkerbroek. Ik ga achteruit zitten, enigszins buiten adem.

Met opgetrokken schouders, alsof ik elk moment een standje kan verwachten, stap ik uit de jeep en sla ik het portier dicht. Ik loop over de geveegde parkeerplaats. Ik hoor nu stemmen: de welbewust rustige stemmen van technici die aan het werk zijn. Op het trapje aarzel ik, en ik verwacht een barse stem.

Het is een kleine kamer en zelfs zonder de bebloede lakens of de smerige dekens die van het bed getrokken zijn zou hij er al deprimerend uitzien. De muren zijn van dun fineer dat vurenhout moet voorstellen. In de kamer staan een bureau en een televisie, en het ruikt er heel schimmelig. Vlak onder het enige raam, dat openstaat, ligt een bebloed laken. Door dat raam zie ik de schijnwerpers op de sneeuw.

Een technisch medewerker is met het bed bezig.

'Hier heeft een vrouw liggen bevallen,' zegt Warren.

Op een nachtkastje staat een glas water, halfvol. Op het kleed ligt een sok. 'Er zijn vast vingerafdrukken,' zegt mijn vader.

'Overal zitten vingerafdrukken,' zegt Warren, 'maar daar hebben we niks aan, tenzij ze van iemand met een strafblad zijn – en dat waag ik te betwijfelen.' De rechercheur haalt een zakdoek uit zijn achterzak en snuit zijn neus. 'Dat meisje dat u gevonden hebt, hè?' vraagt hij. 'Dat is in deze kamer ter wereld gekomen. En daarna is iemand, hoogstwaarschijnlijk de vader, door dat raam naar buiten gegaan en heeft geprobeerd haar te doden.

Niemand heeft haar op een warme plek gelegd waar ze gevonden zou worden. Niemand heeft gebeld en een tip gegeven. De baby, van maar een paar minuten oud, is door een man opgepakt, hij is op een decemberavond met haar het bos in gelopen, de vrieskou in, en heeft haar bloot in een slaapzak gelegd. Als u haar niet had gevonden zouden wij op haar zijn gestuit, maar wanneer? In maart? April? Als we haar al gevonden zouden hebben. Hoogstwaarschijnlijk was een hond ons voor geweest.'

Ik denk aan een hond die met zijn tanden een bot over de sneeuw sleept. Mijn vader staat naast de rechercheur, terwijl die met een technisch medewerker overlegt. Inspecteur Boyd leunt tegen een muur, met zijn lippen stevig op elkaar geperst. Op de plek waar ik sta kan hij me niet zien. Ik probeer me een beeld te vormen van wat er in deze kamer is gebeurd. Ik weet niet zo veel over bevallen, maar uit de muren, de gekreukte lakens, de achtergelaten kleren proef ik hysterie. Wist de vrouw wat de man met de pasgeboren baby ging doen? De sok is parelgrijs, van angora misschien, met aan de zijkant een ingebreide kabel. Aan de maat te zien is het een damessok. Een technisch medewerker pakt hem op en stopt hem in een plastic zak.

'Ik werk nu vijftien jaar bij de politie,' zegt Warren, 'en ik heb misschien vijfentwintig gevallen meegemaakt van in de steek gelaten pasgeborenen. Drie maanden geleden heeft een vrouw in Lebanon een baby in een vuilnisbak voor haar huis gelegd. Het was uit met haar vriend. Toen we de baby vonden, was hij dood. Hij had soep in zijn neus.'

Een technicus onderbreekt Warren; hij heeft een vraag. 'Afgelopen jaar heeft een meisje van veertien haar baby van één hoog uit het raam gegooid. Ze is beschuldigd van poging tot moord.' Warren bekijkt een glas en een plastic zak op het nachtkastje. 'In Newport hebben we een pasgeboren meisje gevonden, dat nog leefde, op een schap in een warenhuis. In Conway hebben ze een pasgeboren jongetje gevonden in een vuilnisbak achter een restaurant. De moeder was twintig jaar. Buiten vroor het. Ze is aangeklaagd wegens poging tot moord.' De rechercheur gaat op zijn hurken zitten om onder het bed te kunnen kijken. 'En verder? O ja, in Manchester heeft een achttienjarige moeder haar pasgeboren dochtertje in een park achtergelaten. Ze had het kind in een plastic zak gestopt, en twee meisjes van tien jaar hebben de baby ontdekt toen ze door het park fietsten. Moet u zich voorstellen. De moeder is aangeklaagd wegens poging tot moord en wreedheid.' Warren komt overeind. Hij wijst onder het bed en vraagt de technisch medewerker iets. 'En deze dan: twee jaar geleden ontdekte een meisje dat in een van de laatste klassen van de middelbare school zat dat ze zwanger was. Ze vertelde het aan niemand. Ze verhulde het door wijde truien en broeken te dragen, en hoopte dat ze een miskraam zou krijgen. Maar die kreeg ze niet. In het najaar ging ze studeren. De dag voor Thanksgiving, toen iedereen naar huis was, beviel ze op de grond van haar studentenkamer van een dochter. Ze wikkelde het kindje in een T-shirt en trui, stopte haar in een supermarkttas en droeg haar drie trappen af. Ze legde de tas in een vuilnisbak vlak voor het studentenhuis.'

Warren loopt naar het raam en kijkt naar buiten.

'Maar die studente had een geweten,' zegt hij. 'Ze belde naar de bewaking van de campus om anoniem een tip door te geven, en die heeft de baby gevonden. De moeder hadden ze ook snel te pakken. Ze verklaarde dat ze bedreigd was en werd veroordeeld tot een jaar hechtenis.'

'Hoe weet u dat dit door een man is gedaan?' vraagt mijn vader. 'In alle andere gevallen die u net hebt genoemd werd de baby door een vrouw achtergelaten.'

'Kom maar mee,' zegt Warren tegen mijn vader. 'Ik zal u iets laten zien.'

De twee mannen draaien zich om, en terwijl ze dat doen zien ze mij vlak voor de deuropening staan.

Mijn vader komt naar me toe en gaat voor me staan, alsof hij ervoor wil zorgen dat ik de kamer niet kan zien, maar we weten allebei dat het te laat is: ik heb al gezien wat er te zien valt.

'Ik had toch gezegd dat je in de auto moest blijven?' zegt mijn vader, tegelijk verbaasd en boos.

'Ik had het koud.'

'Als ik zeg dat je in de auto moet blijven, bedoel ik ook dat je in de auto moet blijven.'

'Laat maar,' zegt Warren, terwijl hij langs mijn vader glipt. 'Ze mag wel mee.'

Mijn vader kijkt me ijzig aan. Ik moet voor hem gaan lopen, achter de rechercheur aan naar de achterkant van het motel. Er ligt een dik pak sneeuw, en Warren gebaart ons dat we in zijn langzame en precieze voetafdrukken moeten stappen. Vanaf een raam aan de achterkant van het motel loopt een ander spoor naar het bos. De lampen zijn zo fel dat ik mijn hand omhoog moet doen. Vijftien meter van de plek waar wij zijn staan twee politieagenten over de sneeuw gebogen.

'Voetsporen,' zegt Warren. 'Hier en daar gaan ze wel een halve meter diep. Maat 44. Zo om de halve meter zakt hij tot aan zijn knieën in de sneeuw. Het spoor loopt nog door, minstens vijfhonderd meter, en dan loopt hij in precies dezelfde sporen terug. Weet u wel hoe moeilijk dat is?'

Mijn vader zegt dat hij weet dat dat heel moeilijk is.

'Daar kun je je been bij breken,' zegt Warren.

Mijn vader knikt.

'Iemand uit de stad, denkt u ook niet?' vraagt de rechercheur.

'Zou kunnen.'

'Dat lukt een vrouw die net bevallen is niet.'

'Dat lijkt me ook niet,' zegt mijn vader.

Warren draait zich naar mijn vader om en legt een hand op zijn schouder. Mijn vader deinst terug. 'U zult wel willen weten dat ik niet denk dat u dit hebt gedaan, ondanks het feit dat u uw jas niet open wilt doen,' zegt de detective, 'dat er bloed op uw kraag zit, dat u er een beetje haveloos uitziet en dat u aan een verlaten weg in de buurt van het motel woont.'

We rijden met inspecteur Boyd mee terug naar de stad. Morgenochtend zal iedereen het nieuws bij het wakker worden te horen krijgen. Ik probeer me weer de man en de vrouw voor te stellen die naar het motel zijn gegaan om een kind te krijgen en het vervolgens te doden. Waar zouden ze nu zijn?

'Daar staat mijn truck,' zegt mijn vader wanneer we de parkeerplaats van het ziekenhuis oprijden. Inspecteur Boyd brengt ons naar de truck en we stappen uit. 'Bedankt voor de lift,' zegt mijn vader, maar Boyd houdt zijn mond nog steeds stijf dicht en geeft geen antwoord. Hij rijdt snel de parkeerplaats af.

We stappen in de truck en mijn vader draait het sleuteltje om. De motor slaat bij de eerste keer al aan. Twee op twee. Terwijl we wachten tot de truck warm wordt, kijk ik naar buiten door een dun laagje ijskristallen die glinsteren in het lamplicht van de parkeerplaats. Achter de ijslaag ligt de voordeur van de Eerste Hulp, en daarachter staat een wiegje met een pasgeboren meisje dat in leven probeert te blijven.

'Ik wou dat je al die dingen niet had hoeven horen,' zegt mijn vader.

'Dat vind ik niet erg,' zeg ik.

'Wat dan wel?'

'Ik moest aan Clara denken.'

De truck schokt een beetje. Onder mijn voeten ligt een leeg colablikje, dat me ergert. Mijn vader laat de motor loeien. Hij maakt een scherpe U-bocht op de bijna lege parkeerplaats, en we rijden de nacht in.

De remsporen waren meer dan tien meter lang. De vrachtwagencombinatie duwde de Volkswagen over de snelweg alsof hij gewoon sneeuw aan het ruimen was.

Mijn moeder overleed ter plekke. Clara, die nog leefde toen het ambulancepersoneel haar uit het wrak haalde, stierf voordat de ambulance bij het ziekenhuis aankwam. Het was tien dagen voor kerst, en mijn moeder was met de baby naar het winkelcentrum geweest om kerstinkopen te doen. Om redenen die wij nooit zullen weten – had Clara mijn moeder met haar charme of met haar gejammer zover gekregen dat ze haar hoofd omdraaide, ook al was het maar heel even? – gleed mijn moeder in de baan van de tegemoetkomende truck de snelweg op. De chauffeur, die alleen een ontwrichte schouder aan het ongeluk overhield, zei dat hij nog geen honderd reed toen de groene Volkswagen over zijn baan zwenkte.

Mijn vader, die tot laat op de kerstborrel van zijn werk in Manhattan was gebleven en die aan zijn tweede martini bezig was toen zijn vrouw en kind de vergetelheid in gesleurd werden, hoorde pas tegen twaalf uur 's nachts dat het ongeluk was gebeurd. Toen hij thuiskwam en het huis leeg aantrof, wachtte hij ongeveer een uur, belde toen de vriendinnen van mijn moeder, daarna de streekziekenhuizen en daarna de politie, totdat hij uiteindelijk een antwoord kreeg dat hij zelfs weken later nog niet helemaal goed begreep. Maandenlang had hij het idee dat hij, als hij niet gebeld had, het verschrikkelijke nieuws nooit te horen zou hebben gekregen.

Die nacht reed hij naar het ziekenhuis, waarbij zijn eigen tien jaar oude Saab, robuust als altijd, de spot met hem dreef. Toen hij onderuitging, grepen de co-assistenten hem beet, en ze moesten een gevecht leveren om zijn stropdas af te krijgen zodat hij kon ademen. Nadat hij mijn moeder had geïdentificeerd, mocht hij van het personeel even bij Clara blijven, die opvallend ongeschonden was, op de ovale paarse plek aan één kant van haar voorhoofd na. Zo'n gigantische verspilling was ondraaglijk: Clara's volmaakte lichaam was een unieke marteling die alleen door een jaloerse god kon zijn bedacht.

Het ongeluk gebeurde op een vrijdagavond toen ik bij Tara Rice logeerde. Mevrouw Rice, die het nieuws nog niet had gehoord, was verbaasd dat mijn vader zaterdagochtend al zo vroeg bij haar voor de deur stond. Ze troffen me te midden van een wirwar aan slaapzakken op de grond van Tara's kamer aan, en zeiden dat ik mijn spullen moest pakken. Toen ik de keuken in liep en mijn vader zag, wist ik dat er iets heel ergs was gebeurd. Het was net alsof zijn gezicht, dat de dag ervoor nog heel gewoon was geweest, door een onbekwame beeldhouwer opnieuw was gebeiteld, en alsof de gelaatstrekken een nieuwe, slecht op elkaar afgestemde plek hadden gekregen. Hij hielp me mijn jas aantrekken en liep samen met me naar de auto. Halverwege de oprit begon ik tegen hem te keffen, als een hond die vlak achter hem liep.

'Wat is er, pap? Wat is er?'

'Zeg nou, pap. Waarom moet ik mee?'

'Wat is er gebeurd, pap? Wat is er gebeurd?'

Toen we bij de auto waren, trok ik mijn schouder los en rende ik terug naar het huis. Misschien dacht ik dat ik door Tara's huis weer binnen te gaan de tijd kon stilzetten, dat ik dan nooit dat onzegbare hoefde te horen waarvoor hij gekomen was. Hij had me zo weer te pakken en drukte mijn gezicht tegen zijn jas. Nog voor hij een woord had gezegd begon ik te snikken.

Mijn verdriet, dat ik niet beter kon uiten dan met een trits hulpeloze woorden in een jammerklacht met wijdopen mond, manifesteerde zich naarmate de dagen verstreken in korte, heftige uitbarstingen. Dan boog ik me voorover en bonkte ik op de vloer of trok ik de dekens van mijn bed. Eén keer gooide ik een presse-papier tegen mijn deur, waardoor in het midden een barst ontstond. Het verdriet van mijn vader was niet zo dramatisch als het mijne, maar was veeleer resoluut – een entiteit met gewicht. Hij hield zijn lichaam akelig stijf, zijn kaak strak, zijn rug gebogen, zijn ellebogen op zijn knieën – een houding die je het gemakkelijkst op een stoel aan de keukentafel aanneemt, waar hem water of koffie en zo nu en dan iets te eten werden gebracht.

Mijn vader zat dagen achtereen in ons huis in Westchester, niet in staat weer naar kantoor te gaan. Na de kerstvakantie moest ik van hem weer naar school, met als argument dat ik daar afleiding zou vinden. Mijn oma kwam voor ons zorgen, maar mijn vader vond het niet prettig haar om zich heen te hebben; ze herinnerde hem alleen maar aan gelukkiger tijden, wanneer we 's zomers bij haar in Indiana op bezoek gingen. Dan zaten we luie ochtenden lang met Clara in een plastic badje en dan luierde mijn moeder dankbaar in een strak zwart badpak. In de hitte van die middagen glipten mijn vader en moeder wel eens weg naar zijn oude kinderkamer om een dutje te doen, terwijl mijn oma op Clara en mij lette, en dan was ik blij dat mij het gevreesde lot van een zomerkamp bespaard bleef.

Een paar weken na het ongeluk kwam ik op een dag met de bus thuis uit school en toen zat mijn vader nog op dezelfde stoel als waar hij 's ochtends met het ontbijt had gezeten – een houten stoel aan de keukentafel. Ik wist zeker dat de kop koffie op tafel, met het donkere drab onderin, dezelfde was als die hij 's ochtends om acht uur voor zichzelf had ingeschonken. Ik vond het een griezelige gedachte dat hij al die tijd dat ik op school was geweest – tijdens wiskunde en een film met de titel *Charly*, waar we tijdens Engels naar gekeken hadden – daar op die stoel had gezeten.

In maart kondigde mijn vader aan dat we gingen verhuizen. Toen ik vroeg waarnaartoe, zei hij: 'Naar het noorden.' Toen ik vroeg waar in het noorden, zei hij: 'Ik heb geen idee.'

Ik zit rechtop in bed en zie het licht aan de rand van de gordijnen. Ik duw de dekens van me af en ga op de koude plankenvloer staan. Ik doe de rolgordijnen omhoog en breng een hand naar mijn ogen. Elk takje en nog niet gevallen blaadje is bedekt met een ijzige glans. Ik ben opgetogen. Zelfs in New Hampshire rijden de schoolbussen niet als er ijs ligt. Ik zet de radio aan en luister naar de mededelingen over scholen die niet opengaan. Grantham openbare scholen: gesloten. Newport openbare scholen: gesloten. Regional High School: gesloten.

Ik ga douchen, droog me af en trek een spijkerbroek en trui aan. Ik maak een beker warme chocolademelk voor mezelf. Ik ga op zoek naar mijn vader en loop met de beker in mijn hand door de kamers van het huis – een lang, smal huis, zijwaarts gedraaid, met op het westen een veranda. Het huis is geel geschilderd, met donkergroene accenten, en in de zomer groeit langs de balustrade van de veranda een wilde wingerd, waardoor er een soort vlechtwerk ontstaat. Het schilderwerk moet nodig opnieuw gedaan worden, en mijn vader is van plan dat van de zomer te gaan doen. Afgelopen zomer – onze tweede zomer in dit huis – heeft mijn vader een stukje gazon gemaakt dat ik soms van hem moet maaien. De rest van de grond laat hij voor wat het is. Waar geen bos is, zijn struiken en weilanden, en 's zomers gaan we 's avonds wel eens op de veranda zitten – mijn vader met een biertje en ik met limonade, en dan kijken we naar vogels die we niet kunnen thuisbrengen, die over het te lange gras scheren. Zo nu en dan lezen we allebei een boek.

Ik loop een voorkamer in die over de hele breedte van het huis loopt en die twee hoge ramen op het zuiden heeft. Toen mijn vader het huis kocht, waren de ramen dichtgeschilderd en hingen er twee dof geworden kroonluchters aan het plafond. De muren hadden een verschoten, afbladderend behang met een blauw patroontje, en de open haard was dichtgetimmerd. Mijn vader had het huis enkel en alleen vanwege de afgelegen ligging en de belofte van anonimiteit gekozen, maar nadat hij twee weken in een stoel had gezeten, niet in staat tot veel meer dan naar buiten kijken, begon hij door de kamers te dwalen. Hij besloot het huis tot op het geraamte te onttakelen.

Hij begon in de voorkamer en stuukte het plafond – een lelijk groot stuk dat eruitzag als het hard geworden glazuur van een verjaardagstaart van een dag oud. Hij stripte de muren en schilderde ze wit. Hij kocht een schuurmachine en schuurde de vloeren opnieuw, waarna hij ze een warme honingkleur gaf. Soms moest ik hem helpen, maar het grootste deel van het werk deed hij zelf. Er staat nu niets in de kamer, op de meubelstukken na die mijn vader de afgelopen twee jaar heeft gemaakt: tafels en boekenkasten en houten stoelen met rechte rug en rechte poten. De kamer is schoon en eenvoudig, en lijkt op een klaslokaal – iets wat mijn vader volgens mij al die tijd onbewust heeft nagestreefd, alsof hij terug wilde keren naar de lege vertrekken van zijn jeugd. Soms gebruikt hij die ruimte als toonzaal, als meneer Sweetser van de ijzerhandel klanten stuurt. Meubelmaken is een soort carrière voor mijn vader, hoewel carrière maken iets van zijn vorige leven was, en niet van dit leven.

In de kamer die ooit de eetkamer was heeft mijn vader boekenkasten tot aan het plafond gemaakt en daar staan al zijn boeken in. Hij heeft er een leren stoel, een bank, twee lampen en een vloerkleed in gezet en gelegd, en in die kamer eten en lezen we soms. We noemen hem de studeerkamer. Aan de gedaanteverandering van een kamer in iets anders dan wat hij vroeger was – een salon in een toonzaal, een eetkamer in een studeerkamer, een oude schuur in een werkplaats – ontleent mijn vader een soort pervers genoegen. Even voorbij de keuken ligt een lange gang, bekleed met crèmekleurige lambrisering, met op schouderhoogte een rij stevige haken. Op een andere gang komt een kamertje uit waarvan mijn vader niet wist wat hij ermee moest. Hij maakte het schoon en zette er alle dozen in die hij niet wilde openmaken. Het resultaat daarvan is dat die kamer een soort heiligdom is geworden. Geen van ons tweeën gaat daar ooit naar binnen.

Boven heb je drie slaapkamers: een voor mij, een voor mijn vader en een voor mijn oma voor als ze komt logeren.

De keuken is de enige andere kamer waar mijn vader niets aan heeft gedaan. Er zit een aanrecht van rood formica in en bruine glijplanken met een metalen frame. Hoewel aan dit vertrek het meest moet gebeuren, gaat mijn vader alleen de keuken in om even snel koffie te zetten of een boterham te maken, of een eenvoudige maaltijd voor ons twee. We eten daar nooit, maar we nemen ons bord mee naar de studeerkamer, waar we dan samen eten, of hij eet in zijn werkplaats en ik in mijn slaapkamer, allebei alleen.

We eten nooit in de keuken, want de keuken van ons

vorige leven vormde het middelpunt van ons gezin in New York. De twee vertrekken lijken niet veel op elkaar, maar de herinneringen aan die vorige keuken kunnen ons allebei in no time de das omdoen.

De tafel lag altijd voor de helft bezaaid met tijdschriften en post. Mijn vader noch mijn moeder was een Pietje Precies met het huishouden, en aangezien Clara nog maar net één jaar was, veranderde wat eerst matige rommel was altijd in een ernstige chaos. Mijn moeder maakte babyvoeding in de keukenmachine op een aanrechtblad dat helemaal in beslag genomen werd door apparaten: een citruspers, een blender, een magnetron en een koffiemolen, die een kabaal maakte als een drilboor en waar Clara altijd wakker van werd. Tussen de tafel en een buffetkast hing een babyschommel, een constructie waarin Clara dan, met het kwijl over haar kin, vrolijk op- en neersprong, net lang genoeg zodat mijn ouders aan tafel konden eten. Tijdens het eten had mijn vader Clara op schoot en liet hij haar kennismaken met het eten, dat ze met een mollig handje in haar mond stopte. Als ze lastig werd liet hij haar op zijn knie heen en neer wiebelen, en tegen de tijd dat de maaltijd voorbij was zat zijn hemd onder de vegen wortel, jus en doperwtjes.

In mijn album zit een foto van mijn moeder die haar bord aan het aanrecht probeert leeg te eten, terwijl ze Clara op haar heup vasthoudt. Clara heeft een vinger in haar mond en kwijlt, en mijn moeder is een beetje wazig, met haar rug naar me toe, alsof ze Clara op en neer laat wippen om haar rustig te houden. In het keukenraam vlak achter mijn moeder zie je de verblindende weerspiegeling van een flitslamp. In de lichtkring kan ik nog net mijn vader zien, met een biertje in zijn hand en zijn mond open, klaar om een slok te nemen. Ik heb geen flauw idee waarom ik het nodig vond om midden onder het eten deze foto te nemen, waarom ik het belangrijk vond om mijn moeder op de rug of Clara met haar vinger in haar mond vast te leggen. Misschien was het toestel nieuw en wilde ik het uitproberen. Misschien probeerde ik mijn moeder boos te maken. Ik kan het me niet herinneren.

Ik heb ook een foto van mijn moeder met mij als baby in haar armen onder een sneeuwbalboom in onze achtertuin. Mijn moeder heeft lang, dik haar, lichtbruin, gekruld op een manier die in 1972 waarschijnlijk in de mode was, toen ik net een jaar was. Ze heeft een geruite bloes aan met open hals en een roestkleurig suède jasje, en ik vermoed dat het september is. Ze is echt *aanwezig* op de foto, ze glimlacht een beetje naar mijn vader, die het toestel in handen zal hebben gehad. Ik heb een stom roze mutsje op en bijt zo te zien op mijn knokkels. Ik heb het haar en de brede mond van mijn moeder. Toen Clara geboren was, heeft mijn moeder haar haar afgeknipt, en ik heb haar nooit meer met lang haar gezien.

Ik loop naar buiten naar de schuur en tref mijn vader daar met zijn koffie aan in de stoel naast de kachel. Op de grond liggen hoopjes zaagsel en in de hoeken staan plastic zakken met schaafsel. De lucht is vol met minuscule deeltjes, als een optrekkende nevel op een zomerdag. Ik kijk hoe hij de beker op een vensterbank zet en zijn hoofd buigt. Dat doet hij vaak wanneer hij niet weet dat ik er ben. Hij vouwt zijn handen, met zijn ellebogen op zijn knieën en zijn benen wijd uit elkaar. Zijn verdriet heeft nu geen textuur: geen tranen, geen keelpijn, geen woede. Het is alleen maar duisternis, denk ik – een mantel waardoor hij soms moeilijk kan ademhalen.

'Pap,' zeg ik.

'Ja,' zegt hij, en hij doet zijn hoofd omhoog en draait zich naar me toe.

'Er is vandaag geen school,' zeg ik.

'Dat dacht ik al. Hoe laat is het?'

'Een uur of tien.'

'Dan heb je lang geslapen.'

'Ja.'

Door het raam van zijn werkplaats zie ik vlak achter de dennenbomen een piepklein stukje van het meer: groen glas in de zomer, blauw in de herfst en in de winter alleen maar een stukje wit. Links van het meer ligt een verlaten skiheuvel met slechts drie sporen. Daar staan de overblijfselen van een stoeltjeslift, en op de top een hutje. Vroeger schijnt de man die hem bediende, een joviale vent, ene Al, altijd naar elke skiër die uit zijn of haar stoeltje gleed gesalueerd te hebben.

Achter de open plek die mijn vader heeft gemaakt wordt het bos ogenblikkelijk heel dicht. In de zomer zit het vol muggen en kriebelbeestjes, en ik moet mezelf altijd insmeren met muggenspul. Mijn vader overweegt om de veranda af te schermen, en ik denk dat hij dat over een jaar of twee ook gaat doen.

'Heb je ontbeten?' vraagt hij.

'Nog niet.'

'Er zijn muffins en jam.'

'Ik vind ze soms ook lekker met pindakaas,' zeg ik.

'Je moeder mengde in een kom altijd pindakaas met kwark,' zegt hij. 'Ik moest er vroeger van kokhalzen, maar ze vond het zo lekker dat ik haar nooit verteld heb hoe smerig het was.'

Ik houd mijn adem in en kijk in mijn kopje. Mijn vader zegt bijna nooit iets over mijn moeder, tenzij hij antwoord moet geven op een directe vraag van mij.

Ik klem mijn kaken op elkaar. Ik weet dat als er tranen in mijn ogen komen, dit de laatste herinnering is die hij voorlopig aan mij zal willen vertellen.

In gedachten zie ik een steentje dat loszit in een muur; één steentje dat naar voren schuift totdat het valt. De andere stenen verschuiven en proberen de ruimte op te vullen, maar er is nog steeds een gat waar water, in de vorm van een herinnering, doorheen sijpelt.

Sijpelen.

In september had ik dat woord bij een dictee. Een eenvoudig woord, maar ik spelde het toch verkeerd, als 'seipelen', wat eigenlijk ook best zou kunnen.

'Ik wil wedden dat we die plek wel weer zouden kunnen vinden,' zeg ik, ter verduidelijking van de reden waarom ik naar hem toe ben gekomen. 'Als we dichtbij genoeg komen, zien we het ook aan de oranje tape.'

Ik zie weer de baby voor me, nog in de slaapzak. En als we gisteren nou eens niet waren gaan wandelen, denk ik. Als we haar niet hadden gevonden? Het begint me te dagen dat geluk net zo onbegrijpelijk is als ongeluk. Het is net alsof er nooit een reden voor is – geen gevoel van beloning of straf. Het ís er gewoon – en dat is wel het meest onbegrijpelijke idee van alles.

Zou de politie de plek nog steeds bewaken? Ik besluit van niet: wat voor reden zouden ze gehad hebben om er te blijven? Het misdrijf is voorbij, al het bewijsmateriaal is ongetwijfeld verzameld. Ik denk aan de slaapzak en de bebloede handdoek, veilig weggestopt in plastic zakken op een plank in een politiebureau. Ik denk aan de rechercheur met zijn littekens. De rechercheur, die het nu druk heeft met een ander misdrijf.

Mijn vader zegt niets.

'Nou, goed dan,' zeg ik. 'Dan ga ik wel in mijn eentje.'

In de gang achter in het huis pak ik mijn jas van de haak, zet ik mijn muts op en doe ik mijn wanten aan. Voor de achterdeur rijg ik mijn sneeuwschoenen dicht. Ik zet een stap naar voren. De schoenen hebben geen grip op het ijs. Ik val naar voren en maai met mijn armen om me ergens aan vast te houden. Na tien stappen en één keer hard vallen glibber ik terug naar het huis, houd ik me aan de muur vast en probeer ik te voorkomen dat de schoenen onder me uit schieten. Ik doe de schoenen uit. Als mijn vader me heeft zien glibberen en glijden en daarom heeft moeten grinniken, zal hij het nooit zeggen.

Ik ga weer naar binnen. Ik maak een Engelse muffin met pindakaas voor mezelf en denk aan mijn moeder met haar kwark. Ik loop naar boven naar mijn kamer, die versierd is met een vaantje van de Yankees en een poster van Garfield. Op één muur heb ik een kleurige muurschildering gemaakt van alle skiheuvels in New England:

Sunday River, Attitash, Loon Mountain, Bromley, Killington, King Ridge, Sunapee, en andere. Vorig jaar ben ik de hele kerstvakantie bezig geweest met de contouren aan te geven, en ik vind dat het een goede landkaart in geografisch reliëf is geworden. Alle bergen waarop ik heb geskied zijn besneeuwd; de heuvels waar ik nog over moet skiën blijven groen. In mijn kamer staat ook de enige radio die in het huis is toegestaan. Ik heb met mijn vader de afspraak gemaakt dat ik overal naar mag luisteren, zolang het buiten mijn kamer maar niet te horen is. Soms vraagt mijn vader of ik naar boven wil gaan om naar het weerbericht te luisteren, maar dat is dan ook het enige wat hij van de radio wil weten.

We hebben geen televisie, en we krijgen geen krant. Toen we net in New Hampshire woonden, heeft mijn vader de plaatselijke krant geprobeerd. Op een ochtend stond er op de voorpagina een verhaal over een vrouw die met haar Olds Cutlass achteruitgereden was, over haar zoontje van veertien maanden heen. Mijn vader kwam de studeerkamer uit, liep de keuken in, propte de krant in de vuilnisbak en dat was dat.

Ik heb in mijn kamer een ezel en verf en een stoel waar je een eenpersoonsbed van kunt maken, die enkele keer dat hier een vriendinnetje komt logeren. Aan mijn bureau maak ik sieraden van kralen en op mijn bed lees ik. Mijn vader zei vroeger altijd dat ik mijn bed moest opmaken, totdat ik hem erop wees dat hij dat zelf ook nooit deed, en sindsdien is hij erover opgehouden. Ik vind het vreselijk om naar de wasserette te moeten gaan en ik zou willen dat we een wasmachine hadden. Ik heb er een gevraagd voor kerst.

’s Middags hoor ik, terwijl ik lig te lezen, een druppelend geluid, net als de regen in de zomer. Ik ga naar het raam en kijk naar buiten. Het ijs is gaan dooien. De wereld rond het huis wordt zachter, de ijslaag geeft zijn verzet op.

Ik loop naar buiten naar de schuur.

‘Oké,’ zegt mijn vader, en hij kijkt op. ‘We gaan.’

Op sneeuwschoenen door dikke smeltende sneeuw lopen is echter bijna net zo moeilijk als op ijs lopen. Elke voetstap boort zich in de smeltende ijslaag en brengt ons uit evenwicht. We hebben nog geen honderd meter gelopen of mijn benen doen al pijn. Het licht wordt vlak – het ergste soort licht als je moet lopen of skiën. Ik kan de hobbels of de voren niet zien, en soms is het net alsof we in de mist ronddobberen. We steken de vlakte over waar in de zomer het gazon ligt en gaan dan het bos in.

Ik knijp mijn ogen half dicht in het nare licht en probeer de dunne afdrukken in de sneeuw van de tocht van gisteren te volgen. Zo nu en dan moeten we gissen waar de route precies loopt, want voor het ging vriezen heeft een laagje opgeblazen sneeuw de sporen bedekt. Ik zie het spoor in omgekeerde richting en herinner me hoe we de dag ervoor als gekken hebben gerend, terwijl mijn vader de baby in zijn armen had. Mijn ademhaling gaat moeizaam en snel, en ik zie dat mijn vader zijn pas ook heeft versneld. We zoeken de plek waar we zijn gestopt met klimmen en zijwaarts om de heuvel heen zijn afgeweken, gelokt door de huilende baby. Ik kan de gedachte niet van me afzetten dat ze speciaal ons riep.

Kom me halen.

Boven ons jammert een ijle wind door de dennenbomen, die de toppen doet buigen en hoopjes sneeuw op de grond gooit, waardoor de ijslaag bezaaid raakt met honkballen. In mijn parka ben ik nat van het zweet. Ik doe mijn rits open en laat de ijskoude lucht mijn huid verkoelen. Ik doe mijn muts af en prop hem in een zak. Ik duw de lage takken met mijn handen weg. Volgens mij zijn we afgedwaald, maar mijn vader loopt gewoon door.

Mijn vader bezit acht hectare rotsen, hardhout en glooiende velden. Al het hout voor zijn meubels komt van zijn eigen grond: walnoot en eik en esdoorn; den en kers en tamarack. De houthandel in het dorp heeft het hout gezaagd en geschaafd en er een voorraad gladde planken van aangelegd waar mijn vader jaren zoet mee is.

Na een tijdje vindt mijn vader onze sporen weer, en we volgen ze in een langzamer tempo. Wanneer we ongeveer een kwartier gelopen hebben zie ik in de verte een klein stukje oranje tape. 'Daar is het,' zeg ik.

We lopen naar de plek die afgezet is. Tussen de bomen is een kring van oranje tape gevlochten. Het komt uit op een pad dat terugloopt naar het motel, alsof het voor een bruid is die thuiskomt van een bruiloft in de openlucht. In die kring bevinden zich de zachte plek waar de slaapzak heeft gelegen, een afdruk van de sneeuwschoenen van mijn vader met daaromheen een dunne lijn rode spuitverf, en een maat 44 en een halve laarsafdruk, met net zo'n lijn eromheen. De avond ervoor had geen van ons die laarsafdruk gezien. Ik vraag me af of de politie de zaklamp van mijn vader gevonden heeft, en of het de moeite waard is om te proberen hem terug te krijgen. Heeft mijn vader rechercheur Warren wel over die zaklamp verteld? Ik probeer het me te herinneren. Denken ze soms dat hij van die andere vent was en gaan ze dan een heleboel tijd verspillen met proberen hem te achterhalen?

We lopen om de kring heen en gaan met onze rug naar het motel toe staan. Ik bekijk de zachte plek waar de slaapzak heeft gelegen.

'Pap,' zeg ik. 'Waarom heeft hij de baby in een slaapzak gelegd als hij toch wilde dat ze doodging?'

Mijn vader kijkt omhoog naar de kale bomen. 'Ik weet het niet,' zegt hij. 'Ik denk dat hij niet wilde dat ze het koud had.'

'Dat slaat nergens op,' zeg ik.

'Dit slaat allemaal nergens op.'

Ik trek aan de plastic tape om te kijken of er rek in zit. 'Hoe denk je dat ze haar zullen noemen?' vraag ik.

'Ik weet het niet,' zegt hij.

'Misschien krijgt ze onze achternaam wel,' zeg ik. 'Misschien noemen ze haar baby Dillon. Weet je nog dat ze Clara baby Baker-Dillon noemden?'

We staan er een tijdje zwijgend bij, en ik weet dat mijn vader aan baby Baker-Dillon denkt. Ik voel dat het in golven van hem af slaat. De tape zit inmiddels in een lus om mijn want.

'Pap,' zeg ik.

'Wat is er?'

'Waarom was er zo veel bloed en zo in die motelkamer?'

Mijn vader pakt een beetje zachte natte sneeuw op en kneedt er een bal van. 'Bij een bevalling komt wat bloed kijken,' zegt hij. 'En dan heb je nog de placenta, die vol bloed zit. Daar haalt de baby zijn voeding uit. En die komt er na de geboorte uit.'

'Dat weet ik allemaal wel,' zeg ik.

'Dus al dat bloed was heel normaal. Het betekent niet dat de vrouw pijn had of gewond was.'

'Maar het doet wel pijn, toch?'

Mijn vader ziet er oud uit in het vlakke licht. De huid onder zijn onderste oogleden is bijna lavendelkleurig, gerimpeld en losjes. 'Het doet pijn,' zegt hij voorzichtig, 'maar elke bevalling is weer anders.'

'Had mama pijn toen ik geboren werd?'

Mijn vader smijt de bal tegen de boom. 'Ja,' zegt hij. 'En als ze hier was, zou ze je zeggen dat het elke minuut waard was.'

De sneeuw knerpt, en we schrikken allebei op. We draaien ons om en zien op vijf meter afstand rechercheur Warren staan, met zijn rood ingepakte hals. 'Ik wilde jullie niet aan het schrikken maken,' zegt hij.

'Dat moest er nog bij komen,' zegt mijn vader bijna onverstaanbaar.

Warren staat met zijn handen in zijn jaszakken – een man die hartje winter een niet erg voor de hand liggend wandelingetje achter een motel gaat maken. 'Ik ben bij jullie langs geweest, maar er werd niet opengedaan. Toen ben ik hierheen gereden; ik had zo'n voorgevoel.' Hij komt een stap dichterbij. 'Jullie wilden weer zien waar het gebeurd was, hè?'

Hij loopt in de voetafdrukken die de technisch medewerkers de avond ervoor gemaakt hebben, en zet zijn

Timberlands allebei in een afdruk.

'Mensen zijn voorspelbaar, meneer Dillon,' zegt hij. 'We gaan terug naar de plek die ons ooit een schok heeft bezorgd. Geliefden doen dat ook altijd.'

Hij komt steeds dichterbij, telkens één zorgvuldige voetstap. 'U staat vandaag in alle kranten, meneer Dillon. Het verbaast me dat Channel 5 niet bij uw huis was. De deur stond trouwens open.'

'U bent binnen geweest,' zegt mijn vader.

'Ik was naar u op zoek om u over het meisje te vertellen. Ik heb de hele weg naar uw huis gereden en ik wilde niet weggaan zonder te kijken of u er was. Mooie dingen maakt u, trouwens.'

Mijn vader zwijgt; hij weigert zich door een complimentje te laten verleiden.

'Het gaat goed met de baby,' zegt Warren.

Mijn vader schopt met een sneeuwschoen tegen een berg harde sneeuw.

'We staan aan dezelfde kant, meneer Dillon,' zegt Warren.

'En welke kant mag dat wel zijn?'

'U hebt de baby gevonden en haar leven gered,' zegt Warren, terwijl hij een sigaret uit een pakje Camel te voorschijn schuift. Hij steekt hem met een aansteker aan. 'Rookt u?' vraagt hij.

Mijn vader schudt zijn hoofd, hoewel hij wel rookt.

'Vervolgens vind ik de man die het heeft gedaan,' zegt Warren. 'Zo werkt het. We zijn een team.'

'We zijn geen team,' zegt mijn vader.

'Ik heb Westchester gebeld,' zegt Warren, 'en met ene

Thibodeau gesproken. Herinnert u zich die nog?'

Zelfs ik herinner me Thibodeau. Agent Thibodeau is op de ochtend na het ongeluk naar ons toe gekomen met het bericht waar wij al van op de hoogte waren. Mijn vader schreeuwde tegen hem dat hij als de sodemieter van onze trap moest gaan.

'Wat verschrikkelijk,' zegt Warren. 'Ik zou waarschijnlijk hetzelfde gedaan hebben als u: verhuizen, een nieuw leven beginnen. Ik weet niet waar ik naartoe zou zijn gegaan. Misschien naar Canada, misschien naar de stad. Anonimiteit in de stad.'

De oranje tape zit om mijn wanten. Ik trek er nog eens aan.

'Ik heb twee jongens, van acht en van tien,' zegt Warren.

'Kom, we gaan, Nicky,' zegt mijn vader.

'Ik wil die vent vinden,' zegt Warren.

'Ik geloof dat we hier wel klaar zijn,' zegt mijn vader.

De rechercheur laat de sigaret, waar nauwelijks van gerookt is, in de sneeuw vallen. Hij haalt zijn handschoenen uit zijn zak en trekt ze aan.

'Niemand is hier klaar,' zegt Warren.

Wanneer we weer thuis zijn belt mijn vader dokter Gibson. Ik blijf in de studeerkamer, zodat ik hem in de keuken kan horen.

'Ik vroeg me af hoe het met de baby is,' hoor ik mijn vader in de telefoon zeggen.

'Dat is goed nieuws, toch?' zegt mijn vader.

'Waar is ze nu?' vraagt hij.

'Moet ze daar lang blijven?'

'Heeft ze al een naam?'

'Baby Doris,' herhaalt mijn vader. Hij klinkt verbaasd, en dan teleurgesteld. 'Dus ze gaat naar een pleeggezin?'

'Dat lijkt me zo...'

Dokter Gibson heeft vast iets over pleegzorg en adoptie gezegd, want mijn vader zegt: 'Ja, koud.'

Ik hoor dat mijn vader een kop koffie voor zichzelf inschenkt.

'En wat gebeurt er als het systeem niet werkt?'

'Ze wordt vervolgd, maar...'

'Bedankt,' zegt mijn vader. 'Ik wilde alleen even weten of alles goed was met de baby.'

Mijn vader hangt op. Ik ga naar de keuken. Hij neemt een slok van de lauwe koffie en kijkt naar buiten. 'Hé,' zegt hij wanneer hij me hoort.

'Is alles goed met haar?' vraag ik.

'Ja.'

'Hebben ze haar baby Doris genoemd?'

'Blijkbaar.' Hij zet de beker neer. 'Ik ga naar Sweetser's,' zegt hij. 'Wil je mee?'

Je hoeft mij geen twee keer te vragen of ik met mijn vader meega naar de stad.

Wanneer we de ijzerhandel binnengaan houdt mijn vader de deur voor me open. Meneer Sweetser kijkt op van de krant die op de toonbank naast de kassa uitgespreid ligt. 'De held van de stad,' zegt hij.

'Dus je hebt het gehoord,' zegt mijn vader.

'Voorpaginanieuws. Kijk zelf maar.'

Mijn vader en ik lopen naar de toonbank. In een krant die bekendstaat om de sportberichten van de middelbare school, de strips op zondag en de waardebonnen zie ik de kop: BABY IN SNEEUW GEVONDEN. Daaronder staat een kleinere kop: TIMMERMAN VINDT BABY LEVEND IN BEBLOEDE SLAAPZAK. Ik buig me dichter naar de toonbank toe en lees de krant samen met mijn vader. De verslaggever heeft het verhaal grotendeels correct weergegeven. Het motel, de Volvo en de blauwe jopper staan erin. Ik kom er niet in voor.

'Ze hebben je naam verkeerd gespeld,' zegt Sweetser.

'Ja, dat heb ik gezien,' zegt mijn vader.

Dylan. Dat doen ze altijd.

'Zal ik het voor je uitknippen?'

Mijn vader schudt zijn hoofd.

'Nou, wat is er gebeurd?' vraagt Sweetser.

Mijn vader doet de rits van zijn jas open. De winkel wordt verwarmd door een grillige houtkachel in de hoek, waardoor de temperatuur fluctueert tussen de vijfendertig en de vijftien graden. Vandaag lijkt het wel vijfentwintig graden. 'Nicky en ik waren aan het wandelen en toen hoorden we een schreeuw,' zegt mijn vader. 'We dachten eerst dat het een dier was. En toen hoorden we een autoportier dichtslaan.'

'Lag de baby in een slaapzak?' vraagt Sweetser.

Mijn vader knikt.

'Heel vreemd,' zegt Sweetser, terwijl hij de rode plukken haar op zijn hoofd gladstrijkt. Hij heeft onlangs zijn baard afgeschoren, waardoor nu een wijkende kin en een vreemd bleke huid te zien zijn, als een nieuw laagje op een dier dat net in de rui is geweest. 'Dat verwacht je toch niet?'

'Nee, dat verwacht je niet,' zegt mijn vader.

'Het lijkt wel zo'n sprookje dat mijn vrouw vroeger aan de kinderen voorlas,' zegt Sweetser. 'Timmerman gaat het bos in en vindt een baby.'

'In een sprookje zou het een prinses zijn,' zegt mijn vader.

'Zou jij even geluk hebben,' zegt Sweetser.

Voor een ijzerhandel in het niemandsland tussen Hanover en Concord heeft Sweetser een indrukwekkend scala aan gereedschappen. Sweetser zegt dat hij van hun gewicht en vorm houdt, net zoals mijn vader. Achter de planken met gereedschap zijn weer andere planken, met Pyrex-schalen, dozen met plantenvoeding (stoffig nu, want het is er niet het seizoen voor), en potten verf van

Sherwin-Williams. Aan de winkel zit een kleinere uitbouw vast, een soort schuur, waar Sweetser antiek verkoopt – waarbij je ‘antiek’ ruim moet opvatten. Veel meubels dateren uit de jaren zestig.

‘Heb je dat stel vrijdag nog gehad?’ vraagt Sweetser.

‘Welk stel?’

‘Ik heb een paar toeristen jouw kant op gestuurd; ze wilden een shakertafel. Ik zei dat jij dingen maakt die op shakermeubels lijken.’

‘Niet gezien,’ zegt mijn vader.

‘Die weg naar jullie is klote,’ zegt Sweetser.

Als sinds we hier zijn komen wonen zegt Sweetser dat onze weg klote is. Hij stuurt nu al langer dan een jaar mensen naar mijn vader toe. Tot nu toe hebben er maar een stuk of vijf die ellendige weg getrotseerd, maar als ze eenmaal de tocht ondernemen kopen ze wel bijna altijd iets.

‘Ik heb een waterpas nodig,’ zegt mijn vader.

‘Wat is er met de waterpas die je had gebeurd?’

‘Het glaasje is gebarsten.’

‘Knap.’

‘Zeg dat wel.’

Mijn vader loopt naar de plank met waterpassen. Zijn oude waterpas, die het prima deed tot hij het glaasje tegen de koelkast sloeg, was van metaal. Hij pakt een waterpas van hout. Ik zie dat sommige glaasjes ovaal zijn en andere gebogen. Mijn vader wijst me een waterpas aan waarop je driehonderdzestig graden kunt aflezen.

‘Ik ga naar Remy’s, koffie halen,’ zegt Sweetser, terwijl hij zijn arm in een geelgeruite jas steekt. ‘Jij ook?’

'Nee, bedankt,' zegt mijn vader.
'Een koffiebroodje dan?'
'Nee, laat maar. Ik heb net ontbeten.'
'En jij, Nick?' vraagt Sweetser. 'Jij een?'
'Een koffiebroodje?' vraag ik.
'Zij wil er wel een,' zegt Sweetser.
Wanneer Sweetser de winkel uit is, zeg ik tegen mijn vader dat ik witte verf nodig heb. 'Na de kerst ga ik met Jo van de Gunstock skiën.'
'Hoeveel heb je er nu?' vraagt hij.
'Zeven,' zeg ik, doelend op de witte toppen van mijn muurschildering.
'Wanneer gaan jullie?' vraagt mijn vader.
'De dag na kerst.'
'Heb je al afgesproken?'
'Hoezo? Mag ik niet mee?'
'Dan is oma er nog,' zegt mijn vader.
'Mag ik dan soms niet skiën?' vraag ik, en mijn toon is onmiddellijk uitdagend. Ik kan tegenwoordig binnen vijf seconden vanuit het niets naar opperste woede schieten.
'Nee, je mag wel,' zegt mijn vader. 'Ik wil alleen maar zeggen dat je het eerst moet vragen. Misschien had ik ook plannen. We hadden ook ergens anders heen kunnen gaan.'
'Pap,' zeg ik, en mijn stem slaat ongelovig over, 'we gaan nooit ergens heen.'
Ik pak een blik witte verf en loop naar de andere kant om het antiek te bekijken. Er staan een slaapkamerameublement van essenhout en een haveloze groenge-

blokte bank. In een hoek staat een jukebox. Zou die het doen?

Sweetser duwt zijn schouder tegen de deur en komt binnen met een beker koffie en een cakeje. Mijn vader kiest de waterpas met het vastzittende glaasje. Hij neemt hem mee naar de toonbank en betaalt hem. Samen met het wisselgeld geeft Sweetser hem een rechthoekig krantenknipseltje.

'Ik heb het toch maar uitgeknipt,' zegt Sweetser.

Mijn vader rijdt de parkeerplaats van Sweetser's af; de waterpas en het knipseltje liggen op mijn schoot. Hij rijdt in de richting van ons huis. Ik neem een hap van mijn cakeje en de kruimels vallen langs de voorkant van mijn parka. 'Papa,' zeg ik, 'we moeten eten kopen.'

'Heb je een lijstje gemaakt?'

'Nee, maar we hebben melk en muesli nodig,' zeg ik. 'Brood. Pastasaus. Dingen voor het avondeten.'

'Ik heb geen zin om naar Remy's te gaan,' zegt hij. 'Ik heb wel even genoeg gehoord over de held van de stad.'

Mijn vader maakt een bocht van honderdtachtig graden en rijdt naar Butson's Market, een winkel iets verder buiten de stad, waar hij soms in en uit kan lopen zonder iemand tegen te komen die hij kent. We komen langs het Mobil-tankstation en de Shepherd Village School, een schoolgebouw met één lokaal, gebouwd in 1780. In de school bevindt zich de kleuterschool; de voortuin met kiezelsteentjes is de speeltuin. Oudere leerlingen gaan met een bus buiten de stad naar het Regional – een rit die in mijn geval zowel heen als terug veertig minuten duurt.

Naast de school ligt de Congregational Church, een wit gebouw van overnaadse planken met hoge ramen en zwarte luiken. De kerk heeft een steil schuin dak en een toren met een klok erin. Mijn vader en ik zijn nog nooit binnen geweest.

We komen langs de drie voorname huizen van de stad, alle drie op een heuvel gelegen; twee daarvan hebben betere tijden gekend. We komen langs tapijthandel Serenity, een beige woonwagen, de vrijwillige brandweer (elke donderdagavond 18.30 uur bingo) en langs makelaardij Croydon, waar we de eerste keer dat we hier waren langzaam tot stilstand kwamen. Makelaardij Croydon, waar je nog steeds voor 26.000 dollar een huis kunt kopen – niets bijzonders, maar toch een huis. 's Zomers gaan mijn vader en ik soms op verkenningstocht door de omgeving, waarbij we in de binnenlanden verdwaald raken en enclaves met verbazingwekkend goed onderhouden huizen aantreffen. 'Waar leven die mensen van?' vraagt mijn vader dan altijd. Eén keer hebben we een eland gezien die voor ons uit wandelde en de smalle weg helemaal in beslag nam. We moesten twintig minuten lang met tien kilometer per uur achter hem aan rijden, zonder hem te durven passeren, waarbij we de vriendelijke sukkeldraf van de romp van het dier wel leuk begonnen te vinden.

Na makelaardij Croydon krijg je zes kilometer niets, alleen maar bos met een beekje dat evenwijdig aan de weg loopt. Mijn vader neemt gas terug wanneer hij het Mercy passeert, het eerste groepje gebouwen na dat stuk niks. Het ziekenhuis is gevestigd in wat ooit een bakstenen hotel met drie verdiepingen was, dat in de jaren dertig is omgebouwd. Sindsdien steken er moderne vleugels uit, maar boven de voordeur van het oorspronkelijke pand staan nog steeds de woorden DE WOLFE HOTEL 1898.

'Laten we even stoppen, pap,' zeg ik. 'Ik wil haar zien.'

Mijn vader kijkt naar het ziekenhuis. Ik weet dat hij de baby ook graag wil zien. Maar na een paar seconden schudt hij zijn hoofd. 'Te veel oranje tape,' zegt hij, en hij geeft gas.

Voorbij het ziekenhuis is een rijtje winkels, en daar slaat mijn vader af. Hij stopt voor een bord met daarop LIQUOR OUTLET, BUTSON'S MARKET, FAMILY DOLLAR, FRANK RENATA DDS.

Melk, denk ik. Muesli. Koffie. Kippensoep met croutons. Kaas. Hamburgers. Misschien ook wat chocoladekoekjes.

Met voor een week boodschappen in de auto rijdt mijn vader terug: langs het ziekenhuis, over het stuk niks, daarna de makelaardij, de drie voorname huizen, dan Remy's en Sweetser's recht tegenover elkaar. Onze weg ligt tien kilometer buiten de stad. We komen langs huizen met aan de voorkant een veranda vol banken en plastic speelgoed en lege gastanks. Een van die huizen is een kleine cottage van witte planken met een piepkleine achtertuin met een hek eromheen. Aan de voorkant staat de veranda keurig vol met fietsen en driewielers, honkbalknuppels en hockeysticks. Aan de was aan de lijn zie je ook dat er jongens wonen: T-shirts in diverse maten, spijkerbroeken en hockeyshirts of zwembroeken, naargelang het seizoen. Midden tussen de was zie ik soms een beha of een slipje of een mooi nachthemd. Wanneer we er 's winters langs rijden, zien we de moeder soms met grote, bokkige bevroren lakens in de clinch liggen. Ze lijken wel van karton en waaien in de wind. Ik zwaai altijd naar de vrouw, die dan glimlacht en terugzwaait. 's Zomers heb ik soms de neiging om van mijn fiets te stappen, gedag te zeggen en naar binnen te gaan om kennis te maken met de jongens en de chaos te zien die er volgens mij daarbinnen heerst.

Mijn vader rijdt onze oprit op. 'Heb je spaghetti gekocht?' vraagt hij.

'En ragù-saus,' zeg ik.

Hij parkeert op zijn vaste plek naast de schuur. Hij zet de motor af. 'Is dat goed voor het avondeten?'

'Prima.'

'Ik heb ijs gekocht,' zegt hij.

'Dat heb ik gezien, ja.'

'Pecannoten. Je lievelingssmaak.'

'Pap?' zeg ik.

'Wat is er?'

'Waarom hebben ze de baby Doris genoemd?'

Mijn vader pakt zijn sigaretten – een nerveus gebaar –, maar bedenkt zich dan, aangezien ik ook in de truck zit. 'Dat weet ik niet,' zegt hij. 'Misschien heette een van de verpleegsters zo.'

'Het klinkt meer als de naam van een orkaan.'

'Waarschijnlijk hebben ze er een systeem voor,' zegt hij.

'Denk je dan dat ze veel baby's binnenkrijgen?'

'Ik denk van niet. Ik hoop van niet.'

'Het is een ouderwetse naam,' zeg ik. Ik leun tegen het portier aan mijn kant. Mijn vader heeft zijn hand op de greep van zijn portier, alsof hij graag wil uitstappen.

'Het is een vreemde naam voor een baby vandaag de dag,' geeft hij toe.

'Wat gaat er met haar gebeuren?' vraag ik. 'Heeft dokter Gibson je dat verteld?'

'Ze gaat naar een pleeggezin,' zegt mijn vader. Hij legt zijn hand op de greep en doet het portier op een kier open.

'Krijgt ze een nieuwe vader en moeder en nieuwe broertjes en zusjes?'

'Waarschijnlijk wel, ja.'

'Dat vind ik niet kloppen,' zeg ik.

'Wat klopt er niet?'

'Dat wij niet weten waar ze is.'

'Zo gaan die dingen nu eenmaal, Nicky.' Hij doet het portier open ten teken dat het gesprek ten einde is.

'Pap?' vraag ik.

'Ja?'

'Waarom mogen wij haar niet hebben? We kunnen haar gaan halen en haar bij ons laten wonen.'

Het idee is afschuwelijk en geweldig tegelijk. In mijn twaalfjarige hoofd heb ik bedacht dat je de ene baby door een andere kunt vervangen. Zodra ik het zeg en een glimp van mijn vaders gezicht opvang, zie ik wat ik aangericht heb. Maar zoals iedere twaalfjarige schiet ik meteen in de verdediging. 'Waarom niet?' vraag ik op de nukkige toon van iemand die verdriet heeft en zich niet begrepen voelt – een toon die ik binnenkort onder de knie zal krijgen. 'Had jij niet het gevoel alsof Clara bij ons terug was gekomen? Dat we misschien voorbestemd zijn om haar te krijgen?'

Mijn vader stapt uit. Hij haalt diep adem. 'Nee, Nicky, dat gevoel had ik niet,' zegt hij. 'Clara was Clara, en deze baby is iemand anders. Wij mogen haar niet zomaar hebben.' Hij kijkt naar de schuur en dan weer naar mij. 'Help eens even met de boodschappen naar binnen brengen, voordat het ijs smelt.'

'Pap, het is min zeven, hoor,' zeg ik. 'Dat ijs smelt heus niet.'

Maar ik zeg het tegen mijn vaders rug. Hij heeft het portier dichtgeslagen en een boodschappentas uit de laadruimte van de truck gepakt. Ik zie hem naar het huis toe lopen – het verdriet als een harde noot in zijn borst.

Die nacht vriest de sneeuw weer op en waait er een gemene wind. Ik word wakker van het geluid van takken die onder het gewicht van het ijs breken. Het gekraak klinkt als geweerschoten – sommige gedempt, sommige zo scherp als vuurwerk. Het kabaal haalt me bij het krieken van de dag uit mijn bed, en ik wacht bij mijn slaapkamerraam tot het licht wordt. Het bos achter de open plek ligt bezaaid met kapotte bomen, met hun takken tot op de grond gebogen, alsof er een orkaan heeft gewoed.

Ik hoor mijn vader op de trap. Ik doe mijn badjas en pantoffels aan en ga naar de keuken, waar hij naast het koffiezetapparaat staat, wachtend tot de kan vol is. Hij leunt tegen de gootsteen, op kousenvoeten, zijn armen voor het zoveelste flanellen overhemd gekruist. Die spijkerbroek heeft hij al een week aan, en ik zie dat je zijn baard geen stoppelbaard meer kunt noemen.

'Pap,' zeg ik, 'misschien moet je je eens scheren.'

'Ik wou juist mijn baard laten staan.' Hij wrijft over zijn kin.

'Je moet je eens scheren.'

Er druppelt koffie uit het apparaat.

'Hebben de bomen je uit je slaap gehouden?' vraagt hij.

'Ze hebben me wakker gemaakt.'

'Er zal heel wat te ruimen zijn in het voorjaar.' Hij bukt zich een beetje om naar buiten te kunnen kijken. 'Ik maak me zorgen over het dak met al die zware sneeuw en dat ijs. Aan de voorkant is het bitumen te dun. Ik had het dak in het najaar moeten doen. Ik heb een hekel aan dakwerk.'

'Waarom?'

'Dan krijg ik duizelingen.'

'Wat zijn dat?' vraag ik.

'Dat je hoogtevrees hebt. Ik word duizelig.'

Dat heb ik nooit over mijn vader geweten. Ik vraag me af wat ik nog meer allemaal niet weet. Hij schenkt koffie voor zichzelf in. Ik doe de koelkast open en pak de melk.

'Ik moet naar boven om het schoon te vegen,' zegt hij.

'Ik help wel,' zeg ik enthousiast. Het idee om op het dak te kunnen klimmen en ons koninkrijkje te overzien spreekt me wel aan.

'Ik haat dakwerk,' zegt hij, 'maar ja, als je het laat doen heb je de hele tijd mensen over de vloer en daar heb ik ook geen zin in.'

Dat spreekt voor zich.

'Nog een week, en dan heb je kerstvakantie,' zegt hij.

Met Kerstmis komt mijn oma, zoals altijd, en dan kookt ze voor ons en hangt ze kerstkousen op en 'viert ze fijn Kerstmis', zoals ze zelf graag zegt. Mijn vader doet voor de vorm mee, maar ik ben dol op de koekjes en de met kruidnagels versierde sinaasappels en de aanblik van cadeautjes onder een boom.

'Ga je maar aankleden,' zegt hij, 'anders mis je de bus nog.'

'Moeten we niet eerst even informeren of het wel doorgaat? Misschien hebben we wel weer ijsvrij.'

'Ga je toch maar aankleden,' zegt hij.

Op school ben ik beroemd. Hoewel mijn naam niet in de krant stond, lijkt iedereen te weten dat ik erbij was toen de baby werd gevonden. Ze vragen me van alles, en ik geef graag antwoord. Ik vertel dat we geschreeuw hoorden en de pasgeboren baby vonden en naar het ziekenhuis gingen en door een rechercheur werden ondervraagd.

'Zat er bloed aan de slaapzak?' vraagt Jo bij mijn kluisje. Jo is bijna net zo lang als mijn vader. Ze heeft blond haar dat achterover golft, als bij de godin op de boeg van een vikingschip.

'Een beetje,' zeg ik, 'maar er zat vooral veel bloed op de handdoek.'

'Dus als je een baby krijgt bloedt het?' vraagt ze.

'Natuurlijk,' zeg ik.

'Waar komt dat bloed dan vandaan?'

'Van de placenta,' zeg ik, en ik doe mijn kluisje met een klap dicht.

'O,' zegt Jo niet-begrijpend.

Toen ik net in New Hampshire was komen wonen, werd het feit dat ik uit New York kwam als iets exotisch beschouwd. En het sprak beslist in mijn voordeel dat ik geen *Masshole* was – zo noemen sommige mensen hier de mensen die een staat zuidelijker wonen. Toch duurt het volgens mij minstens twee generaties, misschien wel drie, voordat de mensen van hier mijn vader en mij niet meer als nieuwkomers zullen beschouwen.

Ik heb twee vrienden op school: de vikinggodin en Roger Kelly. We eten tussen de middag altijd met z'n drieën en we zitten bij een paar vakken bij elkaar in de klas, en Roger en ik zitten in het schoolorkest. Het is wel moeilijk om voor na school of in het weekend iets met Jo of Roger af te spreken: alles moet van tevoren geregeld zijn. Jo's moeder heeft er geen geheim van gemaakt dat ze er een hekel aan heeft het hele eind naar ons huis te moeten rijden, en ik denk ook dat ze mijn vader niet helemaal vertrouwt. Als er gelogeerd moet worden, slaap ik meestal bij Jo. Ik logeer natuurlijk nooit bij Roger, maar we basketballen soms wel na school en dan neem ik de late bus naar huis.

Toen ik in New York woonde, had ik meer dan twee vrienden. Op mijn basisschool alleen al had je vier eerste klassen, en in onze stad waren drie basisscholen. Ik bleef vaak bij iemand logeren en ze kwamen ook bij mij logeren. Ik zat op dansen en op turnen en ik zat bij de padvinderij. Ik had een lavendelblauw-met-witte slaapkamer met een hemelbed, en op het dikke tapijt konden wel zes of zeven meisjes in hun slaapzak blijven slapen. In de woonkamer keken we dan naar een film en om elf uur gingen we naar boven – langer mochten we niet opblijven van mijn ouders. We lakten onze nagels of speelden tot na twaalven *truth or dare*, en we wisten hoe we ons giechelend moesten laten vallen zonder mijn ouders wakker te maken.

Toen Clara een halfjaar oud was, kreeg ze haar eigen kamertje, naast dat van mij. Als mijn vriendinnen er waren speelden ze graag met haar. Ze probeerden haar haar te vlechten, maar ze had nog niet genoeg haar voor een beetje behoorlijke vlecht. Haar kamer was geel met oranje en blauw, grotendeels omdat ik een muur met gele en oranje en blauwe vissen had beschilderd, in verschillende soorten en maten – vissen zoals je van je leven niet tegenkomt, zelfs niet in de Caribische Zee. Toen we eenmaal naar New Hampshire waren verhuisd, vroeg ik me wel eens af wat de nieuwe eigenaren met die kamer hebben gedaan, of ze de gele en oranje en blauwe vissen door het water hebben laten zwemmen of dat ze de muur wit geschilderd hebben en mijn kunstwerk hebben weggevaagd zoals ons gezin weggevaagd leek te zijn – met één grote roller.

Toen ik net naar Shepherd was verhuisd, was ik kapot en rauw en kreeg ik vaak zomaar een huilbui, die moeilijk te verbergen is in een schoolgebouw met maar één lokaal. Om mijn gebrek aan emotionele beheersing goed te maken mat ik me een vermoeide en hooghartige houding aan, alsof ik als meisje uit New York mijn leeftijdgenoten zo ver vooruit was dat ik tijdens de les nauwelijks hoefde op te letten. Daar kreeg ik langzaam maar zeker mijn bekomst van, en in mei was ik eindelijk bij met wiskunde.

In het struikgewas op ons terrein stonden tientallen frambozenstruiken die mijn vader en ik tijdens onze eerste zomer in New Hampshire toevallig een keer op een dag in juli hadden zien staan. We plukten de bessen en namen ze mee naar huis, en we aten ze een tijdje overal bij (in de muesli, bij ijs, bij biefstuk). Omdat er meer frambozen op ons terrein stonden dan hij en ik op konden, besloot ik ze aan het eind van de weg te gaan verkopen. Mijn vader zei dat ik Sweetser moest vragen of hij wist waar ik een aantal van die houten fruitdoosjes kon krijgen. Sweetser, die bijna alles leek te kunnen leveren, verkocht me een paar stapels voor vijf dollar, wuifde de noodzaak tot betalen weg en zei dat het een lening was, die ik aan het eind van de eerste week trots terugbetaalde.

Elke ochtend ging ik met mijn korte spijkerbroek en pastelkleurige T-shirt aan in het struikgewas frambozen plukken en die deed ik dan in een mand die aan mijn schouder hing. Wanneer ik er genoeg had, reed ik op mijn fiets de hele landweg af naar het begin. Daar had ik een kaarttafeltje en een plastic tuinstoel neergezet. Dan vulde ik de fruitdoosjes met frambozen en ging ik zitten wachten. Ik kreeg minstens vier klanten per dag: een vrouw wier naam ik nooit te weten ben gekomen, maar die veel logees leek te hebben; mevrouw Clapper, die wijkverpleegster was en elke dag een doosje meenam voor een van haar patiënten; meneer Bolduc, die elke ochtend langskwam wanneer hij in de stad de krant en zijn post ging halen; en meneer Sweetser, die volgens mij geen enkele reden had om langs onze weg te rijden, maar er toch telkens was (ik geloof niet dat hij een dag heeft overgeslagen). Verder had ik misschien nog vier of vijf andere klanten, die ongetwijfeld zo verbaasd waren een meisje te zien dat op een verlaten weg met bomen frambozen zat te verkopen dat ze zich moreel verplicht voelden om te stoppen. Al met al was ik een uur bezig de frambozen te plukken, twintig minuten heen en terug fietsen, en drie of vier uur op mijn stek – alles bij elkaar zo'n zes uur. Ik verkocht de frambozen voor vijfenzeventig cent per doosje, en als ik mazzel had verdiende ik zes dollar per dag. Zes dagen op mijn stek (soms, wanneer het regende, onder een opgezette paraplu) leverde dan zesendertig dollar per week op, en dat vond ik, tien en elf jaar oud, een vermogen. Ik zat in mijn stoel soms te lezen, maar meestal staarde ik wat voor me uit; zo nu en dan zag ik hoe een paar koningsvlinders zich tijdens het paren in elkaar vouwden, of dat in een nacht tijd de peen was opengegaan. Die zomer leerde ik dagdromen, en toen bedacht ik ook dat Clara nog steeds groter werd. Ze zou die eerste zomer bijna twee jaar geweest zijn, en een lastpak, maar ik stelde me voor dat ze het hoge gras en de wilde bloemen in liep, waarbij de kruin van haar hoofd onder de gele en rode bloemen verdween, of dat ze een framboos probeerde te pakken en een doosje omvergooide. Ik stelde me voor dat ze op haar buik op mijn kaarttafeltje lag te slapen en ik haar rug streelde.

Zondag is de dag waarop mijn moeder en Clara zijn overleden. Ik weet het en mijn vader weet het, maar we zeggen er allebei de hele dag geen woord over. Ik weet dat mijn vader eraan denkt, want hij loopt voortdurend van de schuur naar het huis en weer terug naar de schuur, alsof hij zich met zichzelf geen raad weet. Hij wil iets zeggen, maar weet niet goed wat er met ons zal gebeuren als hij dat doet. Om twaalf uur gaat hij douchen, wat hij bijna nooit doet, en hij is een hele tijd in zijn slaapkamer, waar een foto van mijn moeder en Clara en mij staat. Ik ben twaalf jaar en me terdege bewust van mijlpalen en verjaardagen, en ik vind dat we iets aan deze dag moeten doen.

'Pap,' zeg ik wanneer hij eindelijk de slaapkamer uit komt. 'Kunnen we even naar Butson's Market?'

'Waarom?' vraagt hij.

'Volgens mij verkopen ze daar bloemen.'

Hij vraagt niet waar die bloemen voor zijn.

Al twee dagen schijnt de zon. Ik doe mijn jas niet dicht. Mijn vader heeft alleen maar een trui aan. Hij heeft zich geschoren en zijn haar is schoon, en ik hoef me niet voor hem te schamen – een hele verbetering ten opzichte van het afgelopen jaar. Toen het ongeluk één jaar geleden was, ging mijn vader in de schuur zitten en kwam er de hele dag niet uit. Ik was eenzaam en verdrietig, en had behoefte aan troost, maar ik had de moed niet om naar de schuur te lopen en te zien wat ik daar zou aantreffen: mijn vader in de papahouding, met zijn mond open alsof zijn neus verstopt zit, uitdrukkingsloze ogen die alleen maar beelden uit het verleden zien. Toen heb ik mijn fotoalbum maar doorgekeken, een kralenketting gemaakt, de telefoon opgenomen toen mijn oma belde en zo lang gehuild dat ze er uiteindelijk op stond dat ik mijn vader ging halen.

In Butson's Market gaat mijn vader op zoek naar afwasmiddel, terwijl ik voor de schappen van de koeling sta waar de bossen bloemen in liggen. Er zijn margrieten en anjers, gipskruid en rozen, en hoewel de boeketten allemaal min of meer hetzelfde zijn, doe ik er heel lang over voor ik weet welke ik het mooist vind. De anjers zien er neproze uit en bevallen me niet. Eén boeket, dat bijna helemaal geel is, heeft in het midden een lange griezelig uitziende bloem – misschien een lelie.

'Dat is mooi,' zegt mijn vader, en hij wijst naar een boeket dat voornamelijk lavendelblauw met wit is.

'Wat zijn dat voor blauwpaarse bloemen?' vraag ik.

'Ik zou het niet weten.'

'Denk je dat mama die mooi gevonden zou hebben?'

'Ik denk van wel,' zegt hij.

De hele weg naar huis houd ik het boeket stevig vast en probeer ik te bedenken waar ik het in zal zetten. In een kast in de keuken staat een Mason-kan. Ik denk dat ik ze daar maar in schik, maar ik laat ze niet in de keuken staan. Ik zou ze op de salontafel in de studeerkamer kunnen zetten, hoewel ik dat een beetje gewoontjes vind. Als ik ze in de kamer van mijn vader zet, kan ik ze niet zien. Uiteindelijk zet ik ze op de plank in de gang aan de achterkant van het huis. Ik ga op het bankje tegenover de bloemen zitten en kijk er vol bewondering naar. Mijn vader zegt: 'Mooi zijn ze,' en gaat naar buiten, naar de schuur.

Er zit me nog steeds iets niet helemaal lekker. Alsof ze niet in huis horen, en bovendien ben ik bang dat mijn moeder en Clara ze niet kunnen zien. Het slaat natuurlijk nergens op – als Clara en mijn moeder geesten zijn geworden die echt op aarde kunnen kijken, dan kunnen ze ook wel door huizen heen kijken –, maar ik kan het toch niet van me afzetten. Ik trek mijn jas aan en loop met de Mason-kan naar de rand van de open plek, tot waar het bos begint. Ik zet de kan in de sneeuw neer.

Ik doe een stap achteruit. In het zonlicht zien de bloemen er echter uit. Ik weet dat ze morgen al dood zullen zijn, maar het geeft me een vreemd tevreden gevoel.

Ik denk aan mijn moeder en Clara. Ik doe mijn ogen dicht. Ik haal ze me voor de geest. Dat doe ik zo nu en dan om hun beeld helder en scherp te houden. De beelden in mijn hoofd hebben warmte en geur en beweging – kostbare schatten die ik niet wil kwijtraken.

Op de laatste dag voor de kerstvakantie vieren we in ons overblijflokaal op school feest. In New York hielden we gezamenlijke chanoeka-kerstvieringen, maar in New Hampshire is het gewoon een kerstfeest, omdat er op onze school niemand is die Chanoeka moet vieren. Er worden cadeautjes uitgewisseld en de jongens zijn irritant druk vanwege de halve schooldag. Ik heb Molly Curran getrokken en heb haar, mijn levenslange neiging getrouw om cadeautjes te geven die ik eigenlijk zelf wil hebben, een doos met twintig verschillende kleuren nagellak gegeven. Ik heb een bandje van The Police gekregen, van Billy Brock, die duidelijk vanuit hetzelfde principe te werk gaat en die mij – erger nog – niet zo goed kent, aangezien ik niet eens een cassetterecorder heb. In de bus naar huis vanaf school overweeg ik of ik aan mijn vader voor kerst een cassetterecorder zal vragen in plaats van een vaatwasser. Zou het al te laat zijn om ze allebei te vragen?

Ik hang mijn jas op en ga op zoek naar mijn vader. Hij

is in zijn werkplaats. Hij is druk bezig met voorbereidingen voor het lijmen – een precies en nerveus werkje dat binnen een kwartier wekenlang nauwgezet timmermanswerk naar de filistijnen kan helpen. Je moet de lijm aanbrengen, de onderdelen tegen elkaar drukken, met behulp van klemmen de juiste druk uitoefenen, kijken of alles wel haaks is, en dan de overtollige lijm weghalen – en dat allemaal in anderhalve minuut tijd. Mijn vader is een la aan het maken, de eerste van twee stuks die in de openingen van een klein kastje moeten komen dat hij voor de kerst af moet hebben. Het is zijn eerste opdracht.

'Hoe was het op school?' vraagt hij.

'Leuk,' zeg ik.

'De laatste dag.'

'Ja.'

'Hoe was het feest?'

'Leuk.'

'Wat heb je gekregen?'

'Een bandje van The Police.'

Ik kijk hem aan en hoop dat hij denkt: cassetterecorder; goed idee voor Nicky voor de kerst.

Vandaag is het een week en twee dagen geleden sinds mijn vader en ik het bos in liepen en een baby vonden. Ik moet steeds denken aan wat er met baby Doris zou zijn gebeurd als wij haar niet hadden gevonden – ik kan er niets aan doen. Ik heb me de slaapzak al voorgesteld als een bevroren cocon met lange ijspegels die als dolken om haar heen neervielen. Tijdens een tweede telefoontje aan dokter Gibson kreeg mijn vader te horen dat de teentjes van de baby toch niet geamputeerd zouden hoeven worden. 'Het is een vechtertje,' zei de dokter tegen mijn vader – een opmerking die mij, toen hij het mij vertelde, met trots vervulde. We kregen ook te horen dat ze vandaag door het maatschappelijk werk wordt opgehaald en bij een tijdelijk pleeggezin wordt afgeleverd. Toen ik deze informatie hoorde, raakte ik erg van streek, want ik vond het prettig dat de baby in het ziekenhuis lag, dat ze daar op een vaste plek was. We krijgen niet te horen waar ze naartoe gaat. Die hele gang van zaken komt op mij over als het beschermingsprogramma voor getuigen, met zijn anonimiteit en zijn nieuwe lichting mensen: nieuwe moeder, nieuwe vader, nieuwe broers en zusjes. We krijgen niet eens haar nieuwe naam te horen. Voor ons zal ze altijd baby Doris moeten blijven.

Ik laat mijn vader alleen en loop weer naar binnen, de keuken in, waar ik een beker warme chocolademelk voor mezelf maak. Ik stop een muffin in de broodrooster en zie mijn moeder voor me, die in een kom kwark met pindakaas staat te mengen. De dag ervoor had ik nog een herinnering aan mijn moeder in haar tuin, recht voorovergebogen, met bruine benen en een korte broek die over haar dijen omhoogkroop. Mijn vader zat op de grasmaaier en reed op mijn schommel af. Doordat hij naar mijn moeder keek (omdat hij haar volgens mij goed van voren wilde kunnen bekijken) maaide hij zo tegen de schommel aan en vloog die de lucht in. Mijn vader sprong er van achteren af en rolde de andere kant op. Toen hij viel, sloeg de motor af, maar toen hij opstond zat de machine nog steeds in de schommel vast, met zijn neus naar boven gericht. Mijn moeder begon te lachen en legde de rug van haar hand tegen haar mond.

En gisteravond had ik een herinnering aan mijn moeder die naast mijn vader op hun bed lag, waarbij door het losse bandje van het nachthemd waar ze in sliep een stukje van een volle borst zichtbaar was. Ze spraken zachtjes, alsof ze Clara niet wakker wilden maken, die toen nog maar nauwelijks een week oud was en in een ledikant naast het bed lag. Waarom was ik hun kamer in gegaan? Ik weet het niet meer. Terwijl ze zo fluisterden, ontstond er een vlek op het nachthemd van mijn moeder – de melk lekte verbazingwekkend vloeibaar, een enorme stroom. Ik weet nog dat mijn moeder haar hand naar haar borst bracht en dat ze tegen mijn vader fluisterde: 'O, Rob, o, kijk nou.'

In de keuken ruik ik rook. De muffin zit in de rooster vastgeplakt. Ik trek de stekker eruit, haal de muffin er met een vork uit en slinger de aangebrande rommel als een frisbee de gootsteen in.

Dan hoor ik iets kloppen – vast een tak die tegen de zijkant van het huis tikt. Dan hoor ik het ritme van een mens: drie klopjes, dan even stil, dan weer drie, dan weer stil. Het zal de rechercheur wel weer zijn, en ik vraag me af of ik moet zeggen dat mijn vader niet thuis is. Maar als hij gewoon naar binnen stormt en merkt dat ik lieg? Kan ik vervolgd worden omdat ik tegen een rechercheur heb gelogen? Ik loop naar de hal en doe de deur open.

Er staat een echtpaar op de stoep, en achter hen zie ik dat het licht sneeuwt. De vrouw heeft een grote vierkante bril met een blauwig montuur op en heeft een kapsel waar je in de hele staat New Hampshire niet om hoeft te komen: steil en dik en recht afgeknipt. Ze heeft glanzende lipstick op in een kersenkleur die past bij haar leren handschoenen. Ze heeft een wit donzen jack aan dat ze duidelijk niet bij L.L. Bean heeft gekocht. De man doet de rits van zijn zwarte skiparka open, glimlacht en zegt: 'We hoorden in de antiekwinkel dat een zekere meneer Dillon shakerachtige meubels maakt. Zijn we hier dan goed?'

Ik zeg dat ze inderdaad aan het goede adres zijn, maar ik begrijp iets niet. Het is toch al meer dan een week geleden dat Sweetser dat stel over de meubels van mijn vader heeft verteld? Waar zijn ze in de tussentijd dan geweest? Heeft de tijd soms stilgestaan? Ik zeg dat ze binnen moeten komen, vanwege de sneeuw, en dat ik zo terug ben. 'Ik moet mijn vader halen,' voeg ik eraan toe.

'Pap,' zeg ik wanneer ik in de werkplaats ben, 'er zijn twee mensen die je meubels willen zien.'

Ik heb hem midden onder het lijmen gestoord. Hij schudt heftig zijn hoofd, alsof hij wil zeggen: godallemachtig, Nicky, nu even niet.

'Ik ga wel met ze naar de voorkamer,' bied ik aan.

De man en de vrouw stampen de sneeuw op de mat van hun schoenen. Ik zeg dat mijn vader zo komt en dat ik ze de meubels even zal laten zien. De vrouw kijkt naar de man en glimlacht alsof ze wil zeggen: wat een schatje, hè?

We lopen door de keuken en eetkamer, die nu de studeerkamer is. We komen langs de kamer waar mijn vader en ik nooit komen – de kamer die een soort heiligdom is. Ik laat ze in de voorkamer, waar de meubels staan: twee stoelen met rechte rug; drie tafeltjes; een lage, vierkante salontafel; een eettafel van notenhout; een boekenkast van eikenhout; en een kastje.

'Jemig,' zegt de vrouw.

'Ik begrijp wat die man in de antiekwinkel bedoelde,' zegt de man. 'Dit is allemaal heel erg shakerachtig.'

'Eenvoudig, maar mooi,' zegt de vrouw.

'Mooi afgewerkt,' zegt de man.

Ik vraag me af of ze om mij een plezier te doen complimentjes over het werk van mijn vader maken, of er, zodra ik de kamer uit ben, negatieve opmerkingen zullen komen. Wanneer mensen naar de meubels komen kijken, excuseert mijn vader zich bijna altijd en gaat hij buiten een sigaretje roken. Hij vindt verkopen vreselijk. Klanten komen meestal met z'n tweeën: echtparen uit Massachusetts of New York die iets mee terug willen nemen naar hun huis of appartement, iets ter herinnering aan het weekend of de vakantie. Ik sta te bedenken hoe ik kan afluisteren wat ze in de toonkamer zeggen, maar dan komt mijn vader binnen, terwijl hij zijn handen aan een doek afveegt. 'Neemt u me niet kwalijk,' zegt hij, en hij stapt de drempel over.

Mijn vader heeft zich niet geschoren en zijn haar is niet geknipt. Zijn ogen zijn roodomrand. O god, heeft hij gehuild? Nee, houd ik mezelf voor, dat komt door de lijm; zijn ogen zijn rood door de dampen. Hij zit onder het zaagsel en hij ziet er eerlijk gezegd nogal angstaanjagend uit.

Het is een ogenblik stil. Twee ogenblikken eigenlijk. Zo lang dat ik even naar de man kijk, die naar mijn vader kijkt, en dan kijk ik naar mijn vader, die ook naar hem kijkt.

'Robert?' zegt de man.

'Steve,' zegt mijn vader.

De twee mannen lopen op elkaar toe om elkaar de hand te schudden.

'Ik had gehoord dat je naar New England was verhuisd,' zegt Steve, op een toon alsof hij zijn ogen niet gelooft. 'Ik had alleen nooit gedacht... Virginia, dit is Robert Dillon. We hebben vroeger in de stad samengewerkt.'

Virginia doet een stap naar voren en schudt mijn vader de hand. Zijn hand is ruw en eeltig, en ik weet dat hij naar terpentijn ruikt.

'Dit is mijn dochter, Nicky,' zegt mijn vader.

'Wij hebben al kennisgemaakt,' zegt Steve, en hij glimlacht naar me. 'Zij heeft ons binnengelaten.'

Het is weer even stil.

'Nou,' zegt Steve, 'je maakt mooie dingen. Echt mooi. Vind je ook niet, Virginia?'

'Ja,' zegt Virginia. 'Heel mooi. Die man in de antiekwinkel had gelijk. Het lijkt erg op shakermeubels.'

Ik kijk naar mijn vader, en zijn gezicht maakt dat ik een hol gevoel in mijn maag krijg.

'Hoor eens,' zegt Steve, terwijl hij zijn hand tegen zijn voorhoofd legt. 'Ik wilde alleen maar zeggen... Ik heb nooit de kans gehad om te zeggen hoe erg ik het vond. Over... je weet wel.'

Mijn vader schudt snel even zijn hoofd.

'Dat weet je nog wel,' zegt Steve tegen zijn vriendin of

zijn vrouw. 'Ik heb je toch verteld over die man wiens vrouw en kindje...?'

'O! O, ja!' zegt Virginia in een golf van begrip. 'O, wat erg voor u,' voegt ze eraan toe. 'Wat zal dat moeilijk geweest zijn.'

Mijn vader zegt niets. Virginia drukt haar handtas tegen haar borst. Steve schraapt zijn keel en kijkt het vertrek rond.

'Werk je nog bij Porter?' vraagt mijn vader.

'Nee, ik ben voor mezelf begonnen,' zegt Steve, duidelijk opgelucht dat er een ander onderwerp is aangesneden. 'Ik heb een jaar geleden twee appartementen gekocht in een pand aan 57th Street.' Hij wacht even. 'Die zijn nu al twee keer zo veel waard als waarvoor ik ze heb gekocht. We wonen in een ervan, en het andere gebruik ik als kantoor. Ik heb drie werknemers.'

'Werkt Phillip er nog?' vraagt mijn vader.

'Phillip,' zegt Steve, en hij schudt zijn hoofd alsof hij even niet meer weet wie Phillip is. 'O, Phillip,' zegt hij. 'Nee, Phillip is verhuisd. Naar San Francisco.'

'Tja,' zegt mijn vader.

'Tja,' zegt Steve.

De stilte die nu volgt is een ruis in mijn hoofd.

'Zijn jullie hier met vakantie?' vraagt mijn vader na een tijdje.

'Ja,' zegt Steve, en hij kijkt alweer opgelucht. 'We skiën op allerlei verschillende bergen. We zijn naar Loon en naar Sunday River geweest. En naar Killington. Waar zijn we nog meer geweest, Virginia? Vrijdag gaan we weer naar huis. We wilden ervan profiteren dat er dit jaar

al zo vroeg sneeuw lag, je weet wel, voor de kerstdrukte.'
Naast mijn vader ziet Steve er blinkend opgepoetst uit. 'En jij? Ski jij ook?'

'Vroeger wel,' zegt mijn vader.

'Ik wel,' zeg ik tegelijkertijd.

'We gaan tegenwoordig vooral wandelen met van die sneeuwschoenen aan,' zegt mijn vader. 'In het bos.'

Steve kijkt naar het raam, alsof hij het bos zoekt. 'Sneeuwschoenen,' zegt hij peinzend. 'Dat zou ik ook wel eens willen proberen.'

'Ja,' zegt Virginia, 'dat heb ik ook altijd al eens willen proberen.'

'Het is vast heel vermoeiend,' zegt Steve.

'Soms wel, ja,' zegt mijn vader.

'Goed,' zegt Steve, en hij kijkt het vertrek weer door. 'We zochten een salontafel. En volgens mij hebben we precies gevonden wat we zochten, Virginia.' Hij loopt naar de tafel van mijn vader en strijkt met zijn hand over de afwerking. Ik vraag me af of Steve en Virginia wel in de tafel geïnteresseerd zouden zijn als hij niet van mijn vader was, als mijn vader zijn vrouw en kindje niet was kwijtgeraakt, als mijn vader er niet uitzag alsof hij op zwart zaad zit.

'Wat voor soort hout is dit?' vraagt Steve.

'Kersenhout,' zegt mijn vader.

'Dus die kleur is echt,' zegt Steve, 'en geen beits.'

'Nee, die kleur is echt. Hij wordt in de loop der tijd nog wat donkerder.'

'O ja? En waarmee is hij afgewerkt?'

'Polyurethaan met daaroverheen was,' zegt mijn vader.

'In welke klas zit jij?' vraagt Virginia, en ze haalt een

lippenbalsem uit haar tas en gaat ermee over haar lippen.

'Ik zit in de eerste,' zeg ik.

Ze perst haar lippen op elkaar. 'Dus je bent...?'

'Twaalf.'

'Mooie leeftijd,' zegt ze, en ze laat de stift in haar tas vallen. 'Wat ga je in de kerstvakantie doen?'

Ik denk even na. 'Mijn oma komt,' zeg ik.

'O, wat leuk,' zegt Virginia, terwijl ze het hengsel van haar tas over haar schouder schuift. 'Mijn oma maakte altijd *pfeffernusse* met kerst. Weet je wat dat zijn?'

Ik schud van nee.

'Hoeveel is de schade?' vraagt Steve aan mijn vader.

'Die zijn verrukkelijk,' zegt Virginia. 'Dat zijn opgerolde koekjes met honing en kruiden, en daarna bestoven met poedersuiker.'

Mijn vader schraapt zijn keel. Onder de beste omstandigheden vindt hij het al vreselijk om over geld te praten. 'Tweehonderdvijftig,' zegt hij snel.

Ik kijk als gebeten naar hem op. Ik weet dat de tafel voor vierhonderd dollar geprijsd is. Ik heb de prijslijst bekeken, die in alle tweehonderd brochures zit die hij op advies van Sweetser heeft laten drukken. Mijn vader heeft er nog geen twintig uitgedeeld. Sweetser heeft met hem gebakkeleid over de prijzen, en hij hield vol dat mijn vader veel te lage bedragen vroeg.

'Dit zijn goede meubels,' zei Sweetser. 'Hoeveel uur heb je in die tafel gestoken?'

'Dat is niet relevant,' zei mijn vader.

'Wel relevant als je wilt krijgen wat je toekomt.'

Mijn vader won de discussie, en hij vindt zijn prijzen nu redelijk, zelfs aan de bescheiden kant. Mijn vader leeft van het geld van de verkoop van het huis in New York én van het spaargeld van mijn ouders. Toch is het net of hij die tafel cadeau geeft als hij hem voor tweehonderdvijftig dollar verkoopt.

'Verkocht,' zegt Steve.

Vervolgens wordt er actie ondernomen en worden er taken verdeeld, en er volgt een logistieke discussie over hoe de tafel in de auto van het echtpaar moet versus hem laten opsturen. Uiteindelijk spreken ze af dat mijn vader de tafel zal laten versturen, op rekening van de ontvanger. Virginia schrijft discreet een cheque uit en legt hem op een bijzettafeltje.

We lopen allemaal naar de gang aan de achterkant van het huis. Ze ritsen allebei hun parka dicht en schudden mijn vader de hand. 'Leuk je weer eens gezien te hebben,' zegt Steve.

'Leuk jullie ontmoet te hebben,' zegt Virginia tegen mijn vader en mij.

'Misschien kunnen we een keer iets afspreken,' zegt Steve. 'Uit eten gaan of ergens iets drinken. We logeren tot vrijdag in de Woodstock Inn. Is het goed als ik bel?'

Mijn vader knikt langzaam. 'Prima,' zegt hij.

'Heb je even iets waar ik op kan schrijven?' vraagt Steve. 'Dan schrijf ik je nummer op.'

Mijn vader loopt de keuken in.

Nu zullen we het krijgen, denk ik.

'Willen jullie mijn muurschildering met de wintersportbergen zien?' vraag ik plotseling in een opwelling.

Bijna niemand, behalve mijn vader en oma en Jo, heeft hem nog gezien.

'O, ja, leuk,' zegt Virginia. 'Waar is die?'

'In mijn kamer,' zeg ik.

Ik draai me om en loop weg, in de overtuiging dat ze wel achter me aan zullen komen. Dat doen ze ook, en onderwijl vuren ze vragen op me af. Vind ik het leuk om in Shepherd te wonen? Mis ik New York niet? Doe ik op school aan sport? Wanneer ik het pak wc-papier tussen de spijlen van de trap gepropt zie, begin ik spijt te krijgen van mijn uitnodiging. Ik heb een natte handdoek op de overloop laten liggen en ik zie dat het een bende is in de badkamer, met tissues op de rand van de wasbak en nog een handdoek die over de wc gedrapeerd ligt. Mijn vader en ik maken op zaterdagochtend altijd het huis schoon; op dinsdag is het weer een rotzooi. Ik wacht tot Virginia en Steve boven zijn. Als we langs de kamer van mijn vader komen heb ik de tegenwoordigheid van geest om zijn deur dicht te doen en zo te voorkomen dat het stel het onopgemaakte bed en de wasmand op de grond ziet. Tegen de tijd dat we bij mijn kamer zijn heb ik spijt als haren op mijn hoofd van mijn stomme idee. Ik heb mijn bed niet opgemaakt, mijn flanellen pyjama ligt op de grond en op mijn nachtkastje ligt een lege verpakking van chocoladekoekjes. En erger nog: aan een stoel hangt een onderbroek.

'O, wat prachtig,' zegt Virginia.

'Je bent een echte kunstenaar,' zegt Steve.

'Zoiets heb ik nog nooit gezien,' zegt Virginia.

'Wat voor soort verf heb je gebruikt?' vraagt Steve.

Dan zie ik de muurschildering in zijn ware gedaante: een slecht uitgevoerd en primitief panorama van de drie noordelijke staten van New England, Canada dat rozig in de buurt van het plafond gloeit, MASSACHUSETTS, verkeerd gespeld en onhandig gecorrigeerd met zwarte verf, de bergtoppen daar waar ze met wit zijn overgeschilderd om aan te geven dat ik er geskied heb, zijn niet wit maar limoenkleurig.

'Jij kunt vast heel goed skiën,' zegt Steve.

'Misschien vinden je vader en jij het leuk om een keer met ons te gaan skiën,' zegt Virginia, op een toon die ik nog niet tegen een driejarige zou aanslaan.

Ik stop de onderbroek in mijn zak.

'Is dat een chalet?' vraagt Steve.

'O, kijk, Steve: Attitash!' zegt Virginia.

Ik loop naar de deur.

'Je hebt echt het talent van je vader,' zegt Steve. 'Misschien word je wel architect, net als hij vroeger was.'

'Ik ga naar beneden,' zeg ik.

'Ontzettend jammer dat hij ermee moest stoppen.' Steve wacht even. 'Maar die meubels zijn natuurlijk ook fantastisch.'

'Was mijn vader er goed in?' vraag ik.

'De beste,' zegt Steve. 'Hij was een geweldig ontwerper. Dat zijn niet alle architecten.'

'O,' zeg ik.

'Daarom hebben zijn meubels waarschijnlijk ook zo'n mooie belijning,' voegt hij eraan toe.

'Kralen!' roept Virginia uit. 'Je maakt kettingen!'

We treffen mijn vader weer in de gang. Steve neemt het stukje papier van hem aan en zwaait ermee. 'Ik bel je,' zegt hij.

Ik kijk het stel na terwijl ze door de steeds dichter vallende sneeuw naar hun auto lopen. Ze zeggen niets tegen elkaar terwijl Steve keert – een teken dat ze wachten tot ze uit het zicht zijn. Wanneer ze de oprit afrijden glimlachen ze allebei precies op het juiste moment.

'Ben je klaar met lijmen?' vraag ik mijn vader.

Het is net of het even duurt voor zijn ogen mij scherp in beeld hebben. 'Min of meer,' zegt hij.

'Kende je die man goed?' vraag ik. 'Ik kan me hem niet herinneren van de keren dat ik bij je op kantoor ben geweest.'

'Niet heel goed. Hij werkte op een andere afdeling.'

'Knappe vrouw, hè?' Ik gris een gebreid mutsje van een haak en sla ermee door de lucht.

'Gaat wel,' zegt hij.

'Wat heb je op dat papiertje geschreven?'

'Gewoon een nummer.'

'Van wie?'

'Geen idee,' zegt hij.

Ik pak het mutsje, dat op de grond is gevallen. 'Wil je een sandwich met tonijn?' vraag ik.

'Ja, lekker.'

Maar we staan nog steeds in de gang; we willen allebei niet weg. Ik zie door het raam dat het nu niet meer zo erg sneeuwt.

'Pap?' vraag ik, en ik ga dichter bij hem staan.

'Wat is er?'

Ik zet de muts op. 'Vond jij je werk leuk toen je nog in New York werkte?'

'Ja, Nicky,' zegt hij. 'Heel leuk.'

'Was je goed? Als architect?'

'Ik geloof van wel.'

'Wat voor dingen ontwierp je?'

'Scholen. Hotels. Een paar gerenoveerde appartementencomplexen.'

'Ga je dat ooit weer doen?' vraag ik.

Hij plukt de muts van mijn hoofd en zet hem zelf op. 'Ik denk van niet,' zegt hij.

'Wordt dit een dik pak sneeuw?' vraag ik.

'Dat zou zomaar kunnen,' zegt mijn vader. Hij ziet er stom uit met die muts.

'Zonde,' zeg ik. 'Nu het vakantie is.'

'Je hebt net nog ijsvrij gehad,' zegt mijn vader.

'Wanneer komt oma?' vraag ik.

'Morgenavond.'

'Heb je mijn kerstcadeau al gekocht?'

'Dat zeg ik niet,' zegt hij.

'Ik bedacht dat ik ook wel een cassetterecorder wil. Nou, eigenlijk heb ik een cassetterecorder nódig.'

'Toe maar,' zegt mijn vader.

Later die middag zit ik een kralenketting voor mijn oma te maken, maar dan hoor ik een motor. Ik ga naar het raam, kijk naar buiten en zie een blauw autootje op de oprit staan. Ik zie dat het naar de zijkant van de schuur rijdt, waar mijn vader zijn truck altijd neerzet.

Wauw, denk ik. Kerstdrukte.

Ik ren de trap af en doe de deur open. Op de stoep staat een jonge vrouw met haar handen in de zakken van een lichtblauwe parka. Ze kijkt door haar donkerblonde haar omhoog. Ze strijkt haar haar uit haar gezicht en veegt het achter haar oor. Haar haar is heel dun en heel steil.

'Is meneer Dillon thuis?' vraagt ze met een stem die zo zacht klinkt dat ik mijn hoofd naar buiten moet steken.

'Zei u Dillon?' vraag ik.

Ze knikt.

'Ja, die is er.'

'Een meneer in de antiekwinkel zegt dat meneer Dillon meubels maakt en wat dingen te koop heeft. En dat ik hierheen moest gaan om te kijken. Neem me niet kwalijk, ik wist niet waar ik mijn auto moest zetten.' Haar stem klinkt gespannen, en ze praat gehaast. Ze heeft ogen die bij haar jas passen, en er zitten allemaal sneeuwvlokken in haar wimpers. Boven op haar hoofd maakt de sneeuw een kanten mutsje.

'Komt u binnen,' zeg ik.

Ze stapt over de drempel. Haar spijkerbroek valt over haar laarzen en is nat aan de zoom. Ze kijkt snel de gang door, naar de wollen mutsen en honkbalpetten, naar de najaars- en winterjassen, naar een zak strooizout en een bus smeerolie op een plank. Door de sneeuw is het donker geworden, dus ik doe het licht aan. De vrouw deinst iets terug, met een schokkende hoofdbeweging. Haar haar valt weer over haar gezicht en ze strijkt het achter haar oor.

'Ik zal mijn vader even halen,' zeg ik.

Ik ren de gang door, de schuur in. Hij kijkt op van de la waar hij mee bezig is.

'Je zult het niet geloven,' zeg ik, 'maar we hebben alweer een klant.'

'Ik dacht al dat ik een motor hoorde,' zegt hij.

Hij gaat met me mee naar het huis. De vrouw staat nog steeds bij de achterdeur. Ze heeft haar schouders opgetrokken en haar armen voor haar borst over elkaar geslagen.

'De meubels staan in de voorkamer,' zegt mijn vader met een handgebaar.

'Ik zal mijn laarzen even uitdoen,' zegt de vrouw.

Ik wil net zeggen dat dat niet hoeft, maar de vrouw ritst haar zwartleren laars al open. Ze schudt hem uit en ritst dan de andere open. Ze zet ze naast elkaar op de mat. De zoom van haar spijkerbroek valt op de grond. Wanneer ze staat zie ik dat haar gezicht pafferig is – niet zo vreemd in de winter in New Hampshire.

'Ik heb iets nodig voor mijn ouders voor kerst,' zegt ze.

'Ik zal u laten zien wat ik heb,' zegt mijn vader. Hij kijkt door het raam. 'Ging het een beetje op die weg?' vraagt hij.

'Het was nogal glad,' zegt ze.

Ik loop achter mijn vader en de vrouw de voorkamer in. Haar parka loopt op haar heupen wijd uit. Haar haar zit achter in haar kraag. Ze beweegt zich stijfjes; volgens mij wou ze dat ze niet gekomen was.

In de voorkamer is het licht zodanig dat mijn vader en ik nu kunnen zien wat we een uur geleden niet zagen: de tafels en stoelen van kersen-, noten- en essenhout zijn bedekt met een dun laagje stof.

'Ik ga even een doek halen,' zegt mijn vader.

Wanneer hij de kamer uit is maakt de vrouw haar haar los uit haar kraag. Ze doet de rits van haar parka open. Ik bekijk haar kleren. Ze heeft een roze vestje aan met daaronder een witte bloes, die ze niet in haar spijkerbroek heeft gestopt. Om haar hals hangt een zilveren amulet aan een leren veter. Ik maak kralenkettingen op dun koord met een zilveren sluitinkje. Ik ben van plan die van de zomer samen met de frambozen te gaan verkopen.

'Mooie ketting,' zeg ik.

'O,' zegt ze, en ze gaat met haar hand naar haar hals. 'Dank je.'

'Ik maak zelf ook sieraden,' voeg ik eraan toe.

'Leuk,' zegt ze, op een toon die duidelijk maakt dat ze wel iets anders aan haar hoofd heeft dan sieraden.

Ze voelt aan een tafel en laat daarbij in het stof een kronkelend spoor achter.

'Dus u zoekt een cadeau,' zeg ik.

'Ja,' zegt ze, 'voor mijn ouders.'

'Woont u in Shepherd?' vraag ik, omdat ik vrijwel zeker weet dat ik haar nog nooit in de stad heb gezien.

'Nee, ik ben hier alleen inkopen aan het doen,' zegt ze.

'Neem me niet kwalijk,' zegt mijn vader, wanneer hij terug is met een stofdoek.

De vrouw gaat aan de kant staan terwijl hij de tafel afstoft. 'Mooie dingen maakt u,' zegt ze.

Ze loopt van het ene stuk naar het andere en raakt alles in het voorbijgaan aan. Ze gaat met haar vingers over de rugleuning van een stoel en raakt de zijkant van een boekenkast aan. Ze kijkt voortdurend naar mijn vader. 'Misschien vinden ze een boekenkast wel leuk,' zegt ze. Ik verwacht dat ze er nog iets achteraan zal zeggen, maar dan doet ze haar mond dicht. Ze heeft een vol gezicht, hoewel ze niet echt dik lijkt. Haar ogen staan wel verkeerd, alsof ze in een ander gezicht thuishoren, in een ongezond gezicht misschien wel. Onder haar onderste oogleden zitten van die blauwige halvemaantjes.

Volgens mij durft ze geen prijzen te vragen, dus bied ik haar ongevraagd de lijst aan. 'We hebben een prijslijst,' zeg ik.

Mijn vader schudt snel zijn hoofd.

De vrouw zwiept haar haar uit haar gezicht. 'Ja,' zegt ze, 'graag.'

Ik negeer mijn vader, pak een folder van de schoorsteenmantel en geef die aan haar. Ik kijk toe terwijl ze hem leest. 'Waar is dat van gemaakt?' vraagt ze aan mijn vader, wijzend op een kastje.

'Dat is notenhout,' antwoordt mijn vader, en hij verzuimt eraan toe te voegen dat het paneeldeurtjes heeft, ingezette scharnieren, en ook nog met bijenwas is afgewerkt. Als verkoper is hij een ramp.

De vrouw loopt naar de achterkant van de stoel. Ze steekt haar hand uit en leunt erop. 'Heel mooi is deze,' zegt ze.

Ze doet een stap opzij en trapt daarbij op de zoom van haar spijkerbroek. Ze bukt zich en slaat de zoom om. Terwijl ze dat doet kijk ik naar haar. Ze slaat de andere pijp ook om en komt dan overeind, maar ik kijk nog steeds naar haar voeten. Op het moment dat ik de sokken met de kabel aan de zijkant registreer – parelgrijze angorasokken – zegt ze tegen mijn vader: 'Ik ben hier niet heen gekomen om een meubelstuk te kopen.'

Mijn vader kijkt even verward. Hij denkt dat ze een verslaggeefster is, die hierheen gekomen is om hem onder valse voorwendselen te interviewen.

'Ik begrijp niet wat u bedoelt,' zegt hij.

Maar ik wel, en hoe komt dat? Door de sokken natuurlijk, met die angorakabel, een beetje gepild aan de hiel. Ik zie het ook aan haar gezicht, hoewel ik dat niet zou moeten kunnen zien – ik ben te jong, pas twaalf: de opgeblazenheid, de blauwige kringen onder de ogen, de huid die wel nat lijkt.

Ze drukt haar hand op de stoel omlaag, en ik ben bang dat ze zal vallen. 'Ik ben gekomen om u te bedanken,' zegt ze tegen mijn vader.

'Waarvoor?' vraagt mijn vader.

En nu is zij degene die verbaasd lijkt. 'Omdat u de baby hebt gevonden,' zegt ze, waarbij ze het woord 'baby' heel zacht uitspreekt, alsof ze het bijna niet durft te zeggen, alsof het haar niet meer is toegestaan dat nog te zeggen.

Maar mijn vader, die altijd alles begrijpt, begrijpt het nog steeds niet.

'Dat u haar gevonden hebt,' zegt ze nog een keer.

Hij fronst zijn wenkbrauwen en schudt even snel zijn hoofd.

Ik fluister tegen hem: 'De moeder', en dan begrijpt hij het plotseling en schiet zijn hoofd terug.

'Bent u de moeder?' vraagt hij verbaasd.

Haar wangen worden roze, waardoor haar ogen net zo blauw lijken als de vissen die ik ooit in Clara's kamertje geschilderd heb.

De sneeuw die tegen de ramen valt maakt geen enkel geluid. De hand van de vrouw, op de leuning van de stoel, is zo wit als een parel.

'Bent u de moeder van de pasgeboren baby die in de sneeuw is achtergelaten?' vraagt hij.

'Ja,' zegt de vrouw, en ze perst haar lippen stijf op elkaar.

'Dan moet ik u vragen weg te gaan,' zegt mijn vader.

'Ik wilde alleen maar zeggen...'

'Doet u geen moeite,' zegt hij kortaf.

Ze zwijgt, maar ze verroert zich niet.

'U hoort hier niet te zijn,' zegt mijn vader. 'U hebt een baby in de sneeuw gelegd om daar dood te gaan.'

'Ik moet de plek zien,' zegt ze.

'Welke plek?'

'Waar u haar gevonden hebt,' zegt ze.

Mijn vader schrikt zo te zien nogal van haar vraag. 'U weet vast zelf wel waar die is.'

Maar hoe kan zij nou weten waar haar kindje is achtergelaten, wil ik vragen, als ze de baby er niet zelf naartoe heeft gebracht? De rechercheur had toch gezegd dat de baby door een man in de slaapzak was gelegd?

'Ik had niet moeten komen,' zegt de vrouw. 'Ik ga.'

'Graag,' zegt mijn vader.

De vrouw ritst haar jas dicht. Ze loopt zijwaarts langs de meubels.

'U moet weg uit deze streek,' zegt mijn vader. 'Ze zoeken u.'

'Dat weet ik,' zegt ze.

'Wat doet u hier dan?' vraagt hij.

'Gaat u me aangeven?' vraagt ze.

'Ik weet niet eens hoe u heet.'

'Wilt u dat weten?' vraagt ze, bij wijze van boetedoening aan mijn vader, aan deze vreemde, aan deze man aan wie ze alles te danken heeft.

'Ik wil niet eens weten dat u bestaat,' zegt mijn vader.

De vrouw doet haar ogen dicht en ik ben bang dat ze zal vallen. Ik doe een stap naar voren en blijf dan staan – ik ben natuurlijk te jong om te kunnen helpen.

'Hebt u enig idee wat u gedaan hebt?' vraagt hij.

'Maar ik heb...' begint ze.

Ik weet zeker dat ze wilde zeggen 'maar ik heb het niet gedaan', en mijn vader denkt dat blijkbaar ook. 'Maar u was er toch bij?' vraagt hij.

'Ja,' zegt ze.

'Geen woord verder,' zegt mijn vader, en hij draait zich naar mij om. 'Nicky, de kamer uit.'

'Papa,' zeg ik.

De knieën van de vrouw gaan eerst, en het lijkt of ze wil gaan hurken. Ze steekt haar armen naar voren, maar ze raakt toch met haar kin de hoek van de tafel. Ik heb nog nooit in het echt iemand zien flauwvallen. Het gaat niet zoals in de film of in een boek. Het is naar en angstaanjagend.

Mijn vader knielt naast de vrouw neer en tilt haar hoofd van de grond. Ze komt bijna onmiddellijk bij en lijkt niet te weten waar ze is. 'Nicky, haal eens een glas water,' zegt mijn vader.

Ik ga met tegenzin de kamer uit. Wanneer ik de kraan opendraai, trillen mijn handen. Ik laat het glas tot de rand toe vollopen, en als ik ermee terugren naar de studeerkamer klotst er een beetje overheen. Als ik binnenkom, zit de vrouw rechtop.

'Wat is er gebeurd?' vraagt ze.

'U bent flauwgevallen,' zegt mijn vader. 'Hier, drink dit maar.' Hij geeft haar het glas water. 'Kunt u naar de auto lopen? We moeten u naar het ziekenhuis brengen.'

Haar hand gaat zo snel dat ik het bijna niet zie. Ze grijpt mijn vaders pols vast. 'Dat kan niet,' zegt ze, en ze kijkt hem aan. 'Daar ga ik niet heen.' Haar gezicht is bleek, groen bijna. 'Ik ga weg,' zegt ze, en ze laat mijn vaders pols los. 'Ik had niet moeten komen. Het spijt me.' Ze probeert op te staan. Op haar voorhoofd parelen zweetdruppeltjes.

'Ga zitten,' zegt mijn vader, en ze aarzelt een moment, maar doet het dan toch. 'Wanneer hebt u voor het laatst gegeten?'

'Als u me naar het ziekenhuis brengt,' zegt ze, 'zullen ze me arresteren.'

Een waarheid als een koe, zo veel is zeker.

De vrouw bukt zich en kotst over haar spijkerbroek.

Mijn vader legt een hand tegen haar rug. Ik kan mijn ogen bijna niet geloven. Flauwvallen, braken – het is helemaal mis bij ons thuis.

'Nicky,' zegt mijn vader, 'haal eens een vochtig stukje keukenrol en een pan.'

In de keuken scheur ik een stuk keukenrol af en maak het nat. In een keukenkastje vind ik een steelpan. Wanneer ik terug ben geef ik de vrouw de keukenrol, zodat ze zich kan schoonvegen. Trillend zet ik de pan op de grond.

De vrouw veegt haar spijkerbroek schoon. Ze leunt tegen de tafelpoot. 'Ik moet naar de wc,' zegt ze. Met grote moeite weet ze overeind te komen. Ze begint te wankelen. Mijn vader pakt haar arm en vangt haar op.

'Rustig maar,' zegt hij.

Mijn vader en de vrouw lopen samen naar de gang, waar de wc is. Ik kijk hoe ze zich losmaakt, de wc binnengaat en de deur dichtdoet.

Mijn vader haalt geagiteerd zijn handen door zijn haar. 'Wat een ellende,' zegt hij.

'Je kunt haar niet naar het ziekenhuis brengen,' zeg ik.

'Ze heeft medische hulp nodig.'

'Misschien heeft ze niet gegeten. Misschien is ze gewoon moe.'

'Ze kan hier niet blijven.'

'Maar papa...'

Mijn vader en ik staan tussen de keuken en de wc, zo dichtbij dat we de vrouw kunnen horen als ze roept, maar niet zo dichtbij dat we alles kunnen horen wat er achter de deur gaande is. Mijn vader steekt zijn handen in zijn zakken en speelt met het kleingeld dat erin zit. We zeggen allebei geen woord en laten tot ons doordringen dat er een vrouw ons huis is binnengekomen die, hoe kort ook, even ons leven is binnengekomen. Mijn vader loopt naar de achterdeur, doet hem open, kijkt naar de sneeuw en doet de deur weer dicht. Hij vouwt zijn armen weer voor zijn borst.

'Jezus christus,' zegt hij.

Ik loop de trap op naar mijn kamer. Op een plank in mijn kast vind ik achter een plunjezak een pyjama die mijn oma voor me heeft gemaakt. Ik vind het een vreselijk ding en wilde hem weggooien, maar mijn vader stond erop dat ik hem hield, zodat ik hem kan aantrekken als mijn oma op bezoek is. Er staan kinderachtige roze en blauwe beertjes op en hij heeft een enorme taille met elastiek erin.

Wanneer ik terugkom is mijn vader in de keuken. Hij heeft een sigaret opgestoken. De rook kringelt omhoog en maakt in de tocht van het raam een scherpe bocht naar links. We drentelen wat rond, mijn vader met zijn sigaret en ik met mijn flanellen bundeltje, alsof we elk moment geroepen kunnen worden om de jonge vrouw op de wc te redden. Eerst de baby en nu de moeder.

De deur gaat open en de vrouw steekt haar hoofd naar buiten. Ze kijkt naar mijn vader en dan naar mij. 'Kun jij even komen?' vraagt ze.

Ik wijs op mezelf, met een vragend gezicht.

'Ja, alsjeblieft,' zegt ze.

Ik loop naar de deur.

'Hebben jullie een maandverbandje?' fluistert ze.

Een maandverbandje. Ik denk na. O, god, een maandverbandje.

'Nee,' zeg ik bedroefd.

'Helemaal niks?' Ze is verbaasd, geloof ik.

'Nee.'

Ze houdt haar hoofd schuin. 'Hoe oud ben je?'

'Twaalf.'

Ik heb een verbandje dat de schooldokter aan het begin van het schooljaar aan alle meisjes uit de eerste heeft gegeven, voor het geval dat, maar dat ligt in mijn kluisje. 'Het spijt me,' zeg ik, en dat meen ik. Nee, erger nog, ik schaam me dood.

De vrouw kijkt naar buiten naar de vallende sneeuw. 'Wat een weer, hè?'

Ik geef haar de flanellen pyjama.

'Wat is dat?' vraagt ze.

'Een pyjama,' zeg ik. 'Hij is mij te groot. In de broek zit elastiek.'

Haar armen glippen door de opening en ik zie dat haar benen bloot zijn. Ze kijkt weer naar buiten. 'Misschien heb je toch iets?' voegt ze eraan toe, en ze doet de deur dicht.

Ik ga terug naar de keuken en leun tegen het rode aanrecht. Hoe ga ik dit ooit oplossen? Ik doe mijn ogen dicht en denk even na.

'Pap?' zeg ik eindelijk. 'Ik moet even naar Remy's.' Ik zeg het op ietwat uitdagende toon, omdat ik verwacht dat hij bezwaar maakt.

'Naar Remy's,' zegt mijn vader, en hij drukt zijn sigaret uit op het schoteltje dat daartoe dient.

'Ik moet iets halen.'

'Wat?'

Ik haal mijn schouders op.

'Iets voor jezelf of iets voor haar?' vraagt hij.
'Iets voor haar,' zeg ik.
'Wat dan?'
'Iets voor haar,' herhaal ik.
Mijn vader staat op en loopt weer naar het raam. Hij bekijkt de sneeuw, beoordeelt de diepte en de snelheid. De banden van zijn truck en de blauwe auto zijn nu bijna helemaal wit.
'Het is belangrijk,' voeg ik eraan toe.
'Kan ze er niet iets anders voor gebruiken?' vraagt hij.
'Nee,' zeg ik.
'Weet je het zeker?' vraagt hij.
Ja, er ligt misschien wel ergens een doek of een handdoek die ze kan gebruiken, maar ik heb nog nooit eerder zo'n opdracht gekregen, en ik ben vastbesloten deze vrouw niet teleur te stellen. 'Papa, alsjeblíéft,' zeg ik.
'Ik ga wel,' zegt hij. 'Blijf jij maar hier.' Maar terwijl hij het zegt zie ik dat hij zich bedenkt. Hij wil niet dat ik alleen in huis ben met die vrouw.
'Laat maar,' zegt hij. 'Ga maar met me mee.'

We kleden ons stilzwijgend aan voor de sneeuw. Ik klop op de deur en zeg tegen de vrouw dat we naar de winkel gaan en dat we zo terug zijn. We stappen in de truck en mijn vader start de motor. Hij stapt uit en krabt de sneeuw van de voorruit en de zijramen. Ik houd mezelf voor dat het wel meevalt met het weer, maar dat is niet zo: de sneeuw valt in snelle, dichte vlagen.
Onze weg wordt niet geveegd en is glad onder de wielen van de truck. Mijn vader rijdt geconcentreerd, en we zeggen geen woord.

Zou hij hetzelfde denken als ik, namelijk dat we net een vreemde vrouw in ons huis hebben achtergelaten, een vrouw die misschien wel heeft geprobeerd haar baby te vermoorden? Haar baby te vermoorden – die woorden willen maar niet in mijn hoofd blijven stilzitten. Sinds we naar New Hampshire zijn verhuisd gebeurt er nooit iets met mijn vader en mij; er rijdt bijna nooit eens iemand de heuvel op. Maar de afgelopen negen dagen hebben we al drie keer bezoek gehad: rechercheur Warren, Steve en Virginia, en nu de vrouw van wie we nog steeds niet weten hoe ze heet.

We rijden langs de school en de kerk en het dorpsplein. Op de hoek van Strople Street en Maine Street slippen de achterwielen van de truck over de straat. Mijn vader haalt zijn handen van het stuur, en na een eeuwigheid komen we tot stilstand. Mijn vader schakelt en gaat onze rijstrook weer op. Ik bid dat we nergens tegenaan rijden, want dan is het allemaal mijn schuld. Voor me zie ik zowel de winkel van Remy als die van Sweetser, maar mijn vader slaat plotseling bij het postkantoor af. Ik denk dat hij wil kijken of er post voor hem is. Maar in plaats van bij het postkantoor te stoppen, rijdt hij achter dat gebouw naar een ander gebouw, waar zowel het politiebureau als het kantoor van de gemeentesecretaris gehuisvest is.

'Wat ga je doen?' vraag ik met grote ogen.

Mijn vader geeft geen antwoord. Hij parkeert de truck, zet de motor af en doet zijn portier open.

'Papa?' vraag ik.

Ik kijk mijn vader na terwijl hij naar het politiebureau loopt. Ik doe mijn portier open en spring eruit. Was hij al die tijd al van plan hierheen te gaan? Zei hij alleen maar dat hij wel naar de winkel wilde gaan om mij het huis uit te krijgen, terwijl de politie de moeder van de baby arresteert? Zou mijn vader zoiets doen? Ik weet het niet. Soms denk ik dat ik mijn vader heel goed ken; andere keren vraag ik me af of ik hem überhaupt wel ken. 'Pap!' roep ik, en ik ren achter hem aan.

Mijn vader blijft bij de deur staan en wacht tot ik er ben. Hij buigt zich naar me toe en zegt met rustige stem, zodat ik weet dat het menens is: 'Ga terug naar de truck.'

'Wat ga je doen?'

'Daar heb jij niets mee te maken.'

'Maar je kunt toch niets…' zeg ik, en ik steek mijn handen naar hem uit. 'Dat kun je niet maken.' Ik voel nu al loyaliteit jegens een vrouw die ik niet eens ken. Ik schud mijn hoofd heftig heen en weer.

Mijn vader voelt een duwtje in zijn rug. Hij doet een stap opzij zodat de deur open kan. Peggy, de gemeentesecretaris, trekt een sjaal om haar hoofd. 'Hallo, Nicky,' zegt ze, en ze loopt naar buiten.

De eerste keer dat ik Peggy zag was toen ik een vergunning kwam aanvragen om aan het eind van onze weg frambozen te mogen verkopen. Daar moest ik zeven dollar voor betalen.

Peggy glimlacht naar mijn vader. 'Kan ik u helpen?' vraagt ze.

'Nou, ik kwam eigenlijk voor inspecteur Boyd,' zegt mijn vader.

'Dan bent u net te laat,' zegt ze. 'Paul en hij zijn weggeroepen naar Route 89. Bij de afrit is een ongeluk gebeurd.' Peggy kijkt naar de lucht. 'Is het dringend? Ik kan hem wel oproepen.'

Ik kijk naar mijn vader.

'Nee,' zegt hij even later. 'Nee, laat maar. Ik bel hem wel.'

Ik blaas een lange adem uit.

'Nou, u bent wel in het nieuws geweest, zeg,' zegt Peggy, terwijl ze haar handschoenen aantrekt. 'Wat een toestand moet dat geweest zijn,' zegt ze. 'Een baby vinden.' Ze kijkt naar mij. 'En jij was er bij!'

Ik knik.

'Ik ga naar Sweetser's,' zegt Peggy. 'Ik moet batterijen en strooizout hebben, voor de storm nog erger wordt. Willen jullie binnen wachten? Ik sluit de deur niet af.'

'Nee hoor, dat hoeft niet,' zegt mijn vader. 'Bedankt.'

'Als ik jullie niet meer zie: gelukkig kerstfeest,' zegt Peggy.

Mijn vader en ik lopen naar de truck. Ik klauter in de cabine. Ik begrijp wel dat ik maar beter geen enkele vraag kan stellen en geen woord kan zeggen.

Bij Remy's remt mijn vader voor de stoep. Door de whiteout en de beslagen ruit zie ik het lichtgele schijnsel van een peertje boven de kassa. Mijn vader geeft me een biljet van tien dollar. 'En een beetje opschieten,' zegt hij.

De trap is slecht geveegd. Wanneer ik de winkel binnenkom, gaat er een bel, die mijn komst overbodig aankondigt. Marion legt haar breiwerk neer. 'Nicky,' zegt ze. 'Lieverd. Je bent mijn held, wist je dat? Ik heb je nog niet gezien sinds jullie die baby hebben gevonden. En je vader ook niet.'

'We hebben het nogal druk gehad,' zeg ik.

'Nou, dat geloof ik graag!'

Marion, een grote roodharige vrouw met een rubberachtig gezicht, was getrouwd met de man van haar zus, na een verhouding van bijbelse proporties waar zelfs de meest vurige aanhangers van het zeer onrealistische motto van New Hampshire, 'wees vrij of sterf', door geschokt waren. Maar dat was jaren geleden, en nu is deze vrouw een steunpilaar van de samenleving. Haar man, Jimmy, die ooit de gevierde quarterback van het Regional-team was, weegt meer dan honderdvijftig kilo. Een van Marions zonen studeert aan de UNH; de andere zit in de gevangenis voor een gewapende roofoverval.

Ik heb Marion zelden zonder breinaalden in de hand gezien. Vandaag is ze iets met rode en gele strepen aan het maken. Ik hoop dat het niet voor iemand van ouder dan twee jaar is. 'Nou, vertel op!' zegt ze.

'Eh...' zeg ik, en ik denk na.

'Iets wat niet in de krant heeft gestaan.'

Ik denk nog even na. 'We hebben haar in een flanellen hemd gewikkeld en in een plastic wasmand gelegd.'

'Echt waar?' zegt Marion, en ze lijkt tevreden met dit detail. 'Waren jullie niet helemaal van slag?'

'Nogal,' zeg ik.

Marion begint weer te breien. 'Ben je mee geweest naar het ziekenhuis?'

'Ja.'

'Mochten jullie bij de baby blijven?'

'We zijn even bij haar geweest.'

'Wat gaat er met haar gebeuren?'

'Dat weten we niet,' zeg ik.

Marion laat haar rubberachtige glimlach verslappen. 'Erg hoor,' zegt ze.

'Nou, wij hebben haar in elk geval gevonden,' zeg ik, niet bereid de rol van heldin al op te geven.

'Nee, ik bedoel: erg voor degene die het gedaan heeft,' zegt ze. 'Daar moet wel een afschuwelijke reden voor geweest zijn.'

Ik bedenk dat degene die het gedaan heeft op dit moment in onze badkamer zit.

'Heb je de muts voor je vader al af?'

'Ja,' zeg ik, en ik ga voetje voor voetje dichter naar de gangpaden toe.

'Hoe is-ie geworden?'

'Goed wel,' zeg ik. 'Ik denk wel dat hij hem past.'

'Je vond die omgeslagen rand toch wel leuk?'

'Ja,' zeg ik.

Mijn moeder heeft me leren breien toen ik zeven was. Ik was het helemaal vergeten totdat ik Marion op een dag achter de toonbank zag met haar breiwerk, en toen bekende ik dat ik het ook kon. 'Bekende' is wel het juiste woord. In die tijd, begin jaren tachtig, was breien geen hobby waar een meisje van nog geen tien graag mee te koop liep. Maar Marion, enthousiast als altijd, greep me in de kraag en stond erop dat ik haar iets liet zien wat ik zelf had gemaakt. Dat deed ik dan ook: een misvormde sjaal, die ze uitbundig prees. Ze leende me framboos-kleurige wol voor nog een project: een muts voor mezelf. Sindsdien ben ik vrijwel onafgebroken aan het breien geweest. Het is verslavend en kalmerend, en ik voel me dan in elk geval een paar minuten wat dichter bij mijn moeder. Als ik met een bepaalde steek of patroon in de problemen kom, ga ik naar de winkel, en dan helpt Marion me met de oplossing. Normaal gesproken vind ik alles wat Marion breit even fascinerend, zoals een bol wol een trui of een babydekentje wordt, maar vandaag wil ik alleen maar zo snel mogelijk bij de toonbank weg. Ik denk aan mijn vader, die in de auto zit te wachten, en aan de sneeuw die de voorruit nu wel helemaal bedekt zal hebben.

Ik weet waar de damesartikelen liggen, en die kant loop ik op. De doos maandverband lijkt groter dan ik gedacht had. Ik pak hem van de plank en loop terug naar de toonbank.

Marion legt haar breiwerk op haar schoot. 'Och, heden,' zegt ze, en ze kijkt naar het maandverband.

Stom en roekeloos flap ik eruit: 'Het is niet voor mezelf.'

Marion houdt haar hoofd scheef en glimlacht moederlijk. Ze gelooft me niet, zo veel is wel duidelijk.

Ik haal het biljet van tien dollar uit mijn zak. Op het gehavende formica trilt en neuriet het pak maandverband. Marion slaat de prijs op de kassa aan. 'Hoe voel je je?' vraagt ze.

'Prima,' zeg ik.

'Als je vragen hebt, maakt niet uit waarover, kun je me die altijd stellen, hoor.'

Ik knik. Mijn gezicht voelt warm.

'Aangezien je moeder er, je weet wel, niet meer is,' zegt ze luchtig.

Ik bijt op mijn lip. Ik wil weg.

'Ik heb niet zo veel klanten gehad vandaag,' zegt Marion. 'Maar gisteren was me er toch een run op melk en blikvoeding. Hamsteren. Het moet een zware storm worden. De zwaarste van het hele seizoen, zeggen ze, maar ze hebben het altijd bij het verkeerde eind.'

Ik leg het geld op de toonbank.

'Hebben jullie de baby sinds die avond nog gezien?' vraagt Marion, terwijl ze mijn wisselgeld pakt.

'Nee.'

Marion kijkt snel op, en achter me klinkt een stem. 'Jij bent toch Nicky, hè?'

Er verschijnen een blauwe overjas en een rode sjaal naast me. Ik heb de bel die de komst van rechercheur Warren aankondigde niet gehoord. Nou ja, misschien was er ook wel geen bel, bedenk ik; misschien stond hij al in de winkel, in een ander gangpad.

'Hoe gaat het met je?' vraagt hij.

'Goed,' zeg ik stijfjes.

Marion stopt het maandverband in een papieren zak, maar inmiddels heeft Warren mijn boodschap allang gezien. In mijn parka baad ik in het zweet. Ik sta daar alsof ik er niet echt ben, met mijn hoofd enigszins gebogen en mijn rug gekromd. Warren legt zijn tijdschriften en pakje kauwgum op de toonbank.

'Ik ga,' zeg ik.

'Camel,' zegt Warren.

'Fijne kerst,' roept Marion me na. 'En zeg tegen je vader dat ik hem ook een held vind.'

'Ja, fijne feestdagen voor je vader en jou,' zegt Warren.

Ik loop zo snel ik kan naar de deur. Het enige waar ik aan denk is wat er zal gebeuren als mijn vader de rechercheur ziet.

Als ik de deur opendoe gaat de bel. Ik glibber van de eerste tree af en doe de rest op mijn billen. Ik kom overeind en ren naar de truck.

Ik sla het portier dicht en gooi mijn hoofd achterover tegen de zitting. Er zit sneeuw in de papieren zak. 'Snel, weg,' zeg ik. 'Ik moet plassen.'

De tocht terug naar huis is gespannen en lang. Zo nu en dan kan mijn vader de weg bijna niet vinden. Keer op keer voel ik de achterwielen wegglijden of over een voor springen. We zien maar een paar andere auto's op de weg; bijna niemand schijnt zich in de storm buiten te willen wagen.

We komen langs het witte huisje waaraan je kunt zien dat er jongens wonen. Ik veeg de condens van de ruit en tuur. Er staan kaarsen voor het raam. In de woonkamer zie ik een verlichte boom. De moeder is in de keuken, bij het aanrecht. Ze heeft haar haar in een staart. Er drijven flarden van herstherinneringen voorbij.

Ze hangt de babyversiering in de boom.

Het lint om het pakje is felrood, gekruld doordat de schaar er langs gehaald is.

Hij zit op zijn knieën, zijn hoofd onder de takken en zoekt zijn kous.

Ik denk aan kerstbomen en versieringen, maar dan realiseer ik me plotseling: heb ik echt tegen Marion gezegd dat dat maandverband niet voor mij was? Heeft de rechercheur, die in een gangpad op de loer lag, dat gehoord?

Stom, stom, stom.

Mijn vader zet de truck op zijn vaste plekje aan de andere kant van de schuur neer. Terwijl ik het portier opendoe en naar het huis loop, kijk ik naar de blauwe auto van de vrouw. Ze zit op het bankje in de gang. Ze heeft haar witte bloes aan en de broek van mijn flanellen pyjama. Hij past niet echt: de roze en blauwe beertjes spannen om haar dijen, de onderkant komt net onder haar knieën. Haar benen steken wit af tegen de bovenkant van haar grijze angorasokken. Haar spijkerbroek, die ze heeft uitgewassen, hangt aan een haak te drogen.

Ze ziet er opgefrist en ingetogen uit, als een leerling die voor het kantoor van de directeur zit te wachten. Ik geef haar de papieren zak. Ze zegt 'dank je wel' en glipt de badkamer in. Ik doe mijn jas uit en hang hem aan een haak, niet ver van de haak waar haar spijkerbroek aan hangt.

Achter de badkamerdeur hoor ik karton scheuren, papier ritselen.

De vrouw heeft een kind gekregen. Hoe voelt dat? Dat wil ik vragen. Ik weet waar baby's vandaan komen, maar daarmee weet ik nog niet wat ik zo graag wil begrijpen. Doet het pijn? Was ze bang? Houdt ze van de man die de vader is? Staat hij uit het zicht langs de weg te wachten tot ze terugkomt? Is de baby met de belachelijke naam Doris het product van een hartstochtelijke liefde? Huilt de vrouw achter de badkamerdeur om haar geliefde en om het kindje dat ze kwijt is?

De vrouw die uit de badkamer komt ziet er eerder afgetobd dan hartstochtelijk uit. We staan even in het gangetje, en ik weet niet goed wat ik met haar moet. 'Dank je wel,' zegt ze weer. 'Was het erg slecht buiten?'

'Ging wel.'

Mijn vader stampt de sneeuw van zijn laarzen en brengt een golf koude lucht mee naar binnen. Hij trekt zijn jas uit en hangt die aan een haak. 'U moet gaan liggen,' zegt hij tegen de vrouw.

Ik ga haar voor langs de keuken en de studeerkamer in. Ik wijs naar de bank. Ze stort min of meer losjes op de bank neer. Haar buik puilt over de elastieken band van de pyjamabroek heen, zichtbaar waar de witte bloes bij de taille openvalt. De bloes is niet schoon: aan de binnenkant van de manchetten zitten kringels stof, als fijn stiksel. Ze gaat liggen en doet haar ogen dicht, en ik bekijk haar, deze trofee.

Haar lippen zijn droog en ze heeft geen make-up op – een kleine teleurstelling. Haar wenkbrauwen zijn echter wel vakkundig geëpileerd, hetgeen op eerdere verzorging wijst. Haar wimpers zijn dicht en blond. Op haar neus zitten puistjes en op haar wangen een of twee vage putjes. Haar haar valt over haar gezicht, en volgens mij slaapt ze al, anders had dat haar wel gestoord. Haar borsten zijn groot en maken slagzij naar het kussen van de bank.

Ik wacht, zoals iemand naast het bed van zijn moeder wacht tot ze wakker wordt of haar ogen opendoet. In de keuken hoor ik het elektrische gezoem van een blikopener, het geschraap van een pan tegen een gaspit. Ik leg een lelijke zwart-met-rode gehaakte deken over haar heen die mijn oma gemaakt heeft en die mijn vader niet wil weggooien. Ik prop de kussens achter haar hoofd, in de hoop dat ze hier wakker van zal worden, en dat gebeurt ook.

Ze gaat snel overeind zitten, weer alsof ze niet weet waar ze is – het mooie meisje in het sprookje dat duizend jaar geslapen heeft.

'Ik ben bij hem weg,' zegt de vrouw.

Ik ga wat rechter zitten. Bij *hem* weg? Bij de man? De man die de baby in de sneeuw heeft gelegd?

Ze huivert.

'U hebt het koud,' zeg ik. 'Ik zal uw jas halen.'

'Mijn trui ligt in de badkamer.'

Ik sta onmiddellijk op, blij dat ik iets kan doen. Ik vind het opgevouwen roze vest op een hoek van de wasbak. Het is gemaakt van harige wol – geen angora, maar mohair – en heeft aan de voorkant grote parelmoeren knopen.

Wanneer ik terugkom, komt de vrouw een beetje overeind. Ik sla het vest om haar schouders en probeer het in te stoppen. Het lijkt wel of ze haar armen niet meer kan gebruiken en haar lichaam is zwaar.

Ik ga op de grond naast haar zitten. De kamer staat vol boekenkasten die hoog boven ons uittorenen. Afgezien van de bank staan er alleen twee lampen, een salontafel, de leren clubfauteuil die mijn vader uit ons huis in New York heeft meegenomen en nog een stoel. Mijn vader komt binnen met een blad: kippensoep met croutons in een kom, een waaier van zoute koekjes, haastig op een bord neergelegd, en een glas water. 'U bent uitgedroogd,' zegt hij, terwijl hij haar onderzoekend aankijkt.

Ze komt overeind en gaat zitten. Als ze de lepel vasthoudt trilt haar hand.

'Zodra de storm is gaan liggen...' zegt hij, naar het raam gebarend.

Zodra de storm is gaan liggen, wat dan? Dat zou ik wel eens willen weten. Dan neemt hij de vrouw in de houdgreep en brengt haar naar de truck? Dan dwingt hij haar in haar blauwe auto een niet-geruimde weg af te rijden?

Mijn vader gaat zitten en neemt zijn gebruikelijke houding aan: hoofd gebogen, benen gespreid, zijn ellebogen op zijn knieën. Het wordt donker in de kamer en mijn vader wil de lamp aandoen. 'Hoe hebt u me gevonden?' vraagt hij.

'Ik had in de krant over u gelezen,' zegt u. 'Uw naam stond erbij. Ik was er zo achter waar u woont.'

Buiten valt de sneeuw in dikke vlokken. 'Bent u bij een dokter geweest?' vraagt hij.

Ze kijkt op.

'Tijdens uw zwangerschap,' voegt hij eraan toe.

'Nee.'

'U bent helemaal niet bij een dokter geweest?'

'Nee,' zegt ze weer.

'Dat is heel dom,' zegt mijn vader.

Ze doet haar mond open om iets te zeggen, maar hij steekt zijn hand op om haar het zwijgen op te leggen. 'Ik wil het niet weten,' zegt hij, en hij staat op. 'Nicky, ik wil dat je sneeuw gaat ruimen.'

'Nu?' vraag ik.

'Ja, nu,' zegt hij. 'Ik moet naar de schuur om dat bureau af te maken.'

'Maar...'

'Geen gemaar. Als we het niet bijhouden met die

storm komen we hier nooit meer weg.'

Ik kom met tegenzin overeind en werp ten afscheid nog een blik op de vrouw op de bank. Ze kijkt niet naar me op. Ik sleep mezelf naar het gangetje, ga op het bankje zitten en trek mijn laarzen aan. En als ze me nu eens nodig heeft, denk ik. Ik doe mijn jas aan, mijn muts op en mijn wanten aan. Kunnen we haar wel alleen laten? Ik ga naar buiten, met mijn hoofd gebogen tegen de sneeuw. En als er nu eens iets met haar gebeurt en ik ben er niet?

Ik gebruik een brede sneeuwschuiver en duw hem als een ploeg naar voren. Van al mijn klusjes vind ik sneeuwruimen het vervelendst, vooral als het sneeuwt en het duidelijk is dat ik het over een paar uur weer zal moeten doen. Ik maak rijen en schuif de sneeuw naar de andere kant van het eind van de oprit. Ik ben ongeduldig en doe het in recordtijd. Na twintig minuten bekijk ik mijn werk. Het is slordig, maar ik wil geen minuut langer buiten zijn. Ik zet de sneeuwschuiver naast de achterdeur, loop naar binnen en trek vlug mijn jas en wanten uit. Ik loop naar de studeerkamer.

De vrouw zit nog steeds op de bank met het blad op haar schoot. Ze heeft de croutons in een olieachtige goudkleurige plas onder in de kom laten drijven. Ik eet de croutons altijd het eerst op. Ze bukt zich om het blad weg te zetten, maar ik neem het van haar aan. Clara Barton. Florence Nightingale.

Ze gaat weer liggen. Het licht van de lamp valt op haar haar en haar gezicht. Ik ga weer op de grond zitten en leg mijn arm tegen het omboordsel van de kussens. 'Hoe heet u?' vraag ik.

'Dat wil je vader niet weten,' zegt ze. 'Misschien mag jij hier wel helemaal niet komen.'

'Ik zal het niet tegen hem zeggen,' zeg ik.

Ze zegt niets.

'We moeten toch een naam voor je hebben?' zeg ik.

De vrouw denkt een minuut na. Twee minuten. 'Noem me maar Charlotte,' zegt ze ten slotte.

'Charlotte?' vraag ik.

Ze knikt.

Charlotte, herhaal ik voor mezelf. Ik ken geen Charlottes, ik heb ook nooit een Charlotte gekend. 'Mooie naam,' zeg ik. 'Is dat uw echte naam?'

'Ja,' zegt ze.

Dan wil ik van alles weten. Hoe oud is ze? Waar komt ze vandaan? Wie is die man? Hield ze veel van hem?

'Het gaat goed met de baby,' zeg ik dan maar.

Gesnik ontsnapt haar; een snik, nog een snik. Haar ogen knijpen zich samen en er loopt snot over haar bovenlip. Ze huilt niet erg subtiel. Ze veegt haar neus af met een roze mouw. Ik ren naar de badkamer en kom terug met een dot wc-papier.

'Het spijt me,' zeg ik. 'Ik had niets moeten zeggen.'

Ze wuift mijn verontschuldiging weg.

'Vertel eens,' smeek ik.

'Dat kan ik niet,' zegt ze, en ze snuit haar neus. 'Niet nu.'

Maar dat 'nu', daar gaat het om, hè? 'Nu' zegt dat er een toekomst is, een moment waarop ze me in vertrouwen zal nemen en me haar verhaal zal vertellen – als ik maar kan wachten, als ik maar geduld heb. De belofte van dat woord doet me duizelen.

'Ik moet echt slapen,' zegt ze, terwijl ze haar neus nog eens even flink afveegt.

'We hebben een logeerkamer,' zeg ik. 'Voor mijn oma. Zij komt met de kerst hierheen. U kunt de deur dichtdoen en daar gaan slapen.'

'Vindt je vader dat wel goed?'

'Ja hoor,' zeg ik, zonder wat voor gezag dan ook.

Ze komt omhoog van de bank en gooit de trui en de plaid van zich af. Ik ga haar voor naar de trap in het achterhuis. Ze loopt wankel en trekt zich op aan de trapleuning. Ze loopt achter me aan naar een kamer met een tweepersoonsbed met een witte sprei erover die jaren geleden op het bed van mijn ouders heeft gelegen. Ik pak een gewatteerde deken uit de kast en leg die zo netjes mogelijk over de sprei heen. Naast het bed staat een tafeltje met een lamp erop, en rechts ervan een bureau met een spiegel. In een andere hoek staat een schommelstoel, en daarnaast een wel erg felle lamp die mijn vader daar heeft neergezet zodat mijn oma daar kan zitten lezen wanneer ze bij ons logeert. De vrouw loopt meteen op het bed af, trekt de dekens terug en gaat onmiddellijk liggen.

'Ik kom over een tijdje wel even kijken of alles goed met u is,' zeg ik.

De ogen van de vrouw zijn dicht en zo te zien slaapt ze al.

Ik draai me met tegenzin om en loop de kamer uit. Ik doe de deur overdreven voorzichtig dicht. Ik blijf een tijdje op de onderste tree zitten – zo lang als het duurt om grondig de sneeuw van het stuk het dichtst bij het huis te ruimen – en dan loop ik naar de schuur.

'Ik heb haar in de logeerkamer gelegd,' zeg ik.

Mijn vader doet een stap achteruit van de tafelzaag. 'Ik wil niet dat je met haar praat,' zegt hij, en hij doet zijn beschermbril omlaag. 'Ik dacht dat ik daar wel duidelijk over was geweest.'

Ik haal mijn schouders op.

'Zodra het weer wat beter is moet ze weg. Jij mag hier niets mee te maken hebben, Nicky.'

'Je bedoelt: jíj mag er niets mee te maken hebben.'

'Nee, ik bedoel: jij,' zegt hij, en hij wijst. 'Dit is heel ernstig. En je rept er met geen woord over, tegen niemand. Nu niet en nooit niet. Begrijp je dat?'

Ik draai me om en loop de werkplaats van mijn vader uit voordat hij een preek kan afsteken. Ik haal het dienblad uit de studeerkamer, breng het naar de keuken en was af. Ik eet de rest van de soep op, die ik rechtstreeks uit de pan lepel. Ik loop naar boven en ga voor de logeerkamer staan luisteren of ik iets hoor, een veelzeggend geluid, een geluid waar ik een verhaal van kan maken. Teleurgesteld loop ik naar mijn kamer, ga aan mijn bureau zitten en probeer verder te werken aan de kralenketting voor mijn oma – een ingewikkeld en ambitieus project met een geboetseerde hanger –, maar ik ben onrustig en het lukt me niet mijn vingers te laten doen wat ik wil. Van tijd tot tijd loop ik naar het raam en kijk naar de sneeuw, en ik ben blij met de white-out en de wind die is opgestoken en die op een sneeuwstorm duidt. Kleding zou een probleem kunnen zijn, bedenk ik, maar ze kan de overhemden van mijn vader aan. Haar spijkerbroek is snel genoeg droog. Ik ga rusteloos op mijn bed liggen, staar naar het plafond en stel me voor dat Charlotte een week bij ons zal blijven. Ik zie ons tweeën al in allerlei gezellige houdingen zitten – mijn vader is er gelukkig niet bij –, terwijl zij me haar ongelofelijke en lugubere verhaal vertelt.

Ik kom overeind. Ik heb een idee.

Ik pak de föhn uit de badkamer boven en neem die mee naar beneden. Ik pak de spijkerbroek van de haak in de gang en hang hem aan de haak aan de binnenkant van de badkamerdeur. De spijkerbroek is aan de binnenkant van de bovenbenen helemaal nat. Ik houd de pijpen op en richt de föhn zoals ik dat altijd met T-shirts moet doen die nog een beetje vochtig van de wasserette komen omdat mijn vader altijd zo ongeduldig is en 'ervandoor' wil.

De dikke spijkerstof droogt niet zo snel als ik had gedacht, en ik hoop maar dat ik Charlotte met het geluid van de föhn niet wakker maak. Ik wil niet dat ze me zo ziet; ik wil gewoon dat ze haar kleren lekker warm en mooi opgevouwen aantreft.

Wanneer ik de föhn uitzet, hoor ik iemand op de achterdeur kloppen.

Nog een klant? Dat kan niet, denk ik. We zijn zelf nauwelijks de weg op gekomen.

Ik kom de badkamer uit en zie door het raam van de deur iets roods flitsen. Ik blijf stokstijf staan, als een standbeeld bij een kinderspelletje. Ik houd mijn adem in. Ik heb geen keus, loop naar de deur toe en doe hem open.

'Nicky,' zegt Warren, en hij komt binnen.

Er klinkt een staccato van stampende voeten, en er valt sneeuw op de vloer. 'Is je vader er?' vraagt hij.

Er klinkt een stil gekrijs in mijn oren. 'Nee,' zeg ik.

'Ik wilde hem een paar dingen vragen,' zegt Warren, terwijl hij op de welkomstmat staat te smelten. 'Ik wilde hierheen komen voor de storm echt losbarst.'

Ik weet even geen woord uit te brengen.

'Waar is hij?' vraagt Warren, terwijl hij me onderzoekend aankijkt.

'Eh... Hij moest naar het bos om zijn bijl te zoeken,' zeg ik. 'Die had hij in het bos laten liggen. Hij wilde hem vinden voor hij onder de sneeuw begraven zou raken.'

Ik voel me duizelig. Wat een leugen. Waanzinnig.

'Nee maar,' zegt Warren. Hij doet zijn jas open en schudt hem uit, als een vogel zijn vleugels.

Vanuit de gang heb ik door de keuken zicht op de studeerkamer, de bank en de lelijke zwart-met-rode gehaakte deken.

'Wat een beestenweer,' zegt Warren.

Tegen de kussens ligt een vest van roze mohair met parelmoeren knopen. Het ligt opengespreid, alsof er net een vrouw uit is opgestaan.

Warren veegt zijn voeten nog een stuk of tien keer aan de mat af. 'Heb je misschien een glas water voor me?' vraagt hij, terwijl hij naar de jassen aan de haken kijkt.

'Eh... ja hoor,' zeg ik.

Hij loopt met me mee naar de keuken. Onderwijl kijkt hij langs de trap omhoog. 'Ik heb sneeuwbanden, maar dan nog,' zegt hij.

In de keuken bekijkt hij de borden in het afdruiprek. Ik pak een glas uit het keukenkastje, vul het aan de kraan en geef het hem. Ik ruik pepermunt in zijn adem. Ik probeer niet naar zijn litteken te kijken.

'We hebben een zaklamp gevonden,' zegt hij. 'Ik wilde weten of die van je vader is of van die kerel.'

'Waarschijnlijk van mijn vader,' zeg ik snel. 'We zijn er die avond een kwijtgeraakt in de sneeuw.'

'Dat dacht ik al,' zegt Warren, en hij kijkt over mijn hoofd heen naar de studeerkamer. 'Hebben jullie de boom al opgezet?'

'Dat doen we op kerstavond,' zeg ik.

Warren neemt een grote slok. 'Hoe oud ben jij ook alweer?' vraagt hij.

'Twaalf,' zeg ik.

Ik hoor de achterdeur opengaan. 'Papa,' zeg ik, en ik kijk net langs de rechercheur heen.

Ik ben erbij.

'Wat is er?' vraagt mijn vader. De verticale rimpels op zijn voorhoofd tekenen zich scherp af.

'Ik kwam even horen of u op de avond dat u de baby hebt gevonden een zaklamp was kwijtgeraakt,' zegt Warren. 'Hebt u uw bijl gevonden?'

Mijn vader zegt niets.

'Weet je nog, pap, dat je zei dat je het bos in ging om je bijl te zoeken?' zeg ik, en ik kijk hem recht aan.

'We hebben een zaklamp gevonden,' zegt Warren. 'Nicky zei dat jullie er die avond een zijn kwijtgeraakt.'

'Dat klopt.'

'Wat voor merk?'

'Dat weet ik niet. Zwart met een gele schakelaar.'

'Ja, dat is 'm,' zegt Warren.

Ik laat mijn hand tot vlak onder mijn middel zakken. Ik doe mijn ogen dicht en kreun zachtjes, zoals ik dat meisjes op school heb zien doen, alsof ze wachten tot de kramp voorbij is.

'Dus jullie zijn voorbereidingen voor Kerstmis aan het treffen?'

Mijn vader ritst zijn jas los.

'Wij hebben de boom al opgezet,' zegt Warren, en hij neemt een slokje water. 'Een van mijn jongens – die van acht jaar; hij is autistisch, hij wil altijd graag dat hij al staat.'

Mijn vader knikt.

'In Concord zit een specialist,' zegt Warren. 'Die schijnt de beste van New Hampshire te zijn. Daarom zijn we in de stad gaan wonen.'

Ik hoor iets kraken in de gang boven. Ik kijk naar Warren om te zien of hij het ook gehoord heeft.

Ik gris een dweil van een haak en schaats ermee rond om de vloer te drogen, zoals mijn vader me altijd probeert te laten doen.

'Maar toch,' zegt Warren. 'Het is moeilijk voor mijn vrouw, moeilijk voor Mary. Tommy – zo heet mijn zoon – vindt het niet fijn om aangeraakt te worden.'

Mijn vader mompelt wat. Het is even stil en dan komt er weer een sliert woorden. Ik schaats naar de trap en kijk naar boven. Charlotte zit boven met een van de slaap gekreukt gezicht op de overloop.

'We krijgen een heel gezelschap,' zegt Warren. 'Op

kerstavond zijn we met een man of negentien, twintig.'

Ik kijk snel even of Warren niet kijkt en dan schud ik één keer mijn hoofd in een nadrukkelijk 'nee'.

'Mary en haar zus gaan driehonderd *pierogies* maken, van die pastaschelpen gevuld met aardappel,' zegt Warren. 'Mijn vrouw is Poolse.'

Ik pak de dweil en buk me om een tree schoon te vegen. Ik smeek Charlotte in stilte om het te begrijpen.

Dan houdt ze haar hoofd schuin en ik zie hoe haar ogen beginnen te luisteren op het moment dat ze de onbekende stem registreert. Ze steekt haar armen uit als een ballerina, en heel even denk ik dat ze van de bovenste tree zal wegvliegen. Op haar tenen draait ze een pirouette en dan verdwijnt ze van de overloop.

Ik loop heel voorzichtig bij de trap weg. Ik blaas een lange adem uit.

Door het raam zie ik dat de sneeuw nu ijzig is geworden. Hij maakt een tinkelend geluid tegen de ruit.

'Ik breng u er wel een paar,' zegt Warren. Hij zet het glas water op een plank. 'Het is bar en boos buiten. U kunt maar beter een nieuwe zaklamp kopen.'

'Daar hebben we er genoeg van,' zegt mijn vader.

'U kunt hier wel zonder stroom komen te zitten,' zegt Warren.

'Dat zou kunnen.'

Wanneer de rechercheur de deur openduwt tegen een paar centimeter sneeuw, kijkt hij mijn kant op. Warren zwaait even en loopt dan voorovergebogen de storm in, waarbij hij zijn jas met één hand dichthoudt. Hij draaft met zijn kraag omhoog de oprit over. Hij veegt de sneeuw met zijn handschoenen van de voorruit en stapt in zijn jeep. Terwijl hij dat doet kijkt hij naar het ondergesneeuwde netwerk van sporen in de sneeuw. De truck en de blauwe auto zijn vanwaar hij staat niet te zien. Hij zou verder naar het bos moeten lopen om de goede hoek te hebben. Dat doet hij niet. Ik kijk hoe hij zijn auto in z'n achteruit zet, keert en dan wegrijdt.

Mijn vader doet de deur dicht. 'Waar denk jij in godsnaam dat je mee bezig bent?' zegt hij tegen me.

Ik staar naar de grond.

'Zo raken we nog verder in de nesten.'

Ik kijk op. 'Ik probeerde hem alleen maar weg te krijgen,' zeg ik.

Dat is waar en niet helemaal waar.

'Ze kwam boven naar de trap,' voeg ik eraan toe.

'Dat weet ik. Dat heb ik gehoord.'

'Heb je dat gehoord?'

'Ja.'

'Denk je dat hij het ook heeft gehoord?'

'Dat weet ik niet,' zegt mijn vader. 'Maar ik help je hopen van niet.'

Mijn vader doet zijn jas met een boze ruk aan de rits dicht. 'Ik ben in de schuur,' zegt hij.

De dag waarop we uit New York vertrokken pakte mijn vader een trailer in met dozen en gereedschap en koffers, fietsen en ski's en boeken. Hij bond er een zeildoek van blauw plastic overheen, boog zijn hoofd naar het plastic en bleef zo lang zo staan dat ik dacht dat hij in slaap gevallen was.

Ik had die hele ochtend met inpakken moeten helpen. Als we weg waren zouden de verhuizers de grote stukken komen halen. Mijn vader had me in de keuken neergepoot met een stapel oude kranten en een stuk of tien nieuwe kartonnen dozen, en hij had gevraagd of ik de borden wilde doen. Maar ik was doodmoe van de boosheid en traagheid: ik wilde niet inpakken en vertrekken. Ik pakte elk voorwerp op, keek ernaar en zette het weer neer, pakte het weer op en dacht: hoe moet ik in 's hemelsnaam een hogedrukpan inpakken? Wat moet ik met een keukenmachine doen? Mijn benen deden pijn, mijn armen deden pijn, mijn hoofd deed pijn van het huilen. De laatste vierentwintig uur had ik mezelf telkens voorgehouden: dit is de laatste keer dat ik mijn gang bij avond zie. Dit is de laatste keer dat ik op mijn schommel zit. Dit is de laatste keer dat ik de muesli uit dit keukenkastje pak. Het vertrek rustte zwaar op het hele huis en alles erin, dus vond ik het al een onmogelijke taak om alleen maar een glas op te tillen. Ik pakte ongeïnteresseerd in: glazen en borden in dezelfde doos, nog meer borden in een andere doos, en ik vergat op de dozen te zetten wat erin zat. Nog maanden nadat we in het nieuwe huis waren getrokken moesten we wel zes of zeven dozen uitpakken voor we de broodrooster of de maatbekers of de houten lepels hadden.

Toen mijn vader zei dat het tijd was om in de auto te stappen, wilde ik niet. Hij liet me nog een uurtje zitten, terwijl hij de kamers en bergkasten controleerde, in de keukenkastjes en onder de bedden keek. Uiteindelijk moest hij me bij kop en kont uit het enige thuis halen dat ik ooit had gekend, het thuis waar nog spullen stonden die mijn moeder en Clara hadden aangeraakt. De hele weg naar de Massachusetts Turnpike zat ik te snikken.

Je kunt in drie uur van New York naar New Hampshire rijden, maar het leek veel langer te duren voor we op de plaats van bestemming waren. Mijn vader reed Route 91 op, de snelweg die tussen New Hampshire en Vermont loopt, zonder ook maar te weten in welke staat we uiteindelijk terecht zouden komen. Doodmoe stopte hij in White River Junction, waar hij een maaltijd bestelde waar we geen van beiden een hap van door onze keel kregen. We vroegen waar het dichtstbijzijnde motel was, en daar viel ik met al mijn kleren aan op bed, met de bedoeling op te staan, mijn tanden te poetsen en me uit te kleden, maar zover kwam ik niet. De volgende ochtend werd ik gedesoriënteerd en vies wakker. Ik had het gevoel alsof ik door een gat in de tijd geglipt was, gevangen tussen het leven zoals het was geweest en het leven zoals het zou worden. Ik zag de toekomst niet zitten, en mijn vader ook niet, wist ik.

’s Ochtends zat ik tijdens de pannenkoeken met bosbessen de hele tijd te jengelen, en mijn vader liep vol walging de cafetaria uit. Toen ik eindelijk in de auto stapte, probeerde hij White River Junction uit te komen om verder naar het noorden te rijden. Ik herinner me nog een paar verbijsterende verkeersknooppunten, en twee minuten later realiseerde mijn vader zich dat we nu op Route 89 zaten en naar het zuiden reden. ‘Laten we maar eens kijken waar dit naartoe leidt,’ zei hij, en hij haalde zijn schouders op.

De snelweg steeg langzaam naar kleine bergen met richels van schrikbarend witte rots. Watervallen waren blauw opgevroren, en op de noordkant van de bomen en huizen zaten nog plekken sneeuw. We waren nog niet lang op weg – pas een halfuur – toen mijn vader bij een afrit de weg afreed. Misschien realiseerde hij zich dat we, als hij er niet snel afging, weer in Massachusetts zouden uitkomen, of misschien moest hij gewoon tanken – ik weet het niet meer. We gleden de afrit af en Route 10 op, reden een kilometer of drie door een stadje en kwamen voor makelaardij Croydon tot stilstand.

Ik was een niet-meewerkende bal op de stoel van de bijrijder, met mijn armen over mijn volumineuze parka over elkaar geslagen en mijn kin in mijn kraag gestopt. Ik weigerde mijn vader zelfs maar aan te kijken.

‘Nicky,’ zei hij vriendelijk.

‘Wat is er?’

'We moeten ons best hier doen,' zei hij.

'We moeten wát?' vroeg ik.

'We moeten ons best doen er iets van te maken,' zei hij.

'Ik wil er niets van maken,' zei ik.

Hij zuchtte, en ik hoorde dat hij met zijn vingers op het stuur trommelde. Hij wachtte. 'Ik weet dat het heel moeilijk voor je is,' zei hij uiteindelijk.

'Daar weet jij helemaal niets van,' zei ik, en ik krulde me tot een nog strakkere bal op.

'Ik denk van wel,' zei hij, en zijn stem klonk bewust zacht, bewust kalm.

De mijne niet. 'Het is oneerlijk!' riep ik.

'Ja, dat is zo,' zei hij.

'Maar waarom dan?' jammerde ik.

'Er bestaat geen waarom, Nicky.'

'Wel waar,' zei ik. 'We hadden niet hoeven weggaan. We hadden best thuis kunnen blijven.'

'Nee, Nicky, dat konden we niet.'

'Je bedoelt: dat kon jíj niet.'

'Inderdaad, dat kon ik niet.'

Ik begon te huilen, en van dat huilen te trillen. Dat leek onderhand wel mijn natuurlijke gemoedstoestand. Mijn vader legde een hand op mijn schouder. Ik putte ons allebei uit. 'Het spijt me, Nicky,' zei hij.

Ik schudde zijn hand met een draai van me af. Ik ging rechtop zitten en keek om me heen. 'Waar zijn ze?' huilde ik, plotseling in paniek.

Er kwam een vrouw bij makelaardij Croydon naar buiten. Ze had een sjaal om haar hals. Ze had enkellaarsjes met bont aan.

'Waar zijn wie?' vroeg mijn vader.

'Je weet best wie,' zei ik. 'Mama! En Clara! Waar zijn ze?'

'O, Nicky,' zei mijn vader verslagen. Hij deed zijn ogen dicht en legde zijn hoofd weer tegen de hoofdsteun.

'Ik haat je!' gilde ik.

Ik deed mijn portier open en liep de weg op, tussen de auto en de stoep. In mijn razernij was ik vergeten dat ik mijn schoenen in de auto had uitgedaan, zoals ik bijna altijd doe, om te zorgen dat mijn voeten niet oververhit raken. Ik stond op kousenvoeten in een berg smeltende sneeuw. De vrouw voor de deur van makelaardij Croydon bleef even staan. Mijn vader boog zijn voorhoofd naar het stuur.

De vrouw keek naar mij en toen in de auto naar mijn vader. Ze keek naar de aanhangwagen met het zeildoek. Ze schatte in dat er aan ons iets te verkopen viel. Ze ging het kantoor weer binnen. Mijn enkels deden pijn van het ijskoude water. Ik sprong weer in de auto en sloeg het portier zo hard ik kon dicht. Mijn vader deed zijn portier open en stapte uit. Hij trok zijn jas van grijze tweed recht (de laatste keer dat hij die ooit zou dragen), sprong over een plas heen en liep naar het makelaarskantoor.

En dat was onze kennismaking met Shepherd, New Hampshire.

Ik loop de trap op naar de logeerkamer. Ik klop aan en noem Charlottes naam.

Ik hoor niets en noem weer haar naam. Ik doe de deur op een kier open.

De rolgordijnen zijn dicht en het duurt even voor mijn ogen aan het donker zijn gewend. En dan zie ik dat ze in de stoel van mijn oma zit. Ze heeft haar handen op haar schoot gevouwen en ze zit kaarsrecht.

'Charlotte?'

'Je wilt dat ik naar beneden kom,' zegt ze vlak.

'Nee,' zeg ik. 'Nee.' En ik begrijp dat ze in die stomme pyjamabroek heeft zitten wachten tot ze naar beneden geroepen zou worden en weggestuurd, mogelijk zelfs gearresteerd. 'Nee,' zeg ik weer. 'Ik ben het maar: Nicky. Ik heb je spijkerbroek voor je. En dit,' zeg ik, en ik steek haar het roze vest toe.

'Is alles in orde?' vraagt ze.

'Alles is in orde,' zeg ik, en ondanks het duister zie ik dat haar schouders zich ontspannen.

'Wie was het dan?' vraagt ze.

'Een rechercheur. Hij heet Warren. Hij is naar jou op zoek.'

'O god, als ik het niet dacht,' zegt ze. 'Hoe wist hij dat ik hier was?'

'Ik denk niet dat hij het weet,' zeg ik. 'Hij kwam mijn vader vertellen dat ze een zaklamp gevonden hebben...' Ik hou mijn mond, bang voor nog een inzinking. 'Op de... je weet wel,' zeg ik snel.

'Heeft je vader hem niet verteld dat ik hier ben?'

'Nee.'

'O god,' zegt ze weer, maar dit keer hoor ik opluchting en geen paniek in haar stem.

'Niks aan de hand,' zeg ik. 'Hij is weg. Hij komt niet terug ook. Niet met dit weer.'

'Nu ben jij medeplichtig,' zegt Charlotte.

Medeplichtig, herhaal ik in stilte. Heerlijk woord.

Ze gaat met haar hand over het roze vest op haar schoot.

'Wil je iets eten?' vraag ik.

'Nee, nu niet.'

'Je kunt maar beter gaan slapen,' zeg ik.

'Ga niet weg.'

Ze staat op uit de stoel en legt de spijkerbroek en het vest op het kussen. Ze loopt naar het bed, trekt de dekens terug en stapt erin. Het is zo'n gewoon gebaar in zo'n gewone kamer dat ik mezelf eraan moet herinneren wat voor vreselijk misdrijf ze heeft begaan. Omdat ik niet goed weet wat ik moet doen ga ik op de grond naast het bed zitten, met mijn benen onder me.

'Weet je iets over de baby?' vraagt ze.

De vraag is zo moedig dat ik me erover verbaas, maar ik durf niet goed antwoord te geven voor het geval ze weer begint te huilen. In het halfduister van de slaapkamer kan ik nauwelijks haar gezicht zien. Ze ligt erbij als een kind, met haar handen onder haar wang gevouwen. Volgens mij kan ik haar ruiken: een warme, gistachtige geur, een beetje zoet.

Ik haal diep adem en praat dan snel. 'Het komt allemaal goed met haar,' zeg ik. 'Echt. Maar ze is één vingertje kwijtgeraakt. Haar tenen en de rest zijn allemaal in orde. Ik weet niet welke vinger.'

'O,' zegt Charlotte. Het is maar een kleine 'o', geen jammerklacht, maar een geluid dat in de hoeken wegzakt.

‘Ze wordt verzorgd door een pleeggezin,’ zeg ik. Ik kies mijn woorden nu heel zorgvuldig; elk woord is een riskante stap die mogelijk een stortvloed aan tranen losmaakt.

‘Waar?’ vraagt Charlotte.

‘Dat weten we niet,’ zeg ik. ‘Ik geloof niet dat ze van plan zijn ons dat te vertellen. Ze hebben haar baby Doris genoemd.’

‘Doris,’ zegt ze, duidelijk verrast.

‘We weten niet waarom,’ zeg ik. ‘Misschien hebben ze daar een systeem voor. Je weet wel, zoals orkanen ook een naam krijgen.’

‘Doris,’ zegt ze weer, en ik hoor iets van verontwaardiging in haar stem. Ze komt een beetje overeind.

‘Zo gaat ze niet heten... je weet wel... later,’ zeg ik.

‘Iemand zal die naam veranderen,’ zegt ze.

‘Waarschijnlijk wel.’

Charlottes hoofd valt weer tegen het kussen. ‘Wat een vreselijke naam,’ zegt ze.

‘Je kunt haar toch terugkrijgen?’ zeg ik snel. ‘Ik weet zeker dat je haar terug kunt krijgen.’

Ze zegt niets.

‘Wil je haar dan niet terug?’ vraag ik.

‘Ik kan niet voor haar zorgen,’ zegt Charlotte. Haar stem klinkt raar vlak, ontdaan van alle emotie. ‘Ik heb nergens onderdak,’ voegt ze eraan toe.

‘Helemaal nergens?’ vraag ik.

Ze draait zich op haar rug en staart naar het plafond. Mijn ogen zijn gewend aan het donker en ik zie haar profiel: de enigszins uitstekende kin, de lippen op elkaar gedrukt, de open ogen, de onwaarschijnlijk lange wimpers, het gladde voorhoofd. 'Nee,' zegt ze.

'Je moet toch érgens wonen?' zeg ik.

'Ik woonde natuurlijk ook ergens,' zegt ze, 'maar daar kan ik niet meer naartoe.'

Ik wil vragen waarom, maar ik houd mezelf voor dat ik voorzichtig moet zijn, dat ik geduld moet hebben zoals mijn vader ook geduld moet hebben wanneer hij de truck start. 'Hoe oud ben je?' vraag ik dan maar.

'Negentien,' zegt ze, en ze draait zich naar me toe. 'Dus jij woont hier alleen met je vader?'

'Ja.'

'Wat is er met je moeder gebeurd?'

'Die is dood,' zeg ik.

Charlotte raakt mijn schouder aan. 'Wat erg voor je,' zegt ze. Haar vingers blijven daar nog even liggen en dan trekt ze haar hand weer onder de dekens. 'Hoe oud was je toen?'

'Ik was tien,' zeg ik.

'Dan heb je zeker een zware tijd gehad?'

Ik haal mijn schouders op.

'Ik had ook nog een zusje,' zeg ik. 'Ze heette Clara. Zij was één jaar. Ze is samen met mijn moeder bij het autoongeluk om het leven gekomen.'

Ik verwacht de hand op mijn schouder weer, maar hij blijft waar hij is, onder de dekens. 'Hoe zag ze eruit?' vraagt Charlotte.

'Clara?'

'Je moeder. Hoe zag ze eruit?'

'Ze was mooi,' zeg ik. 'Niet erg lang, maar slank. Ze had

lang lichtbruin haar, golvend. Toen Clara geboren was, heeft ze het afgeknipt, maar ik herinner me haar het best met lang haar.'

'Net als jij,' zegt Charlotte. 'Laat je me een foto zien?'

'Ja,' zeg ik, 'dat is goed.' En ik denk al aan het fotoalbum dat in mijn kamer ligt en dat Charlotte en ik eroverheen gebogen zullen zitten.

'Ik wou dat ik een foto had,' zegt ze. 'Gewoon één foto.'

Haar wens treft me als een basketbal tegen mijn borst. Ik realiseer me dat ze waarschijnlijk geen flauw idee heeft hoe haar kindje eruitziet. Is er in het ziekenhuis een foto gemaakt? Heeft de politie er een in het dossier? 'Waar woonde je hiervoor?' vraag ik.

'Dat kan ik je niet...' zegt ze.

'Ik zal het aan niemand vertellen. Zelfs niet aan mijn vader.'

'Laten we zeggen dat het een stadje ten noorden van hier is,' zegt ze.

'In New Hampshire?'

'Eh... misschien,' zegt ze. 'Je vader lijkt me een lieve man. Hij wil niet dat ik hier ben en hij is boos, maar dan nog; hij heeft een vriendelijk gezicht. In welke klas zit jij?'

'In de eerste,' zeg ik.

'Vind je het leuk op school?'

Ik verplaats mijn voeten. 'Gaat wel,' zeg ik. De waarheid is dat ik het wel degelijk leuk vind op school, maar ik wil niet al te gretig overkomen, voor het geval ze iedereen die school leuk vindt maar zielig vindt. Het is nu al ontzettend belangrijk wat Charlotte over me denkt.

'Ik heb ook op school gezeten,' zegt ze.

'Echt waar?' Ik kan me Charlotte niet achter een tafeltje of boven een boek voorstellen.

'Op de universiteit,' zegt ze. 'Maar ik ben gestopt.' Ze wacht even. 'Ik ben wel van plan terug te gaan.'

Dan krijg ik het gevoel dat haar hele verhaal – het verhaal dat ik zo graag wil horen – in die stilte besloten ligt.

'Heb je een vriendje?' vraagt ze. Ze verschuift haar hoofd zodanig dat het op de rand van het bed rust. Ik kan haar adem ruiken. Ik heb geen antwoord voor haar. Ik denk aan de enige jongen met wie ik bevriend ben, maar die arme Roger Kelly komt er gewoon niet voor in aanmerking.

'Nog niet,' zeg ik.

'O, maar dat komt nog wel,' zegt ze, en ik vraag me af waar haar vertrouwen op gebaseerd is.

Ik buig mijn hoofd en pluk aan het tapijt. Dit is het moment om haar naar de man te vragen. Maar ik aarzel, en met die aarzeling raak ik de vaart kwijt waardoor de vraag gemakkelijk en vanzelfsprekend zou lijken.

'Hoe is het buiten?' vraagt ze.

'Slecht,' zeg ik, en ik kijk op. 'Je zult hier moeten blijven.' Ik wacht op protest en ben blij als dat niet komt.

'Misschien moet je hier wel een paar dagen blijven,' zeg ik aarzelend.

'O, ik kan hier niet een paar dagen blijven,' zegt ze. Ze haalt haar armen onder de dekens uit. 'Het was helemaal mijn bedoeling niet om hier te blijven.'

'Waar zou je dan naartoe zijn gegaan?' vraag ik.

'O, ik heb wel wat adressen,' zegt ze vaag.

Door de dichte deur hoor ik mijn vader onder aan de trap mijn naam roepen. Ik strek mijn benen en sta snel op. Ik wil niet dat hij naar boven komt en me in een donkere kamer naast het bed van Charlotte aantreft. 'Ik moet gaan,' zeg ik. 'Hij roept me.'

'Je mag hier niet komen van hem,' zegt ze. Ze werkt zich op een elleboog omhoog. 'Bedankt dat je mijn spijkerbroek hebt gedroogd,' voegt ze eraan toe.

'Kom maar naar beneden als je klaar bent,' zeg ik.

'Ik had hier niet naartoe moeten komen,' zegt ze, en ze staart naar de doffe strepen licht die onder het rolgordijn door komen.

'Ik ben blij dat je wel gekomen bent,' flap ik eruit.

'Hoe was het?' vraagt ze. 'Toen jullie haar vonden?'

Ik realiseer me dat ik iets weet wat zij niet weet, en die kennis komt me onverdiend voor. Ik hoor dat mijn vader me weer roept. Nog even en hij komt naar boven om me te zoeken.

'Ze was een rommelig hoopje,' zeg ik. 'Maar haar ogen waren geweldig. Ze keek heel rustig, net alsof ze ons al verwachtte. Ze had donker haar.'

'Veel baby's hebben in het begin donker haar,' zegt Charlotte. 'Dat valt uit. Dat heb ik ergens gelezen.'

'Ze was mooi,' zeg ik.

Ik bereid mezelf voor op een dierlijk gekreun – een koe die loeit om haar kalf; een leeuwin die haar welpje zoekt –, maar als het stil blijft ga ik de kamer uit.

Twee of drie keer per jaar ging ik naar het kantoor van mijn vader in New York. Dat lag aan Madison Avenue, in de buurt van St. Patrick's Cathedral, voor mijn vader een prettige locatie omdat hij zo nodig vandaar naar Grand Central kon sprinten, waar hij de trein nam; een adres dat de goedkeuring van mijn moeder kon wegdragen omdat het zo centraal gelegen was voor haar 'dagje uit', zoals ze die tripjes noemde. 'Heb je zin in een dagje uit?' vroeg ze dan, en dan wist ik dat we naar de stad gingen. Dan moest ik mijn mooiste kleren en schoenen aan (geen gympen), en kreeg ik een kleine opfriscursus in goede manieren, precies zoals een piloot zo nu en dan gecontroleerd wordt op de apparatuur waarmee hij vliegt.

Dan stapten we op ons station in de trein en mocht ik van mijn moeder bij het raampje zitten, zodat ik naar de rivier de Hudson kon kijken, naar de rotswand van de Palisades, en wanneer we Manhattan binnenreden naar de enorme George Washington Bridge. Als er een stoel vrij was, ging ik wanneer we de stad naderden aan de andere kant van de trein zitten. Ik probeerde me de mensen voor te stellen die in de flats langs het spoor woonden. Ik tuurde de lange straten in. Ik was onder de indruk van de hoge appartementencomplexen en vroeg me, terwijl we doorreden, af of iemand op de vijfentwintigste verdieping ook echt dat balkon zou gebruiken. We gingen dan een lange tunnel in en kwamen in het spelonkachtige Grand Central Station weer boven. Bij het oversteken van de stenen vloer probeerde ik de klakkende hakken van mijn moeder bij te houden. Ze liet mijn hand pas los wanneer we de draaideur van het kantoorgebouw van mijn vader binnengingen.

De lobby van mijn vaders kantoor was versierd met maquettes in glazen vitrines van de gebouwen die het bedrijf had ontworpen. Het waren ingewikkelde en precieze miniatuuruniversums, met poppetjes van luciferhoutjes en struiken niet veel groter dan de nagel van mijn duim, en ik wilde er wel in klimmen. Dan kwam mijn vader de lobby in en begroette ons blij, terwijl we hem bij het ontbijt nog hadden gezien. Zijn witte overhemd bloesde iets over zijn riem heen en zijn lange mouwen waren opgerold. Zijn das zat lekker stevig in zijn boord. Dan gaf hij mijn moeder een kus, in een uitwisseling die net zo ritueel was als een kerkdienst, en dan zei hij dat ze niet te veel geld moest uitgeven; dan lachte ze en zei ze dat ik lief moest zijn.

Terwijl mijn vader en ik door een gang met allemaal kamertjes liepen, kwamen secretaresses en tekenaars met hun stoel de gang op gerold om me gedag te zeggen of me een high five te geven. Ik herinner me nog een vrouw, ene Penny, die altijd een snoeppot had en die me dan binnenvroeg in haar kamertje om er een paar te pakken. Ik vond vooral Angus leuk, de baas van mijn vader, die me op een hoge stoel voor een tekentafel zette en me een doos kleurpotloden gaf die nog nooit waren gebruikt. Hij gaf me ook een geodriehoek en een klusje: ik moest een huis of een school of een winkelpui tekenen. Ik werkte toegewijd en kreeg altijd buitensporige lof, zowel van Angus als van mijn vader. 'Hoe oud ben je ook alweer?' vroeg Angus dan, op het oog volstrekt oprecht. 'Misschien moeten we je wel meteen na de middelbare school in dienst nemen.'

Soms liep ik het kantoor van mijn vader binnen en deed ik alsof ik een secretaresse was, terwijl hij aan de telefoon was of achter zijn tekentafel zat. Om twaalf uur liet hij zijn armen in de zijdeachtige voering van zijn jasje glijden en gingen we lunchen. We aten in een delicatessenzaak, waar ik kaasblini's en een schaal koolsalade kon bestellen. De nagerechten draaiden in een glazen vitrine rond, en ik weet nog hoe moeilijk ik het vond om te kiezen tussen de kersenkwarktaart en de éclairs en de chocoladetaart. Mijn vader, die anders nooit een nagerecht at, nam er zelf ook een, zodat ik er in elk geval twee kon proeven. Na de lunch gingen we naar de dierentuin in Central Park of naar een boekwinkel, waar ik dan een boek mocht uitkiezen. Op kantoor was mijn vader Rob, in de delicatessenzaak meneer Dillon en voor mij was hij een kersverse papa, mondain en fascinerend in zijn witte overhemd en pak, met zijn openzwaaiende overjas, zoals we daar over het trottoir liepen en hij met zijn arm in de lucht en een opgestoken vinger een taxi aanhield.

Tegen halfvier werd ik bekropen door een lichte vermoeidheid en verveling, maar mijn moeder was meestal stipt om vier uur terug. Dan arriveerde ze beladen met tassen, met een rode kleur en enigszins buiten adem van haar dagje uit. Ik had altijd het gevoel dat ze had gerend. De tassen waren exotisch: sommige hadden glanzende roze en witte strepen, andere waren zwart met goudkleurige letters. Mijn vader deed alsof hij die overdaad met afgrijzen in ogenschouw nam, maar ik wist dat hij het niet echt erg vond. Eén keer pakte mijn moeder, toen ze dachten dat ik de kamer uit was om naar de wc te gaan en ze met hun rug naar de deur stonden, iets uit een tas en liet het uit het omhullende vloeipapier glijden. Ik zag blauwe zijde, een strook teer kant. Mijn vader kneep mijn moeder in haar billen, waarna ze achteruitdeinsde en lachte.

Wanneer het tijd was om te vertrekken gaf mijn vader me een dikke knuffel, alsof we naar Parijs zouden vliegen en hij ons maanden niet zou zien, ook al zou hij vlak achter ons aan komen met de trein van tien voor halfzeven. Mijn moeder en ik renden altijd naar de trein, en nog voor we de tunnel uit waren was zij steevast in slaap gevallen. Ik gluurde dan in de tassen, haalde het deksel van schoenendozen en voelde aan wol en zijde en katoen. Meestal viel ik ook in slaap, met mijn hoofd op haar schouder, of ik stortte helemaal in op haar schoot.

Met etenstijd komt Charlotte naar beneden, in spijkerbroek en met de witte bloes en de trui aan. Op de drempel van de keuken slaat ze haar armen om zich heen. Haar ogen staan vermoeid en haar neusvleugels zijn roze.

‘Hallo,’ zeg ik.

Ik worstel met een aardappelschiller. Aardappelen en salades zijn mijn afdeling. Mijn vader staat voor het fornuis en is drie kipfilets aan het bakken. Hij staat met zijn rug naar Charlotte toe en draait zich niet om wanneer ik haar naam noem. Zijn haar staat op zijn kruin overeind; zo zit het al sinds hij zijn wollen muts afzette. Hij is het grootste deel van de middag aan het ruimen geweest, in vliegende vaart, maar hij moest het telkens afleggen tegen de sneeuw.

Nadat ik uit Charlottes kamer weg was gegaan, ging ik naar beneden om te kijken wat mijn vader wilde; hij wilde alleen maar zeker weten dat ik niet in Charlottes kamer was. Toen ging ik naar mijn eigen kamer om mijn kerstcadeautjes in te pakken: een muts met blauwe en witte strepen en een omgeslagen rand voor mijn vader, een paar wanten voor Jo, met wie ik binnenkort ga skiën. De kralenketting voor mijn oma moest ik nog afmaken. Verveeld liep ik de studeerkamer in, waar ik de haard aanstak en er stukjes hout uit de werkplaats van mijn vader in legde. Door het vuur moest ik aan marshmallows denken, en in een keukenla vond ik een halfvolle zak. Ze waren nog van afgelopen zomer en zo hard als karton. Ik draaide een ijzeren kleerhanger los en roosterde er een stuk of tien, waardoor ik een beetje misselijk werd en mijn eetlust voor die avond bedierf. Ik moest even op de bank gaan liggen, met mijn benen wijd, en ik staarde naar het vuur tot ik me niet meer misselijk voelde. Ik bedacht dat een heel kleine beslissing je leven kan veranderen. Een beslissing die je in een fractie van een seconde neemt. Stel nu dat mijn vader op die decembermiddag tien dagen geleden van zijn werkbank had opgekeken, 'Zullen we?' had gezegd en ik had 'nee' geantwoord? Dat ik naar binnen moest. Dat ik honger had of dat ik huiswerk moest maken. Als we niet waren gaan wandelen zou er nu geen baby Doris zijn. Dan was ze in de sneeuw doodgegaan. Dan hadden we er van Marion of Sweetser over gehoord, en ik denk dat we het dan wel afschuwelijk gevonden zouden hebben en er verdrietig over zouden zijn geweest, zoals je dat bent als er ergens bij jou in de buurt een misdrijf plaatsvindt. Misschien dat mijn vader en ik ons ook schuldig zouden hebben gevoeld vanwege het feit dat we die dag niet in het bos waren gaan wandelen. Dan zou er geen Charlotte of rechercheur Warren zijn – niet in ons leven in elk geval.

'Is Nicky je echte naam?' vraagt Charlotte, die nu in de keuken staat.

Ik wacht tot mijn vader antwoord geeft, in elk geval íéts zegt, en wanneer hij dat niet doet zeg ik: 'Dat is een afkorting van Nicole.' Mijn vader staat nog steeds met zijn rug naar Charlotte toe, alsof hij niet weet dat ze in de keuken is. 'Toch, pap?' vraag ik nadrukkelijk.

Mijn vader zegt niets.

'Kan ik helpen?' vraagt Charlotte.

'Waarschijnlijk niet,' zeg ik.

'Dan zal ik de tafel dekken,' zegt ze, en ze kijkt waar de tafel staat.

'Wij eten nooit aan tafel,' leg ik rustig uit.

'Dan... dan ga ik maar gewoon zitten.' Charlotte begrijpt er blijkbaar niets meer van en gaat de keuken uit.

'Waarom doe je zo?' vraag ik mijn vader zodra ze weg is.

'Hoe doe ik?' antwoordt hij, terwijl hij de kip met een tang uit de pan haalt.

'Nou... onbeleefd,' zeg ik.

'Hoe gaat het met die aardappelen?'

'Prima,' zeg ik, en ik prik in de pan.

Buiten het keukenraam fluit de wind. De sneeuw valt een poosje gestaag naar beneden en zwiept dan hard tegen de ruit. Ik denk aan Warren en vraag me af of hij al thuis is, bij zijn twee jongens. Ik denk aan baby Doris en vraag me af of zij zoals de bedoeling was al is opgehaald en of ze nu voor het eerst een nacht niet in het ziekenhuis slaapt.

Charlotte en mijn vader en ik zitten in de studeerkamer met een blad op onze knieën, iets wat mijn vader en ik goed kunnen, maar waar Charlotte moeite mee lijkt te hebben. Haar kip glijdt over haar bord en er liggen stukjes sla op haar schoot. Ze pakt de slablaadjes met kwetsbare vingers op. Mijn vader eet stug door, zijn gezicht een roerloos masker. Hij besteedt alleen de hoogst noodzakelijke aandacht aan Charlottes aanwezigheid. Ik eet, verscheurd tussen gefascineerde aandacht voor Charlotte en stijgend ongeduld met mijn vader.

Charlotte, die het moet afleggen tegen de maaltijd, eet weinig en voelt zich zo te zien van ons drieën nog het minst op haar gemak. Ze kijkt nauwelijks op van haar bord en elke keer kost het slikken haar moeite. Er komt telkens kleur in haar gezicht en dan trekt hij weer weg, alsof ze af en aan wordt overspoeld door golven schaamte. Volgens mij springt ze dadelijk op uit haar stoel. Door de onbuigzaamheid van mijn vader word ik ook stil. We eten bij het geluid van de wind buiten, en een of twee keer flakkeren de lampen om ons eraan te helpen herinneren dat we elk moment zonder stroom kunnen komen te zitten. Na twee winters in New Hampshire hebben mijn vader en ik een aanzienlijke voorraad kaarsen, half opgebrande kaarsen en zaklampen binnen handbereik. Ik vind het leuk als de stroom uitvalt, want dan gaan mijn vader en ik voor zolang de storm duurt in de studeerkamer wonen. We slapen in een slaapzak en op het gebied van onszelf bezighouden en eten klaarmaken wordt onze vindingrijkheid op de proef gesteld. Het zijn gezellige en warme momenten, en ik ben altijd een beetje teleurgesteld als de elektriciteit – in de vorm van lampen waarvan je was vergeten dat je die had aangelaten – terugkomt, met alle charme van een schijnwerper van de politie.

'We komen vast en zeker zonder stroom te zitten,' zeg ik. 'Charlotte en ik kunnen wel hier slapen. In een slaapzak.'

Mijn vader kijkt me ijzig aan.

'Boven is prima voor mij, hoor,' zegt Charlotte.

'Nee, helemaal niet,' zeg ik. 'Daar is dan geen verwarming. De enige warmte komt van de open haard. Van deze hier.'

Mijn vader komt overeind uit zijn stoel en brengt zijn blad naar de keuken. Charlotte legt haar mes en vork neer; ze is duidelijk blij dat deze vertoning is afgelopen.

Ze legt haar hoofd tegen de rugleuning van de stoel en doet haar ogen dicht. Ik ga staan, pak haar blad en het mijne en loop achter mijn vader aan. We doen om en om de afwas – ik de ene avond, hij de andere – en ik weet zeker dat ik vanavond aan de beurt ben. Maar hij is er al mee begonnen.

'Wat doe jij vreselijk,' zeg ik.

'Dit is een ramp,' zegt hij.

Wanneer ik terugga naar de studeerkamer heeft Charlotte nog steeds haar ogen dicht, en volgens mij is ze in slaap gevallen. Ik ga tegenover haar zitten in de stoel van mijn vader en bekijk haar. Haar oogleden zijn blauwig en haar mond is iets opengezakt. Ik vraag me af waar ze de afgelopen tien dagen geweest is en wat ze gedaan heeft.

Ik bedenk dat mijn vader met gemak aan Warren had kunnen vertellen dat Charlotte boven lag te slapen toen Warren langskwam. En dan was het over en uit geweest. Charlotte zou, in mijn pyjama met de roze en blauwe beertjes, in onze gang handboeien om hebben gekregen, naar de jeep zijn geleid en weggevoerd zijn. Dan zouden we haar misschien nooit meer hebben gezien. Mijn vader zou me altijd hebben voorgehouden dat het zo het beste was, en ik zou altijd hebben geweten dat hij ongelijk had.

Waar zou Warren zijn handboeien bewaren? Zou hij een pistool bij zich hebben?

Ik pak een boek waar ik zo nu en dan in gelezen heb, meer niet dan wel, en dat is een teken dat ik er binnenkort de brui aan geef. Ik zoek waar ik gebleven was en probeer een paar zinnen in me op te nemen, maar ik kan me niet concentreren. Ik laat het boek hard op tafel vallen.

Charlotte doet haar ogen open.

'Wil je mijn kamer zien?' vraag ik.

Ze komt overeind, enigszins daas, en ze knippert met haar ogen.

'Dan kan ik je een foto van mijn moeder laten zien,' voeg ik eraan toe.

'Oké, tuurlijk,' zegt ze.

We gaan naar boven, naar mijn kamer, die ik toen Charlotte lag te slapen heb opgeruimd. Mijn pyjama en de lege verpakking van de chocoladekoekjes zijn nergens te bekennen. Charlotte lijkt zich zodra ze voet over de drempel heeft gezet te ontspannen, alsof mijn kamer bekend terrein is. Ze bewondert de muurschildering, of doet in elk geval alsof, en vreemd genoeg ziet hij er nu niet zo amateuristisch uit als daarstraks. Ik moet denken aan Steve met zijn verzonnen telefoonnummer en vraag me af wie hij met een telefoontje zal verrassen.

'Geweldig,' zegt Charlotte met haar handen in de achterzakken van haar spijkerbroek gestoken – een houding die haar uitpuilende buik accentueert. Ik kijk snel de kamer door en zie hem met de frisse blik van een vreemde: het bureau met de schoenendoos vol kralen en leren veters, het bed met de lavendelblauw met witte sprei die ik nog uit New York heb, de planken met spelletjes die ik niet meer doe, het nachtkastje met de leeslamp en de radio. Op de grond ligt *To Kill a Mockingbird*. Dat moet ik voor school lezen.

Charlotte gaat op de rand van het bed zitten – de enige plek waar je kunt zitten, afgezien van de bureaustoel.

'Draag je je haar wel eens ingevlochten?' vraagt ze.

'Nee, nooit,' zeg ik.

'Ik denk dat dat je goed zou staan, ingevlochten haar. Zal ik het voor je doen?'

'Goed.'

'Kom maar hier zitten,' zegt ze. Ze brengt haar handen naar mijn haar en trekt het over mijn oren naar achteren. Door de verfijnde bewegingen van haar vingers doe ik mijn ogen dicht. Sinds mijn moeder is overleden heeft niemand me meer zo aangeraakt.

'Ik heb een borstel nodig,' zegt ze.

'Op de vensterbank.'

Ik loop naar mijn bureau en Charlotte komt achter me staan. Ze borstelt mijn haar omhoog. Het borstelen is net als de beweging van haar vingers troostend en moederlijk, en ik raak in een droomtoestand ergens tussen slapen en waken in. Ze werkt een tijdje door zonder te praten.

'Ben jij enig kind?' vraag ik.

'Nee,' zegt ze. 'Ik heb nog twee oudere broers. Mijn ouders komen uit Franstalig Canada; ze zijn heel streng, heel gelovig. Mijn broers heel beschermend.'

'Weten ze het?'

'O hemel, nee,' zegt Charlotte. 'Ze zouden me vermoorden. Nou, in elk geval zouden mijn broers... nou ja, die zouden mijn vriendje vermoorden.'

Vriendje. Het woord doet mij huiveren, net zoals 'medeplichtig'.

‘Waar woonden jullie hiervoor?’ vraagt ze, terwijl ze mijn haar verdeelt.

‘In New York.’

‘Waarom zijn jullie hierheen verhuisd?’

‘Dat wilde mijn vader. Hij zegt dat het moest, dat hij weg moest van alle herinneringen. Hij zegt dat hij niet meer in ons huis kon wonen.’

‘Vond je dat erg?’

‘In het begin was ik boos. Maar daarna… Ach, ik weet het niet, ik denk dat ik wel besefte dat het iets was wat hij moest doen. Ik ben eraan gewend.’

Ik voel aan het begin van de vlecht die ze aan het maken is. Hij is kundig uitgevoerd, zonder dat er ook maar een haartje verkeerd zit, en hij ligt keurig tegen mijn hoofd. ‘Wauw,’ zeg ik.

‘Ik heb geen tv gezien,’ zegt Charlotte, terwijl ze een pluk haar aan de linkerkant bijtrekt.

‘We hebben er geen,’ zeg ik. ‘Ik heb een radio, maar mijn vader wilde geen tv. Mijn moeder en hij vonden dat je kinderen sowieso niet te veel televisie moest laten kijken, maar na het ongeluk was hij volgens mij bang dat hij alleen maar ongelukken en rampen op de televisie te zien zou krijgen.’

‘Wanneer zijn je moeder en je zusje gestorven?’

‘Twee jaar geleden.’

‘En sindsdien heeft niemand je haar meer gedaan, hè?’

‘Nee,’ zeg ik.

Charlotte laat mijn haar los. Ik zie haar in de kleine ronde spiegel boven het bureau. Ze doet haar ogen dicht. Die avond en de dag erna zal ze zo nu en dan worden overvallen door het besef van wat ze gedaan heeft, van wat er in die motelkamer met haar is gebeurd.

Ik weet precies hoe ze zich voelt. Toen ik net naar New Hampshire was verhuisd, werd ik op het voetbalveld of in de repetitieruimte soms plotseling overvallen door een golf van verdriet. Zelfs als ik niet bewust aan mijn moeder dacht kon ik er op vreemde ogenblikken soms helemaal door overrompeld worden. Mijn gedachten dwaalden dan naar haar af, en dan kwam ik tot de ontdekking dat daar waar ik haar vroeger altijd in de keuken zag staan met een kop koffie, of haar zag rondrijden in haar Volkswagen, of voor de televisie zag zitten breien, terwijl ik naar een Disney-video keek, nu een lege plek was. Elke keer deed het weer pijn, en dat doet het nog steeds, als een doorgesneden blootliggende zenuw.

'Gaat het?' vraag ik.

'Het gaat wel,' zegt ze. Ik zie dat er weer kleur op haar wangen verschijnt. 'Dat dutje heeft me goedgedaan. En het eten ook.'

'Had je niks gegeten?'

'Niet veel,' zegt ze.

'We kunnen straks wel naar beneden gaan en warme chocolademelk maken,' zeg ik. 'Ik leef zo'n beetje op warme chocolademelk.'

Ik hoor voetstappen op de overloop en even later wordt er op de deur geklopt.

Charlotte legt de borstel op het bureau en doet een stap bij me vandaan.

Mijn vader komt binnen. Hij kijkt naar mij en dan

naar Charlotte en dan weer naar mij. 'Wat doen jullie hier?' vraagt hij.

Wat wij aan het doen waren zie je zo aan mijn hoofd.

Charlotte doet een stap naar voren en langs me heen. Ze glipt langs mijn vader heen en loopt de kamer uit; ze kijkt niet om.

'Moet ik haar in haar kamer opsluiten?' vraagt hij.

'Nee,' zeg ik.

Hij schudt zijn hoofd. 'De storm wordt erger,' zegt hij.

Goed zo, denk ik. Mijn vader kan niet van Charlotte vragen dat ze weggaat, en rechercheur Warren kan niet hierheen komen. Ik wou dat het nog weken bleef sneeuwen.

'Heb je je zaklamp?' vraagt mijn vader.

'Ja.'

'Batterijen?'

'Ja.'

'Aan het geluid van die wind te horen zullen we die nog nodig hebben.'

'En zij dan?' vraag ik, terwijl ik mijn hoofd schuin houd in de richting van de logeerkamer.

'Ik heb een zaklamp op haar nachtkastje gelegd.'

'Hoe laat is het?' vraag ik.

'Ongeveer halftien,' zegt hij.

'Je hebt nog niets over mijn haar gezegd.' Daarmee probeer ik hem uit zijn tent te lokken.

'Hoe noem je dat?'

'Ingevlochten.'

'Mooi.' Mijn vader ziet er doodmoe uit, ouder dan tweeënveertig.

Hij zucht. 'Ga maar slapen,' zegt hij.

Ik kleed me uit en stap in bed. Ik doe het nachtlampje uit. Ik voel aan mijn strakke nieuwe vlechten en luister naar het gekreun van de wind. Zo nu en dan denk ik auto's op de oprit te horen. Ik luister of ik een motor hoor. Ik denk aan rechercheur Warren. Geloofde hij me over die bijl? Ik weet het niet. Misschien was hij blij dat mijn vader er niet was: zo kon hij gemakkelijker rondkijken zonder door mijn vader in de gaten gehouden te worden.

Ik val in slaap bij het geluid van een sneeuwschuiver die over de granieten stoep schraapt.

De makelaar met de sjaal en de bontlaarsjes liet ons die dag in maart dat we het stadje in gereden waren drie huizen zien. Het eerste was een huis aan Strople, niet ver van Remy's. Een opknapper, legde mevrouw Knight uit. In de garage was een weerzinwekkend toilet met een vieze pot, waarin een niet nader te identificeren dier was overleden. In de keuken zaten een aanrecht van groen formica en bruine vloertegels, en het leek me niet erg waarschijnlijk dat ik daar ooit een maaltijd in zou kunnen nuttigen. Ik gaf uitdrukking aan mijn afkeuring door naast de voordeur te gaan staan en te weigeren nog naar boven te gaan. Ik had me geen zorgen hoeven maken. Het huis, dat aan een van de drukste straten van de stad lag, was niet afgezonderd genoeg voor mijn vader, die een grot zocht waarin hij zich jaren kon verstoppen.

De makelaar was nieuwsgierig. Waar kwamen we vandaan? Vanwaar onze belangstelling voor Shepherd? Woonde er soms familie in de buurt? In welke klas zat ik? Mijn vader en ik waren in ons stilzwijgen in elk geval wel met elkaar verbonden: we gaven niets prijs. Als mijn vader het zou hebben gekund zou hij wel van alles verzonnen hebben, alleen maar om haar het zwijgen op te leggen, maar zijn fantasie had hem, net als zijn hart, in de steek gelaten.

Het tweede huis dat we gingen bekijken heette Orchard Hill Farm en stond tussen vijf hectare appelbomen. Het was een eenvoudig, maar goed onderhouden huis met een zonnige citroengele keuken die naar appels rook, zelfs in maart. Ik ging naar boven en ontdekte vier slaapkamers met witte gordijnen voor de ramen en dikke bergen quilts op de bedden. Ik wilde gaan liggen, in slaap vallen en in New York weer wakker worden.

Mijn vader liep alleen voor de beleefdheid door het huis, want vlak ernaast stond een kraam. Al gingen we geen appels verkopen, of wat voor producten er ook uit die citroengele keuken waren gekomen, het zou minstens een jaar of twee duren voordat er geen klanten meer kwamen aanbellen. Ik kon me niet voorstellen dat mijn vader keer op keer naar de deur zou gaan en zou uitleggen dat er dit jaar geen cider was.

'Ik heb nog iets anders,' zei mevrouw Knight, 'maar dat ligt een eind buiten de stad.'

Dat klonk mijn vader als muziek in de oren. 'Ik wil het wel even zien,' zei hij.

'Het is nogal een stuk rijden vanaf de grote weg,' zei ze, met een blik op de Saab en de kleine aanhangwagen. 'Misschien is dat niet zo handig met een schoolgaande dochter.'

'Ik wil het toch graag zien,' herhaalde mijn vader.

'Dan gaan we wel met de truck van mijn man,' besloot mevrouw Knight.

De truck hotste de oprijlaan op en glibberde weg waar

de sneeuw plaatsmaakte voor modder. Het huis stond op een open plek, waar ook de schuur stond. Zodra ik het zag wist ik dat dit het huis was dat mijn vader zou nemen. Het was groot genoeg voor ons tweeën en het stond leeg, iets wat mijn vader goed uitkwam, wist ik: we konden er meteen in. En wat nog belangrijker was: het was afgelegen.

Ik had geen onderhandelingstroeven. Ik kon het bepaald niet opnemen voor het huis met het groteske toilet, en ik kon ook niet volhouden dat we op een boerderij moesten gaan wonen. Bovendien, als het toch niet ons oude huis in New York was, dan interesseerde het me verder geen bal.

Binnen een uur had mijn vader de vraagprijs geboden, tot grote vreugde van de makelaar. Mijn vader en ik logeerden in een motel even buiten de stad; het duurde tien dagen voordat de papieren rond waren en in die tijd reed mijn vader 's ochtends met me naar het pompstation om melk te drinken en donuts te eten, en daarna naar school. Na die tien dagen trokken we erin.

Ik klaagde aan één stuk door. De schoolbus kon maar tot halverwege de weg naar ons huis komen en ik werd doodmoe van dat stuk lopen, zei ik. Mijn slaapkamer was steenkoud. De kinderen waren allemaal verstandelijk gehandicapt, en de leraar was mank. In de badkamer boven zat geen stopcontact voor de föhn en de waterdruk in de douche liet te wensen over. Op een avond wilde ik per se dat mijn vader bij me in de studeerkamer bleef zitten tot ik mijn huiswerk af had, en toen zeurde ik dat hij me moest helpen, en daarna onderbrak ik hem telkens wanneer hij een antwoord probeerde uit te leggen. Ik verknalde een wiskundeopdracht met de metalen punt van een potlood (het gummetje er met mijn tanden uit wippen – dat was een tic van me die ik maar niet kon afleren), scheurde het papier, en daardoor verscheen er driftig gekras op het hout van de salontafel eronder. Mijn vader stond op en liep naar buiten, naar de schuur. Ik bleef een tijdje met mijn potlood in mijn hand zitten. Ik probeerde de groeven in het hout met spuug weg te poetsen. Ik liep achter mijn vader aan en bedacht ondertussen alvast hoe ik me zou verdedigen: het was niet eerlijk; ik had geen vrienden; de kinderen waren allemaal sukkels; het huis was eng. Ik deed de deur van de schuur open, en aanvankelijk zag ik niets. Mijn vader had het licht niet aangedaan. Maar uiteindelijk zag ik hem toch, in het maanlicht dat door de ramen scheen. Hij stond aan de andere kant van de spelonkachtige ruimte tegen een muur geleund. Misschien stond hij alleen maar een sigaret te roken, maar ik vond hem er afgepeigerd en verslagen uitzien, als een man die beseft dat hij alles kwijt is.

Ik deed de deur zo zachtjes mogelijk dicht en liep het huis weer in. Ik ging op de bank zitten en maakte vlotjes mijn huiswerk af – wat ik allang gedaan had kunnen hebben. Ik zocht in de keukenkastjes en vond een blik cacao. Ik kookte water in een pannetje en maakte twee bekers warme chocolademelk. Ik ging met de bekers naar de schuur en onderweg riep ik al luidkeels: 'Papa!' Voor ik bij de deur was ging het licht aan. Ik liep naar binnen alsof er een uur daarvoor in de studeerkamer niets was gebeurd. 'Heb je zin in warme chocolademelk?' vroeg ik.

We gingen samen op een bankje zitten en bliezen in onze beker. 'Dat is precies wat ik nodig had,' zei hij, en de poging om zijn stem vrolijk te laten klinken was bepaald heldhaftig. We repten geen van beiden een woord over de ruzie van daarnet.

'Koud is het hier,' zei ik.

'Ik zal proberen de houtkachel te maken,' zei hij.

'Ik bedacht dat ik wel wat posters voor in mijn kamer zou willen.'

'Er is hier vast wel een winkel waar je posters kunt kopen,' zei hij. 'We zullen dit weekend eens gaan kijken.'

'En ik heb ook een bureau nodig,' zei ik.

Mijn vader knikte.

'Wat voor werk ga je doen?' vroeg ik.

'Ik weet het niet,' zei hij, 'misschien iets met mijn handen.'

Als ik wakker word is alles stil. De wind is gaan liggen; er klinkt geen getik meer tegen het raam, geen gesuis tegen het glas. De wereld is volkomen stil, alsof hij uitrust na zijn lange strijd van de afgelopen nacht. Ik hups op blote voeten naar het raam, want de vloer is koud. De lucht is grijs en het sneeuwt nog steeds.

Ik trek mijn pantoffels en mijn badjas aan en doe de deur van mijn kamer open. Uit de keuken hoor ik het geluid van de koelkast die wordt dichtgedaan. Papa is vast al op, denk ik.

Maar het is niet mijn vader die ik die ochtend in de

keuken aantref. Charlotte staat bij het fornuis met een spatel in haar hand. Ze heeft de flanellen pyjama aan met de roze en blauwe beertjes, en haar grijze angorasokken. Ik bestudeer de kabels, en heel even zie ik alleen de motelkamer maar voor me, met zijn bebloede lakens. Ik kijk omhoog naar Charlottes gezicht.

'Ik ben wentelteefjes aan het maken,' zegt ze. Haar haar is nat en golft in krulletjes in haar nek. Haar gezicht is geboend en glanst in de plafondlamp. 'Drink jij koffie?'

'Nee,' zeg ik. Charlotte heeft een onrustbarende verandering ondergaan. Ze ziet er uitgerust uit, maar er is meer. Ze is op de een of andere manier gezonder, robuuster.

Op het aanrecht naast het fornuis staan drie borden en ligt bestek. Charlotte legt op een van de borden twee wentelteefjes. 'Ik weet niet of je van stroop houdt of niet,' zegt ze, 'dus die moet je er zelf maar op doen.'

'Zo te zien voel je je een stuk beter,' zeg ik.

De goudkleurige boterhammen zwemmen in de gesmolten boter. Ik schenk een glas sap in en ga met mijn blad naar de studeerkamer. Na een poosje komt Charlotte ook.

Zij gaat op de bank zitten en ik in mijn stoel, alsof we onze familieplaatsen al hebben vastgesteld. Haar blad hangt even schuin en de stroop druppelt op haar flanellen pyjamabroek. 'Sorry,' zegt ze, en ze veegt het er met haar vinger af.

Terwijl ze zich over haar bord buigt houdt ze haar haar met één hand naar achteren. Ze snijdt haar wentelteefje met driftige bewegingen met haar vork en schraapt over het bord. Ze heeft het slonzige gemak van iemand die al jaren met mij in de studeerkamer ontbijt.

'Hoeveel centimeter denk je dat er ligt?' vraagt ze.

Ik kijk naar buiten. 'Ik weet het niet,' zeg ik. 'Een meter misschien?'

'Fijn voor de skiërs,' zegt ze.

'Ik ga na de kerst skiën,' zeg ik.

'Waar?'

'In Gunstock.'

'Dan kun je weer een berg schilderen,' zegt ze.

'Ik heb de verf al gekocht.'

Charlotte gaat achteruit zitten, met het blad nog steeds op haar knieën. Ik kijk naar mijn ontbijt, nauwelijks aangeroerd. Mijn eetlust heeft me in de steek gelaten. Ik kan maar niet wennen aan dit wezen dat het ene moment dodelijk verdrietig is en het volgende barst van de levenslust.

'Hoe lang duurt het voordat de sneeuw is geruimd?' vraagt ze.

'Ik weet het niet,' zeg ik. 'We zijn zo'n beetje de laatste weg van de stad. Het zou een dag kunnen duren, misschien ook langer.'

'Wat lang,' zegt ze, en ze kijkt uit het raam.

Ik weet niet of dit goed of slecht nieuws is. Ik wil graag weten waar Charlotte heen gaat als ze bij ons weggaat.

Zonder een woord van uitleg sta ik op, pak mijn blad en ga naar de keuken. Ik word zenuwachtig, zo samen in één kamer met Charlotte; ik ben bang dat mijn vader naar beneden komt en ziet dat Charlotte al zo vertrouwd is in ons huis. Ik ga naar boven en blijf voor de deur van mijn vader staan. Ik leg mijn oor tegen het hout en hoor niets. 'Papa?' zeg ik zacht.

'Kom maar binnen,' zegt hij van de andere kant.

Hij zit met al zijn kleren aan op de rand van het bed. Hij heeft een spijkerbroek en een flanellen hemd aan met daaroverheen een donkerblauwe trui. Hij zit zijn sokken aan te trekken. Zijn haar is aan de zijkanten geklit en staat bovenop rechtop, als een rare vogel in een strip in de zaterdagochtendkrant.

In het halfduister zie ik zijn bureau, vol met tijdschriften, wisselgeld, een opgepropte zakdoek, één leren handschoen en zijn portefeuille. In de hoek staat een stoel die als kast dienstdoet. Daar liggen vanochtend een hele stapel flanellen hemden, een spijkerbroek en een handdoek op. Op zijn nachtkastje staan een wekker, een witte beker en er ligt een boek over de Burgeroorlog. Er staat ook een kaars in een kandelaar en er ligt een zaklamp. Voor het geval dat.

Ik doe een stap dichterbij. 'Alles goed?' vraag ik.

'Ja, hoezo?'

'Nou, je was niet beneden.'

'Ik was tot laat op gisteravond.'

Mijn ogen wennen aan het duister en ik zie dat mijn vader plukjes grijs haar boven zijn oren heeft. Is dat nieuw?

'Sneeuwt het nog steeds?' vraagt hij.

'Ja.'

Mijn vader gaat staan en masseert zijn onderrug. 'Ik wil het pad naar de houtopslag schoonhouden, voor het geval de stroom uitvalt.'

'Dat doe ik wel,' zeg ik.

Mijn vader trekt zijn wenkbrauw op. Ik bied nooit aan om met klusjes te helpen waar ik een hekel aan heb. Hij loopt naar het raam en laat de rolgordijnen omhoogschieten. Hoewel het nog steeds van dat doffe grijze licht is zoals je tijdens een storm hebt, weerkaatst het wel tegen een fotootje op het bureau. Ik zet nog een stap de kamer in, zodat ik de foto kan zien.

Het is een foto van Clara, net een jaar oud. Die moet kort voor het ongeluk genomen zijn. Op de foto heeft ze een koningsblauwe trui aan, maar iemand – ik waarschijnlijk – heeft de donkerblauwe sjaal van mijn vader om haar hals geknoopt en zijn skimuts op haar hoofdje gezet. Onder de muts piept een onregelmatige pony uit en boven haar oortjes piekt het haar ook. Haar ogen zijn onnatuurlijk groot en hebben de kleur van de trui aangenomen. Het licht van de flitslamp valt op haar brede wangen en neus, en die gloeien alsof er binnen in haar licht brandt. Haar onderlip glinstert roze. Ze is zo te zien wel in haar nopjes met haar nieuwe uitdossing en ze lacht, zodat haar bovenste twee tandjes te zien zijn. Op haar rechterwenkbrauw zit een minuscuul rood korstje ter grootte van een erwt.

Het is een nieuwe foto, dat wil zeggen: een oude foto die nog maar net op het bureau is gezet. Hoewel ik zelden in mijn vaders kamer kom, weet ik zeker dat hij er niet stond op de avond dat we de baby vonden.

Er knijpt iets in mij samen, als een spons die wordt uitgewrongen.

'Wat was ze mooi,' zegt mijn vader achter me.

Op de ochtend van Clara's eerste verjaardag nam mijn vader me mee naar de kelder, waar we gekleurde ballonnen aan een tank vastmaakten en vulden met helium, waardoor mijn vader, toen hij het inademde, als Donald Duck ging praten. We brachten de ballonnen naar boven, waar ze door alle kamers stuiterden en in bosjes bij elkaar bleven hangen, afhankelijk van de luchtstroom. Tegen de avond zweefden ze vijf centimeter onder het plafond en de volgende dag waren ze rond het middaguur op de grond en de stoelen en achter de televisie gevallen, wat voor mijn vader aanleiding was om een geïmproviseerd college te geven over eigenschappen van gassen en over luchtdruk en zwaartekracht. Voor het ongeluk was mijn vader beroemd om zijn preken, waarbij hij heel serieus was en ook oprechte aandacht terug verwachtte. Zo nu en dan rolde mijn moeder wel eens met haar ogen en zei ze, duidelijk liefdevol bedoeld: 'Daar gaan we weer', maar ik vond het altijd wel leuk, omdat ik dan voor zolang het duurde het brandpunt van zijn aandacht was. Soms ging de preek over wetenschappelijke of historische dingen, maar vaak hadden ze een moralistische inhoud. De 'je kunt het best'-preek had ik al een paar keer gehad, meestal voor een proefwerk of een wedstrijd waar ik me zenuwachtig over maakte. De preek 'je reputatie is goud waard' kreeg ik, heel gedenkwaardig, nadat ik voor mijn eerste feestje met jongens én meisjes was uitgenodigd. En van tijd tot tijd kreeg ik ook de preek 'oefening baart kunst', wanneer ik klaagde over rekensommen of over een stuk dat ik op de klarinet moest spelen, maar waar ik geen zin meer in had. Toen ik negen jaar was, kon ik de preken van mijn vader, terwijl hij ze afstak, in gedachten opzeggen, maar ik had nog genoeg eerbied voor hem om het niet in mijn hoofd te halen brutaal tegen hem te zijn. Ik heb me vaak afgevraagd wat er zou zijn gebeurd als ik de puberteit zou hebben bereikt zonder dat die door de catastrofe zou zijn verstoord, op welk moment ik zou hebben geprobeerd mezelf ervan te overtuigen dat mijn vader me niets meer kon leren.

De dag ervoor was mijn moeder met me naar de stad gereden om een cadeau voor mijn zusje te kopen. Het was voor het eerst dat ik zelf zou gaan winkelen, en ik was opgewonden en zenuwachtig tegelijk. Mijn moeder somde wel honderd regels en waarschuwingen op en ik moest drie keer het tijdstip en de plek herhalen waar we elkaar weer zouden zien. Ik zou met mijn eigen geld een cadeau kopen: ik had tien dollar uit mijn spaarvarken gehaald.

Ik begon in de winkel die mijn ouders de 'kwartjeswinkel' noemen, hoewel je er helemaal niets voor een kwartje kon kopen. Ik dwaalde door de gangpaden van de speelgoedafdeling, raakte poppen en puzzels en bordspellen aan. Het probleem met Clara was, volgens mij, dat ze eigenlijk nog niets kon *doen*, behalve blokken stapelen en plastic ringen om een kegel doen. Ik liep de winkel uit en ging naar een kinderkledingzaak ernaast, waar ze smokjurkjes en linnen hoedjes verkochten, en waar één paar sokken al zes dollar kostte. Ik ging ook nog even bij de drogist kijken, voor het geval ze bij de babyafdeling misschien een geweldig spel hadden, maar toen dat ook op niets uitliep (behalve dan een doos snoep), ging ik terug naar de kwartjeswinkel. Terwijl ik door de gangpaden dwaalde, kreeg ik het idee dat Clara eigenlijk een cadeau nodig had waar ze in kon groeien, iets waar ze altijd iets aan zou hebben, een speeltje dat ik op de een of andere manier niet had gehad, maar waar ik dan wel mee kon spelen en haar kon leren hoe ze het moest gebruiken.

Ik was vijf minuten te vroeg op de afgesproken plaats, en mijn moeder ook.

'En, wat heb je gekocht?' vroeg ze.

'Zo'n toverlei,' zei ik.

Mijn moeder maakte een verjaardagstaart in de vorm van een trein. Ik mocht de afzonderlijke wagons versieren met geel, groen en blauw glazuur, en het rode bewaarde ik voor de laatste wagon. De trein had een schoorsteen van marshmallows en ramen van snoepjes en hij reed op een rails van dropstaven over de eettafel. Toen we klaar waren, zag hij eruit als een stuk speelgoed, en nadat we Clara's enige kaarsje hadden uitgeblazen wilde niemand hem eigenlijk aansnijden.

Clara was die ochtend met oorpijn wakker geworden. De hele dag krijste of jammerde ze, om en om, totdat mijn moeder er gek van werd en mijn vader diep en herhaaldelijk begon te zuchten, nog voor er ook maar een gast was gearriveerd. Ikzelf vond mijn kleine zusje maar een aanstelster, vooral omdat ik enigszins jaloers was op alle ingepakte cadeautjes in een hoek, waaronder een dat mij deed popelen van verlangen.

Een verjaardagsfeestje voor een eenjarige is nooit voor die eenjarige zelf. Clara had geen erg in de festiviteiten, noch in de bedrukte stemming die in huis heerste. Het feestje was voor mijn ouders en voor mij. Ik wilde nog steeds graag in de buurt zijn van het cadeau dat werd opengemaakt, en het papier zelf in een soort plaatsvervangende gretigheid openscheuren – die behoefte was ik nog niet ontgroeid. Clara was immuun voor de opwinding en had zichzelf zo uitgeput met haar gejammer dat ze in slaap viel toen we 'lang zal ze leven' voor haar zongen. Mijn moeder, die een hangerige baby liever niet wilde wakker maken, zei dat we maar zonder haar door moesten gaan – iets waar ik het helemaal mee eens was. De meeste foto's van die dag laten een slapende Clara zien, met een punthoedje op haar hoofd, haar mondje open, haar neus vol snot. Ik heb een paarse legging en een My Little Pony-T-shirt aan, en ik zie er bezorgd en veeleisend uit, alsof ik goed in de gaten wil houden dat ik krijg wat mij toekomt. Mijn moeder, die die avond toegaf dat ze kiespijn had, waar later een wortelkanaalbehandeling aan te pas moest komen, fronst haar voorhoofd. En op een foto die mijn moeder genomen heeft toen de gasten allang weg waren, ligt mijn vader op de bank te slapen, met proppen papier als een kleine zee rond zijn boot, en met Clara vooroverliggend op zijn borst. Je kunt hem op die foto horen snurken.

Ik houd woord. Terwijl mijn vader met mijn oma zit te bellen om haar reisgegevens naar Lebanon door te nemen (al haar vluchten zijn vertraagd of geannuleerd), pak ik me lekker in in mijn parka, sneeuwbroek, muts en skihandschoenen, en ga ik voor mijn vader het pad naar de houtschuur sneeuwvrij maken. De reis van mijn oma wordt een heldhaftige onderneming voor een vrouw van drieënzeventig, want ze moet zelf naar de luchthaven van Indianapolis rijden, daarna het vliegtuig naar Newark nemen, dan overstappen op een vlucht naar Boston, daar wachten op een derde vlucht naar Lebanon, met een vliegtuigje voor tien personen waar de meeste twintigjarigen niet eens in zouden stappen, en daarna in de truck van mijn vader naar Shepherd gebracht worden. De reis zal, van deur tot deur, acht uur duren. Ze beweert bij hoog en bij laag dat het de moeite waard is, maar ik heb zo'n idee dat ze die reis binnenkort niet meer kan maken en dat wij dan naar Indianapolis zullen moeten – een vooruitzicht waar ik naar uitkijk. In mijn twaalfjarige ogen is het vooruitzicht om op één dag in drie vliegtuigen te moeten zitten helemaal het einde.

De sneeuw is in wervelingen van fijne ijskristallen veranderd die in mijn gezicht prikken als ik mijn hoofd niet omlaaghoud. De sneeuw heeft het gras en de kleine struik bedekt; hij spreidt zich in alle richtingen uit, en alleen de bomen doorbreken het panorama. Iedere dennentak en berkentak is wit, net als de houtschuur, die mijn doel is. Struiken geven bultige vormen, en het bos is de spichtige slordigheid kwijt die het aan het begin van de winter altijd heeft. We zijn ingesneeuwd. Ik denk aan de mensen die in het huis woonden toen het in de negentiende eeuw werd gebouwd, toen er geen sneeuwruimer van de gemeente was die de opritten en wegen begaanbaar maakte. En aan de inheemse bevolking die hier woonde toen er nog helemaal geen huizen waren, die zich letterlijk door de sneeuw naar boven moest graven om bij de lucht te komen.

De lucht lijkt op te klaren, en volgens mij is de fijne sneeuwbui een teken dat de noordoosterstorm voorbij is. Als de zon zich laat zien zal ditzelfde landschap verblindend zijn. Evenwijdig aan de oprit naar het huis ligt een open veld dat lang genoeg is om een sleeheuvel van te maken. Maar alleen wanneer het flink gesneeuwd heeft kan ik daar lekker afglijden zonder door de bovenkant van de begroeiing te worden afgeremd. Soms krijg ik mijn vader zover dat hij de ronde aluminium schalen te voorschijn haalt die wij als slee gebruiken en me helpt de sneeuw aan te stampen door er zelf ook een paar keer af te glijden.

Ik steek een paar keer bij wijze van proef mijn schep in de sneeuw en ontdek dat hij dik is. De temperatuur stijgt en de sneeuw pakt samen. Het kan wel meer dan een uur duren voor ik bij de schuur ben, en ik begin nu al spijt te krijgen van mijn aanbod. Ik hoop dat mijn vader als hij is uitgebeld met de luchtvaartmaatschappijen medelijden met me krijgt en me komt helpen.

Ik begin flink te scheppen en moet al meteen zweten.

Het kost me enorme inspanning om een schep sneeuw zo hoog op te tillen dat ik hem kan omdraaien. Ik doe mijn sjaal en muts af en doe de rits van mijn parka open. Na een paar minuten krijg ik het natuurlijk koud en moet ik alles weer aantrekken. Ik kleed me nog drie keer uit en weer aan, en heb net zo'n beetje besloten dat ik naar binnen ga om warme chocolademelk te drinken als de achterdeur opengaat.

'Hé,' hoor ik iemand zeggen.

Charlotte staat half binnen en half buiten, haar haar over haar schouders uitgespreid om te drogen.

'Heb je een muts en wanten voor me?' vraagt ze.

'Waarom?'

'Ik wil helpen met sneeuwruimen.'

Ik schud mijn hoofd. 'Dat kan niet. Je bent...' Ik worstel met het woord. 'Ziek' klopt niet. 'Je bent, je weet wel... moe,' zeg ik.

'Ik voel me prima. Ik heb frisse lucht nodig.'

Mijn vader wordt vast boos als hij ziet dat Charlotte buiten sneeuw met me aan het ruimen is. Waar is hij trouwens? 'Het bankje kan omhoog,' zeg ik. 'Daarin liggen mutsen en wanten.'

Ze gaat weer naar binnen en komt even later terug. Ze haalt drie keer diep adem, alsof ze dagen opgesloten heeft gezeten. Misschien is dat ook wel zo. Ze heeft haar spijkerbroek in haar laarzen gestopt, die van leer zijn en dus helemaal niet geschikt voor in de sneeuw. Ze heeft een paar oude leren handschoenen gepakt die mijn vader gebruikt voor crosscountryskiën en ze heeft een kleurige muts op die ik voor mezelf heb gemaakt toen ik tien was. Er zitten fouten in en bovenaan rafelt hij.

'Oké,' zeg ik. 'Ga jij maar verder waar ik gebleven ben. Ik ga de andere schep halen en begin bij de schuur. Dan komen we elkaar in het midden tegen.'

De sneeuw is tegen de schuur opgewaaid en komt bijna tot mijn middel. Ik zoek de sleutel, duw tegen de deur en neem een behoorlijke hoeveelheid sneeuw mee de duistere schuur in. De spelonkachtige ruimte ruikt zoals altijd zoetig naar zaagsel en dennenhout. Ik neem niet de moeite het licht aan te doen; ik weet waar de scheppen staan. Mijn vader mag in zijn slaapkamer dan slordig zijn, maar in de schuur is hij een Pietje Precies. Al zijn gereedschap heeft een eigen plekje op de werkbank of op het bord erboven. Grote stukken, zoals scheppen en harken, staan in een keurige rij tegen de muur naast de deur.

Met de schep onder mijn arm sleep ik mijn benen door de sneeuwhopen. Ik loop de hoek om en zie Charlottes armen op- en neergaan, waarbij de sneeuw naar één kant stuift. Ze werkt met de kracht van een kerel, en ik zie dat ze in die korte tijd al meer vooruitgang heeft geboekt dan ik de hele tijd dat ik aan het ruimen ben geweest.

Door haar aangestoken buig ik me over mijn taak en probeer net zo snel te werken als zij, maar mijn armen zijn gewoon niet sterk genoeg. Ik ben vastbesloten, maar als ik kijk hoever Charlotte al gevorderd is zie ik dat ze veel verder is dan ik.

We komen dichter bij mijn kant bij elkaar dan bij de hare. Charlotte maakt nog één haal. Ze zet de schep met een klap op de grond om de rest van de sneeuw eraf te schudden. 'Zo,' zegt ze voldaan.

'Het was geen wedstrijd,' zeg ik.

'Moet je horen wie het zegt.' Ze trekt haar handschoenen uit. Het is bijna opgehouden met sneeuwen.

'Ik ga naar binnen,' zeg ik.

'Ik kom zo.'

Binnen ga ik op het bankje zitten en schop ik mijn laarzen uit. Ik doe de enkelbanden van mijn sneeuwbroek naar beneden en sta daar in mijn lange ondergoed en trui. Mijn haar zit aan mijn hoofd geklit en ik heb een loopneus. Mijn mond is zo koud dat hij niet normaal kan bewegen.

'Wat is ze aan het doen?' zegt mijn vader achter me.

Ik heb hem niet naar beneden horen komen. 'Ze heeft me een beetje geholpen met sneeuwruimen.'

'Is ze sneeuw aan het ruimen?'

'Nou, ze heeft eigenlijk vooral een beetje toegekeken. Ik geloof dat ze wat frisse lucht wilde. Ik wilde net warme chocolademelk voor ons gaan maken.'

Mijn vader bestudeert mijn gezicht.

'Om warm te worden,' voeg ik er snel aan toe.

Mijn vader loopt de keuken in, en volgens mij wil hij een kop koffie voor zichzelf inschenken. Maar hij blijft bij het aanrecht staan. Hij legt zijn handen op de rand van het formica en buigt zijn hoofd. Is het toeval dat hij boven de telefoon hangt? Overweegt hij rechercheur Warren of inspecteur Boyd te bellen? Hij komt overeind en wrijft in zijn nek. 'Ik ben in de schuur,' zegt hij.

Ik maak de warme chocolademelk, maar Charlotte is nog steeds niet binnen. Ik zet de bekers op het bankje in de gang en steek mijn hoofd om de deur. Ze is een meter of tien bij het huis vandaan gelopen, of gekropen, en staat nu naar het bos te kijken. Dat overleven haar leren laarzen niet.

Ik roep haar, maar of ze hoort me niet, of ze gaat zo op in het uitzicht dat ze geen aandacht aan me kan schenken. Ze heeft haar handen in de zakken van haar parka en tuurt alsof ze over zee uitkijkt, alsof ze wacht op een man die van een lange reis moet thuiskomen, alsof ze een kind zoekt dat net even buiten haar gezichtsveld is gedwaald.

'Charlotte!' roep ik, harder en dringender nu.

Ze draait haar hoofd om.

'Kom binnen!' roep ik.

Heel even denk ik dat ze me zal negeren. Dan zie ik dat ze haar lichaam mijn kant op draait en dat ze terugloopt, waarbij ze elke voet precies in een laarsafdruk plaatst, precies zoals ik dat rechercheur Warren een paar dagen geleden nog heb zien doen. Ze struikelt één keer, komt overeind, vordert een stukje en springt dan door de sneeuw als een kind aan het strand door de branding. Als ze weer bij de achterdeur is, is ze buiten adem.

'Ik heb warme chocolademelk gemaakt,' zeg ik. 'Je beker staat op het bankje.'

'Bedankt,' zegt ze, en ze glipt langs me naar binnen.

'Je keek niet eens de goede kant op,' zeg ik tegen haar rug.

Ze zit op het bankje; ik zit op de trap. Ik kan haar horen, maar ik zie alleen haar laarzen. Ik wil zeggen dat ze die moet uitdoen – dan worden haar voeten sneller warm –, maar ik houd mijn mond. Ik stel me voor dat ze haar handen om de beker geslagen heeft, zodat ze warm worden, en dat haar neus en wangen rood zijn van de kou. Ik hoor haar op de warme chocolademelk blazen en dan een slokje nemen. 'Wil je me de plek laten zien?' vraagt ze.

'Nee.'

'Waarom niet?'

'Dat weet je best.'

'Ik zie niet in waarom dat kwaad zou kunnen.'

'Dat kan zeker kwaad,' zeg ik, al zou ik niet precies kunnen uitleggen, als me dat gevraagd zou worden, waarom dat dan kwaad kan.

'Ik wil hem gewoon zien,' zegt ze.

'Waarom? Wat heeft dat voor zin?'

'Dat kan ik niet uitleggen.'

'Doe niet zo stom,' zeg ik.

Ze zwijgt. Ik zet mijn beker neer. Ik leg mijn hoofd in mijn handen. 'Het zou een heel nare wandeling zijn,' zeg ik na een tijdje. 'En gevaarlijk. Je hebt waarschijnlijk nog nooit op sneeuwschoenen gelopen.'

Ik hoor dat ze haar neus snuit. 'Dat heb ik wel,' zegt ze.

Echt waar? Ik weet bijna niets over haar leven. 'Ik weet niet eens zeker of ik die plek wel kan vinden,' zeg ik. 'De sneeuw heeft de sporen waarschijnlijk allemaal uitgewist.'

In werkelijkheid weet ik vrijwel zeker dat ik de plek wél zou vinden. Ik heb de tocht, heen en terug, nu twee keer gemaakt en ik weet zeker dat ik de groep bomen in combinatie met de helling zou herkennen. Ik weet zeker in welke richting ik moet gaan.

'Het sneeuwt nu niet meer,' zegt ze.

'Dus?'

'Dus kunnen we gemakkelijk onze voetstappen terugvinden. We maken een heleboel sporen.'

'Er is daar niets te zien, Charlotte. Alleen wat oranje tape.'

Weer zegt ze niets, en in de langdurige stilte doe ik een voorstel waarvan ik weet dat het niet goed is, dat ik er bijna zeker spijt van zal krijgen. Maar de roekeloosheid brandt in me en duwt het eruit. 'Oké,' zeg ik. 'Ik heb een idee.'

'Wat dan?'

'Jij geeft antwoord op mijn vragen, en dan breng ik je er misschien naartoe,' zeg ik, en ik weet heel goed dat ik me op gevaarlijk terrein begeef. Als ik een vraag stel en zij geeft antwoord, zal ik mijn aandeel in de afspraak moeten nakomen.

'Oké,' zegt ze.

Ik blaas met kracht mijn adem uit. 'Wie is het?' vraag ik.

'Hij heet James,' zegt Charlotte zonder te aarzelen.

James, denk ik. 'Hoe heb je hem leren kennen?' vraag ik.

'Op de universiteit,' zegt ze. 'Hoeveel vragen ga je me stellen?'

'Weet ik niet. Een paar. Welke universiteit?'

Het is even stil. 'Daar kan ik geen antwoord op geven,' zegt ze. 'Vraag maar iets anders.'

‘Hou je nog van hem?’ vraag ik, en ik weet zeker dat ze de trilling in mijn stem kan horen.

Ze aarzelt. ‘Ik weet het niet,’ zegt ze voorzichtig. ‘Ik hield wel veel van hem.’ Ze wacht even. ‘Ik was helemaal hoteldebotel van hem.’

Iets in haar stem doet me denken aan de manier waarop mensen praten over iemand die is overleden. Of aan iemand van wie ze heel lang geleden hebben gehouden; of van wie ze misschien nog steeds houden, in het geheim.

‘Weet hij waar je bent?’ vraag ik.

‘Nee.’

Dat antwoord is een hele opluchting. Ik vond het geen prettig idee dat hij daar ergens buiten ons gezichtsveld op haar zat te wachten, bij de B&B in de stad bijvoorbeeld.

‘Hij was prachtig,’ voegt ze er zachtjes aan toe.

Ik heb nog nooit iemand over een jongen of een man horen zeggen dat hij prachtig was. ‘Hoe ziet hij eruit?’ vraag ik.

‘Hij heeft pikzwarte krullen die over zijn voorhoofd vallen. Die strijkt hij telkens naar achteren – dat is een tic van hem. En groene ogen. Zijn voortanden zijn jackets, door het hockey spelen. Hij is niet erg lang.’

‘Wie is met de baby de sneeuw in gegaan?’ vraag ik, en ik laat mijn adem langzaam ontsnappen.

Op dat moment, terwijl ik daar zo op de trap zit, lijkt het alsof mijn toekomst van haar antwoord afhangt, of alles wat ik ooit over mensen zal weten of denken voor altijd afhangt van wat zij nu zegt.

Charlotte is een hele tijd stil. Ik steek mijn hoofd om

de hoek. Ze zit met haar rug tegen de muur en staart recht naar buiten.

'We waren het er allebei over eens dat we naar het motel zouden gaan,' zegt ze zorgvuldig.

Dat is niet het antwoord dat ik wilde horen, maar ik zeg niets. Ik heb mijn vragen gesteld en zij heeft ze beantwoord. Ik kom overeind, met slappe knieën. Ik druk mijn handen tegen mijn dijen om ze in bedwang te houden. Ik haal nog een keer diep adem en blaas uit.

'Oké,' zeg ik. 'Dan breng ik je er nu heen.'

De avond toen Clara werd geboren, verscheen mijn vader bij de deur van mijn kamer om te zeggen dat ik bij Tara zou gaan logeren. Ik had me wel vaag rekenschap gegeven van kleine verstoringen in het huishouden: commotie in de orde van sleutels die kwijt zijn, of een huisdier dat een ongelukje heeft gehad op het kleed – kleine rampen waar ik niets mee te maken wilde hebben. Clara bleek drie weken te vroeg te komen, en de plotselinge weeën kwamen voor mijn ouders volkomen onverwacht.

Ik lag op bed te lezen. Mijn vader was helemaal buiten zichzelf, zoals ouders doen die een kind niet aan het schrikken willen maken, maar zichzelf niet in de hand hebben. Hij trok kleren uit laden en stopte die in een papieren zak. Ik vertrok, in mijn pyjama en met mijn jas om me heen geslagen. Ik zei mijn moeder gedag, maar zij was al vertrokken, volkomen geconcentreerd op de aardbeving binnen in haar. Ik wilde een knuffel of een kus, en die had ik misschien ook wel gekregen als ik had aangedrongen, maar mijn vader, die zijn klusje wilde afmaken en weer terug wilde naar zijn vrouw, trok aan mijn mouw.

Mijn vader, anders altijd een ontspannen chauffeur,

greep het stuur stevig beet. Hij beantwoordde mijn vragen met de korte zinnetjes van iemand die er met zijn gedachten niet bij is. Van mijn huis naar Tara was maar anderhalve kilometer, maar de rit leek een eeuwigheid te duren. 'Wat is er?' vroeg ik. 'Gaat mama dood?'

'Nee. Er is niks aan de hand. Alles gaat prima.'

Toen we bij Tara waren, werd ik door de overdreven ontvangst van mevrouw Rice nog bezorgder. 'Als ik ook maar iets kan doen...' koerde ze tegen mijn vader, die zich snel uit de voeten maakte. Ik stond bij het raam en keek hoe mijn vader naar zijn Saab jogde. Hij reed als een woedende puber van de stoep weg. *Zou de baby doodgaan?* Terwijl ik jammerde stond Tara naast me, en ze beet haar nagels af tot op het leven. 'Stil maar,' zei mevrouw Rice, alvorens de Amerikaanse remedie bij alle mogelijke rampen voor te stellen. 'Wil je iets eten?'

Nog geen uur later was ik mijn verdriet al vergeten. Tara en ik bleven laat op en speelden Dungeons and Dragons met haar broer, en daarna sliepen we tot tien uur de volgende ochtend, Thanksgiving, uit. Dus toen ik in de keuken kwam en hoorde dat ik een nieuw zusje had en dat ze Clara heette, was ik nogal verbaasd.

Later zou ik de bijzonderheden horen. Mijn zusje, dat brulde om eruit te mogen, was in de lift geboren, tot groot afgrijzen van de ziekenhuismedewerker die mijn moeder in haar rolstoel naar de afdeling Verloskunde begeleidde. De medewerker liet de lift op de eerste de beste verdieping stoppen, riep om hulp, en mijn zusje werd ter wereld gebracht door een orthopeed in overhemd en das, die na een lange dienst in het ziekenhuis stond te wachten om naar huis en naar zijn gezin te kunnen. Iedereen was doodop, vooral mijn vader, die op zijn knieën was gevallen om zijn dochter op te vangen voor ze op de grond viel.

Mijn vader kwam me halen en ging met me naar het ziekenhuis. Hij was een andere vader dan de vader die me de avond daarvoor naar de familie Rice had gebracht. Hij floot onder het rijden en stuurde met één vinger, en hij vertelde het verhaal over de lift, terwijl hij steeds in zichzelf grinnikte alsof hij net een geweldige grap had verteld. Hij bracht me naar de kraamafdeling en wees aan wie mijn zusje was. Ik dacht dat hij zich vergiste. Ik controleerde de naam. Geen vergissing mogelijk. Op het bordje boven het wiegje stond BABY BAKER-DILLON.

Clara's hoofdje was misvormd en haar ogen waren ratachtige spleetjes. Als ze huilde kreeg haar huid rode en paarse vlekken. Ze zag er helemaal niet uit als de baby's in tijdschriften, en toen mijn vader zei: 'Wat is ze mooi, hè?' wist ik niet wat ik moest zeggen.

Ik mocht naar mijn moeder, die er bultig en opgeblazen uitzag. Ze zei mijn vader na – 'Heb je haar gezien? Wat is ze mooi, hè?' – en dat vond ik bijzonder verontrustend. Wat hadden mijn ouders? Zagen ze dan niet dezelfde dingen die ik zag? 'We hebben een Thanksgivingbaby,' kraaide mijn moeder.

Ik werd teruggebracht naar de familie Rice, waar ik mijn Thanksgiving-diner zou krijgen. Er zijn niet veel gebeurtenissen in het leven van een kind zo subtiel ontregelend als een officiële feestdag in een ander gezin te moeten vieren. Het eten deugde niet: de familie Rice zette erwten en salade en gegratineerde oesters op tafel, die ik voor de vulling aanzag en moest uitspugen – en de kindertafel stond in de keuken, met ter hoogte van mijn hoofd op het aanrecht een pan met stollende jus. Tijdens de hele maaltijd schoot steeds plotseling door me heen – als een restje van een nachtmerrie – dat ik een lelijk zusje had, een waarheid die mij verontrustte en me ook een stiekem gevoel gaf.

Mijn moeder en de baby mochten de volgende ochtend naar huis, en wederom kwam mijn vader me halen. Ik stopte mijn kleren in de gekreukte papieren zak en liep achter hem aan naar de auto. Hij zag witjes, asgrauw van vermoeidheid, en hij floot niet. Ik voelde me besodemieterd en verraden, stelde geen vragen en staarde naar buiten. Ik hoef dit niet leuk te vinden, hield ik mezelf steeds voor.

Toen we eenmaal binnen waren, gooide mijn vader zijn sleutels op het aanrecht. Ik zette mijn papieren zak neer en liet mijn jas op de grond vallen. Ik hoorde dat mijn moeder me vanuit haar slaapkamer riep.

'Ga maar naar haar toe,' zei mijn vader, die mijn terughoudendheid voelde.

Ik liep langzaam de trap op. Bij de slaapkamerdeur aarzelde ik. Mijn moeder had een zijden kimono aan die ze van mijn vader had gekregen, en ze zag er zacht en bultig uit. Haar haar zat in een paardenstaart, en ze had korte rode sokken aan. 'Kom binnen,' zei ze, en ze wenkte me naar zich toe. 'Kom bij ons op bed zitten.'

Ik klom op het hoge witte bed en knielde voor mijn

moeder neer. Ze had Clara, die sliep, in haar armen. Mijn zusje was al niet meer zo vlekkerig als de dag ervoor. Met haar mond, een tere en pruilende boog, maakte ze kleine kussende beweginkjes. 'Wil je haar vasthouden?' vroeg mijn moeder.

Ik wilde haar niet vasthouden, net zoals ik jaren later niet voor het eerst achter het stuur van een auto wilde zitten of een gletsjer wilde oversteken, vastgemaakt aan leidraad. Ik was bang; ik wist niet wat ik moest doen. Ik dacht dat ik Clara kon verstikken of kapotmaken. In elk geval zou ik mezelf voor schut zetten. Maar mijn moeder drong aan en moedigde me zachtmoedig aan. 'Toe maar,' fluisterde ze, alsof het feit dat ik de baby zou vasthouden een geheimpje tussen haar en mij was. 'Je kunt het best.'

Ik draaide me om en zette mijn rug schrap tegen het hoofdeinde. Mijn moeder liet de baby voorzichtig in mijn armen glijden. Clara was ingebakerd als een *papoose*, een indiaanse baby, en ik was op slag verbaasd over haar gewicht en haar warmte. Ze zag er helemaal niet meer uit als een rat, maar meer als een varkentje. Ze deed één oog open, keek me recht aan en deed het toen weer dicht. Ik moest lachen. Ik wist zeker dat ze zei: hé zus, tot later, als ik kan kijken en praten.

Mijn vader kwam binnen. Hij hield zijn fototoestel omhoog en maakte een foto. Al die tijd dat we in New York woonden stond de ingelijste foto op de schoorsteenmantel in de woonkamer. Toen we naar New Hampshire verhuisden, stond ik erop dat mijn vader hem uitpakte en op een plank in de studeerkamer zette.

Ik zie er giechelig uit op die foto, alsof ik net vanbinnen met een veer ben gekieteld.

Ik kleed me aan alsof ik me klaarmaak voor een tocht in Alaska. Ik leen Charlotte wanten en een sjaal en een betere muts, en verwacht elk moment dat mijn vader eraan komt, ons uitfoetert en me naar mijn kamer stuurt. Aan de leren laarzen van Charlotte kan ik niet veel doen. Zij heeft maat 40 en ik maat 38; mijn vader heeft maat 46. 'Dat maakt niet uit,' zegt ze. 'Die laarzen interesseren me niet.'

Zodra we buiten zijn geef ik haar een spoedcursus met sneeuwschoenen lopen. 'Het is heel simpel,' zeg ik. 'Je bindt ze om en je gaat lopen. Zo,' voeg ik eraan toe, en ik doe het voor.

'Ik weet hoe het moet,' zegt ze.

Charlotte klimt de sneeuwheuvel op en beweegt alsof haar benen blokken hout zijn die ze moet meeslepen. Ik zeg dat ze zich moet ontspannen en kijk ondertussen snel naar de schuur. Ik meen het geluid van een zaag te horen, of in elk geval hoop ik dat. We halen de bosrand zonder dat hij ons ziet. Ik kan me niet eens herinneren dat ik ooit het huis uit geglipt ben; de afgelopen tweeënhalf jaar kon ik toch nergens heen.

Als we eenmaal op een plek zijn gekomen waar we kunnen blijven staan om op adem te komen, hijgt Charlotte. Ze buigt zich voorover en legt haar handen op haar knieën, als een hardloper na een marathon. Ik vraag haar wel vijf keer of het gaat, en uiteindelijk zegt ze dat ik daarmee moet ophouden, dat het best gaat. Ik weet dat als mijn vader ons betrapt (ik weet eigenlijk al dat het 'wanneer' moet zijn en niet 'als'), de meest flagrante overtreding niet zal zijn dat ik Charlotte naar de plek heb gebracht waar haar baby aan haar lot was overgelaten, maar vooral dat ik met die tocht haar leven in gevaar heb gebracht. Ik vertrouw erop dat Charlotte, iemand die ik nauwelijks ken, me zal waarschuwen als ze echt in de problemen komt.

'Weet je zeker dat het gaat?' vraag ik.

'Heel zeker.'

De sneeuw die van de dennentakken boven ons losraakt, valt in een fijne regen neer. Charlotte begint te transpireren. Ze maakt de sjaal los en ritst haar jack tot aan haar buik open. Haar spijkerbroek is tot aan haar knieën nat, en ik geloof niet dat ik wil weten hoe haar leren laarzen eraan toe zijn. Ik voel iedere voetstap als een stap dichter naar een ramp toe, maar trots of onvermijdelijkheid of gewoon voortstuwende kracht houdt me gaande.

Na een tijdje denk ik niet meer aan een ramp, mijn vader en Charlotte, en concentreer ik me op de koers. Ik zie het pad duidelijk voor ogen; het aan de hand van de bosgrond vinden is een heel ander verhaal. Ik herken een rotsige steenlaag en zie de plek waar mijn vader en ik naar rechts zijn gegaan, maar daarna ga ik meer op mijn intuïtie dan op kennis af. Klommen we toen we rechts om de berg heen gingen? Ik probeer het me te herinneren en wou dat ik tijdens onze tweede wandeling naar de plek, op de dag dat we rechercheur Warren tegen het lijf gelopen zijn, beter had opgelet.

Charlotte en ik ontwikkelen een bepaalde routine. Ik loop dertig meter, draai me om om te zien of ze achter me is, en wacht tot ze bij is. Ze ziet er niet zo onhandig uit als toen we net vertrokken, en ze komt beter vooruit. Terwijl ik op haar wacht, dringen beelden van de ramp zich aan me op, maar ik duw ze weg. Ik realiseer me nu dat het feit dat ik Charlottes gezondheid in gevaar breng niet de ergste misdaad is waarvan mijn vader me zal beschuldigen. De ergste misdaad zal zijn dat ik verdwaal en dat anderen genoodzaakt zijn ons te gaan zoeken. Áls ze ons al kunnen vinden.

We lopen tot we op een open plek komen die ik nog niet eerder heb gezien. Ik probeer me ervan te overtuigen dat mijn vader en ik daar tijdens onze wandelingen hiervoor gewoon langs zijn gelopen, maar ik weet dat dat niet zo is. Ik vind het bijna net zo vervelend om tegen Charlotte te moeten zeggen dat ik de verkeerde afslag heb genomen als om het aan mezelf te moeten toegeven, maar er zit niets anders op.

Charlotte zegt niets; ze is te erg buiten adem.

'We vinden het wel,' zeg ik.

We volgen ons spoor terug, dat gemakkelijk te vinden is in de maagdelijke sneeuw. Op het oppervlak staan minuscule V's van de ondiepe afdruk van vogelpootjes, en zo nu en dan zie ik de kleine schampplekken van een rennend dier. De uitdaging is nu natuurlijk om de plek te vinden waar ik verkeerd ben gegaan. Ik loop langzaam, als een jager, bestudeer elke boom, iedere laaghangende tak om te zien of er iets afgebroken is, maar de struiken die mijn vader en ik wellicht hebben geraakt zijn grotendeels bedekt met sneeuw. Het is net alsof Charlotte en ik boven de bosgrond zweven.

Ik heb al aan mezelf toegegeven dat het mislukt is, maar nog niet aan Charlotte, en dan zie ik in de verte een piepklein vlekje frambozenrood. 'Wacht hier,' zeg ik.

Ik loop zo snel ik kan. Als ik binnen tien meter van de roodachtige kleur ben, zie ik dat het het voorwerp is waarop ik had gehoopt: mijn muts, die ik die eerste avond ben kwijtgeraakt. Hij zit in een wirwar van struiken vast, en is daar wellicht door de wind van gisteravond in geblazen. Misschien geeft het niet precies aan waar het pad loopt, maar ik weet dat het nu niet ver kan zijn. Ik roep naar Charlotte dat ze naar me toe moet komen.

Ik pak mijn muts uit de struik. Ik ben blij dat ik hem weer heb. Ik vind het vervelend om iets kwijt te raken wat ik zelf heb gebreid.

'Mijn muts,' zeg ik tegen Charlotte als ze bij me is. 'Het pad moet hier ergens vlakbij zijn.'

Het spoor dat mijn vader en ik hebben gemaakt door twee keer heen en weer te gaan, heeft een flauwe indruk gemaakt, alsof er een beekje onder de sneeuw stroomt. Ik gebaar naar Charlotte dat ze me moet volgen. Ik blijf op het gedempte spoor lopen. We lopen nog een kwartier en dan zie ik in de verte een veelbetekenend stukje oranje tape.

Ik wacht tot Charlotte bij is. 'Daar is het,' wijs ik.

Charlotte blijft even staan en probeert haar ademhaling te kalmeren. Ik wacht om te kijken wat ze gaat doen. Mijn taak zit erop. Ik ben alleen de gids maar. Ik hoef haar nu alleen nog maar de weg naar huis te wijzen.

Charlotte loopt naar voren en ik loop achter haar aan – onze positie is nu omgekeerd. Een windvlaag doet de toppen van de dennen buigen en er valt een lading stuifsneeuw op de grond.

Charlotte glipt onder het oranje tape door.

De voetafdrukken met hun contouren van rode verf zijn weggevaagd. De berg sneeuw kan net zo goed een leger van een gravend dier zijn. Ik wil er niet aan denken hoe een baby hier nu onder de sneeuw had gelegen, alsof ze onder een stapel dekens lag.

Charlotte loopt naar het midden en knielt. Ze heeft de paars met wit gestreepte muts op die ik haar gegeven heb; de wanten heeft ze al uitgetrokken. In de sneeuw knielen met sneeuwschoenen aan is op z'n best onhandig te noemen. Ze buigen haar voeten en drukken in haar onderrug.

Ze schept sneeuw op en brengt hem naar haar gezicht. Ze bedekt haar mond, neus en ogen ermee. Het lijkt wel of ze de sneeuw daar minutenlang tegenaan houdt. Hij begint te smelten door de warmte van haar gezicht en druppelt van haar kin. Ze huilt, haar schouders schokken. Ze maakt een snelle katachtige beweging en gaat boven op de sneeuw liggen, met haar gezicht naar beneden.

Ik sta buiten de afzetting. Als ze al een tijdje niet bewogen heeft, roep ik haar: 'Charlotte?'

Ze komt op haar knieën overeind en begint op de sneeuw te slaan. Eerst met haar rechterhand en dan met haar linker. Rechts, links. Rechts, links. Rechts, links. Boze halen, vergezeld van woorden die ik eerst niet kan verstaan. Ik denk dat ze alleen maar kreunt of huilt, maar dan hoor ik het woord 'stom'. En daarna de woorden 'kon ik'. Ze buigt zich voorover en slaat als een bezetene op de sneeuw. Ik hoor haar zeggen 'god, god, god'.

Hier was ik niet op voorbereid. Ik had me een rustig tafereel voorgesteld, bevredigend en heilzaam. Niet deze razernij. Niet dit radeloze verdriet.

Charlotte draait zich om en gaat in de sneeuw zitten, met haar benen naar één kant en met haar handen achter zich ondersteunt ze zichzelf. Haar gezicht is vuurrood en nat.

Ik wacht en voel me hulpeloos als nooit tevoren.

'God,' zegt ze. Niet tegen mij, en niet tegen welke god waarin ze al dan niet gelooft ook. Ze tilt haar gezicht op naar de hemel.

Ze buigt zich voorover en slaat haar armen voor haar borst over elkaar. Ze buigt haar hoofd, alsof ze zich voor de wereld afsluit. Zo blijft ze vijf, misschien tien minuten zitten zonder zich te bewegen.

'Charlotte?' vraag ik.

Ze kijkt op en lijkt verbaasd mij daar te zien. Ze strijkt haar haar uit haar gezicht.

'We kunnen maar beter teruggaan,' zeg ik.

Ze komt moeizaam overeind. Ze struikelt over de sneeuwschoenen. Ze verlaat de afzetting en glipt onder de tape door. Ik zie dat ze de paars met witte muts laat liggen, maar vraag haar niet terug te gaan om hem te pakken.

'Loop jij nu maar voorop,' zeg ik. 'Het spoor is gemakkelijk te volgen. Ik zeg het wel als je verkeerd gaat.'

Haar gezicht is geschramd en gekloofd. De blauwe plek op haar kin, waar ze tegen de hoek van de tafel is gekomen, wordt al geel en groen. Ze ziet eruit alsof ze een pak slaag heeft gehad. Ik ga onder de tape door om de muts te pakken en stop die in mijn zak. Terwijl ik achter haar aan ga kijk ik naar de rug van haar blauwe parka. Ze veegt haar neus aan haar mouw af, maar dat zal niet veel helpen. Ik denk aan haar geschramde gezicht en ben bang dat haar gezicht bevroren is geraakt toen ze het in de sneeuw duwde.

Charlotte loopt langzaam, en het kost me moeite niet op haar sneeuwschoenen te trappen. Maar ik wil niet voorop gaan, want ik ben bang dat ze dan zomaar gaat liggen of afdwaalt. Ik verbaas me over haar woede en verdriet. Was die woede tegen haarzelf gericht of tegen de man die de baby daar heeft achtergelaten? Nee, geen man, maar een jongen. Iemand van de universiteit. Een student, net als zijzelf. Ze is pas negentien. Is een negentienjarige een meisje of een vrouw? Een jongen of een man?

Op de plek waar ik verkeerd ben gegaan, roep ik naar haar en vertel ik haar welk pad ze moet volgen. Ze is een robot op bamboe, die voorwaarts gaat omdat er geen ander alternatief is. Als ze blijft staan gaat ze liggen en krult ze zich op in de sneeuw, en dan krijg ik haar nooit meer overeind. Ze struikelt een keer en steekt haar handen uit om haar val te breken. Ze schaaft haar handpalmen aan de ruwe bast van een den.

'Doe je wanten aan,' zeg ik.

Als we halverwege zijn realiseer ik me dat ik honger heb. Sinds het ontbijt heb ik nog niks gegeten, en toen heb ik ook al nauwelijks iets genomen. Ik voel in mijn zak of er een stukje kauwgum of een verkruimelde cracker in cellofaan in zit, over van het overblijven op school. Charlotte blijft voor me staan en ik trap op de achterkant van haar sneeuwschoenen.

'Wat is er?' vraag ik.

Als ze niets zegt kijk ik langs haar heen. In de verte zie ik een beige gestalte bewegen.

'Verdomme,' zeg ik.

Ik loop vooruit naar mijn vader toe, want ik weet dat hij nog bozer zal zijn als hij genoodzaakt is naar ons toe te komen. We treffen elkaar op het pad, met onze sneeuwschoenen aan. Zijn woede is beklemmend en overweldigend.

'Waar ben jij in godsnaam mee bezig?' vraagt hij met zijn bijna bevroren mond.

'Ik wilde alleen...'

'Heb je enig idee wat je gedaan hebt?' onderbreekt hij me. 'Ze had wel weer flauw kunnen vallen. Jullie hadden kunnen verdwalen. Jullie hadden allebei wel dood kunnen gaan.'

Ik herken het verwrongen gezicht van mijn vader nauwelijks. Hij wijst in de richting waar hij vandaan is gekomen. 'Je gaat zo snel je benen je kunnen dragen naar huis,' zegt hij. Hij kijkt langs mij heen naar Charlotte. 'En wat jou betreft...' begint hij.

Maar Charlottes gehavende gezicht legt hem het zwijgen op. De krassen zijn nu duidelijker te zien en haar ogen zijn dik.

'Wat is er gebeurd?' vraagt hij.

Charlotte en ik geven allebei geen antwoord. Ik weet niet eens hoe ik zou moeten beschrijven wat er zich in de oranje cirkel heeft afgespeeld. Ik weet, zoals iemand op zijn twaalfde, elfde of tiende weet, dat ik getuige ben geweest van iets waar ik geen getuige van had moeten zijn, dat ik iets gezien heb wat ik niet had moeten zien. Ik weet nu al dat ik het beeld van Charlotte die als een bezetene op de sneeuw sloeg nooit meer kwijt zal raken.

Ik loop tussen de bomen door en weet dat mijn vader op Charlotte zal moeten wachten. Ik wil niet te horen krijgen dat ik naar mijn kamer moet gaan. Ik ga er uit mezelf wel heen en dan ga ik in bed liggen en trek de dekens over mijn hoofd. Met een beetje geluk val ik in slaap en herinner ik me wanneer ik wakker word niets meer van het afgelopen uur.

Het pad is gemakkelijk te volgen: drie mensen hebben het met hun sneeuwschoenen platgetrapt. Mijn vader heeft in zijn woede de diepste afdrukken gemaakt. Voor ik bij het huis ben begint het weer te sneeuwen.

Het begin van een sneeuwbui heeft me altijd verbaasd. Eerst zijn er hier en daar een paar piepkleine vlokjes in de lucht, zodat ik niet eens zeker weet of het wel sneeuwt of dat de wind die van de takken van de bomen blaast. Dan volgt een zachte en allesdoordringende bui die op de sneeuw in een film of op een kerstkaart lijkt.

Ik heb nog geen kwartier gelopen, bij Charlotte en mijn vader vandaan, of het voelt al alsof ik in een sneeuwstorm vastzit. Ik overweeg op het pad te wachten, voor het geval de sneeuw de sporen bedekt voor mijn vader en Charlotte het punt bereikt hebben waar ik nu sta, maar dan bedenk ik dat mijn vader de weg vast wel weet.

Ik wil niet aan hun zwijgzame tocht denken, met Charlotte voorop en mijn vader in de achterhoede: twee vreemden in het bos.

Als ik thuis ben maak ik de gespen van mijn sneeuwschoenen los, ga naar binnen, pak een pak chocoladekoekjes uit een keukenkastje en ga snel naar boven naar mijn kamer. Ik laat mijn natte en doorweekte kleren op de grond vallen, tot ik alleen mijn ondergoed nog aanheb. Ik kijk in de spiegel boven het bureau en zie dat mijn gezicht rood uitgebeten is en dat mijn haar in slierten om mijn hoofd hangt. Ik loop naar het bed, ga op de rand zitten en prop de koekjes in mijn mond.

Kauwend en wel ga ik liggen en trek de dekens op tot aan mijn kin. De wereld ziet er door het raam ondoorzichtig uit. Ik hoor een deur open- en dichtgaan, en laarzen op de mat in de gang stampen. De deur gaat nog een keer open en dicht, en daarna hoor ik alleen kousenvoeten de trap opgaan. Ik hoor de deur van de logeerkamer kraken, daarna nog meer voetstappen de trap op, dit keer zwaarder dan de eerste. De deur van mijn vaders slaapkamer valt dicht. Ik lig in mijn bed en luister, maar alles is stil.

Ik word wakker doordat er op mijn deur wordt geklopt. Het lijkt wel kouder in mijn kamer dan het zou moeten zijn. Ik kom op mijn ellebogen overeind. Ik zie dat het buiten donker is.

'Nicky,' zegt mijn vader.

'Wacht even.'

Ik gooi de dekens opzij, gris mijn badjas van de achterkant van de deur en trek hem aan. Ik bind de ceintuur dicht en doe de deur open.

Mijn vader staat op de gang, die donker is. Hij houdt een zaklamp op de grond gericht, en ik kan net zijn gezicht zien.

'De stroom is uitgevallen,' zegt hij.

'Hoe laat is het?'

'Zeven uur. Kleed je aan en kom naar beneden naar de studeerkamer. En maak haar wakker en zorg dat ze ook beneden komt.' Mijn vader weigert nog steeds haar naam uit te spreken. 'En, Nicky...'

'Ja?'

'Waag het niet om ooit nog... en dan bedoel ik ook ooit nog... zo'n stunt uit te halen.'

Ik concentreer me op de lichtvlek op de grond.

'Als het een halfuur langer had geduurd had ik jullie niet meer kunnen vinden,' zegt hij. De woede is uit zijn stem verdwenen, maar de ouderlijke berisping niet.

'Het spijt me,' zeg ik.

'Dat mag ik hopen,' zegt mijn vader in het donker.

Ik moet aan Charlottes schouder schudden om haar wakker te krijgen. Ze slaapt met haar gezicht tegen het kussen gedrukt en haar mond een beetje open. Vlak voor ik haar aanraak vraag ik me af waarover ze droomt. Over haar vriendje, dat James heet? Over baby Doris voor ze baby Doris was? Of zijn haar dromen specifieker en angstaanjagender: over een baby die onder een berg sneeuw ligt?

'De stroom is uitgevallen,' zeg ik, wanneer ze overeind

komt. 'We moeten naar beneden naar de studeerkamer. Daar is een open haard.'

Ze maakt een gedesoriënteerde indruk. 'Hè?' vraagt ze.

'Kleed je warm aan,' zeg ik.

'Hoe laat is het?'

'Zeven uur. Op dit tafeltje staat een zaklamp. Die moet je gebruiken. Vooral op de trap.'

Als ik in de studeerkamer kom, brandt er een vuur in de open haard. Er zijn een stuk of vijf kaarsen aangestoken en op een zijtafeltje en op de salontafel gezet. Ik weet van eerdere keren dat ik veel kleren moet aantrekken. Ik heb twee truien aan, een lange onderbroek onder mijn spijkerbroek en twee paar sokken. Ik hoor mijn vader in de keuken. Ik ga naar het raam en tuur naar buiten naar de sneeuw. De storm is gaan liggen en het wolkendek breekt open. In het westen staan de sterren en de maan. Ik hou van maanlicht op de sneeuw, van het vloeibare blauw van een geboetseerd landschap. Naast de bank liggen twee opgerolde slaapzakken. Normaal gesproken zijn die voor mijn vader en mij, en gaan we daarin 's nachts dicht bij het vuur liggen, maar ik neem aan dat ze nu voor Charlotte en mij zullen zijn. Mijn vader zal niet in dezelfde kamer als Charlotte gaan slapen, dat weet ik zeker.

Mijn vader komt de studeerkamer binnen. 'Komt ze?' vraagt hij.

'Ja.'

'Die trui is voor haar.' Op de armleuning van de bank ligt een dikke grijze trui opgevouwen.

'Wat ben je aan het maken?' vraag ik.

'Roerei met spek.'

Mijn vader kan zich in de keuken wel warm houden door het gasfornuis aan te steken. Waarschijnlijk gaat hij daar slapen, bedenk ik nu.

Ik kniel voor het vuur en stop er stukjes aanmaakhout in. Op de houten vloer zitten twee schroeiplekken, waar vonken zijn neergekomen toen er een houtblok omviel. De open haard is aan de binnenkant zwartgeblakerd van het roet uit de schoorsteen.

Charlotte verschijnt in de deuropening. Ze heeft haar roze vest strak over haar borst getrokken. Haar haar is net geborsteld en haar huid ziet er rozig uit in het licht van de open haard.

'Mijn vader is eten aan het maken,' zeg ik. 'Heb je honger?'

'Ja.'

'Ik ook. Ik barst van de honger.'

Charlotte gaat op de bank zitten met haar armen voor haar borst over elkaar geslagen.

'Wat is er op de terugweg gebeurd?' vraag ik. 'Heeft mijn vader iets gezegd?'

'Nee,' zegt ze.

'Geen woord?'

'Niets.'

'Wauw,' zeg ik – mijn algemene antwoord op alle mededelingen. Mijn hand veegt langs de zoom van haar spijkerbroek. 'Hij is nat,' zeg ik.

'Alleen een beetje vochtig.'

'Je bevriest nog.'

'Het gaat best.'

'Wacht maar even.'

Ik ga naar boven naar de kamer van mijn vader. Ik zoek een stapel schoon wasgoed, die zich alleen van de vuile was op de grond onderscheidt door het feit dat de schone kleren opgevouwen zijn. De broek van mijn vader is Charlotte natuurlijk veel te groot.

'Die kan ik niet aantrekken,' zegt Charlotte, als ze ziet wat ik voor haar heb gehaald.

'Jawel,' zeg ik vlak. Ik ben niet voor niets de dochter van mijn vader. 'Trek aan. Hier heb je een riem. En die trui is ook voor jou. Die is warmer dan jouw vest.'

Charlotte aarzelt en komt dan overeind. Ze pakt de kleren en loopt naar de voorkamer.

'Hang je spijkerbroek uit, zodat hij kan drogen,' roep ik, 'aan een deur of zo.'

Ik zet de dienbladen neer en schenk de melk in, waarbij ik de koelkast open- en dichtdoe alsof er een wild dier in zit dat wil ontsnappen. Mijn vader komt met het roerei. Het water loopt me in de mond van de sterke geur van het spek.

Ik balanceer met twee bladen in mijn handen; Charlotte zit op de bank – het is al snel haar vaste plekje aan het worden. Ze heeft de onderkant van de spijkerbroek omgeslagen en heeft de trui van mijn vader over haar eigen roze vest heen aan. Ze ziet eruit alsof ze voor hem wil doorgaan op een Halloween-feestje. Ik zet het dienblad voor haar neer. Ze bekijkt het, maar maakt geen aanstalten een hap te nemen.

Mijn vader komt binnen met zijn eigen blad en de lantaarn, en hij schrikt zichtbaar als hij Charlotte met zijn kleren aan ziet. In het licht van de lantaarn zien de ramen er zwart en spiegelend uit. Ik zie mijn eigen gezicht vervormd in het oude glas.

Charlotte heft haar vork op en neemt een bescheiden hap. Ik weet dat ze net zo'n honger moet hebben als ik, maar haar gebaren zijn stijf en formeel. Ik ben minder bescheiden, en als de stroom niet was uitgevallen of als mijn vader niet zo'n pijnlijk stijve stilte in acht nam, zou hij me bijna zeker gezegd hebben dat ik niet zo moest schrokken.

Wanneer ben je een gezin, vraag ik me af. Mijn vader en ik zijn technisch gesproken een gezin, maar het is een woord dat geen van ons ooit zal gebruiken. Ja, we zijn vader en dochter, maar omdat we ooit leden van een gezin waren dat uiteengerukt is, beschouwen we onszelf nu als een half gezin of als een schaduwgezin. Terwijl we daar zo zitten met ons dienblad op onze schoot, heb ik echter het gevoel, of misschien beeld ik het me alleen maar in, dat we een 'gezin' zijn, bestaande uit mijn vader, Charlotte en ik.

Ik beeld het me in omdat ik het wil. Ik wil een oudere zus die geen vervanging is voor mijn moeder of Clara, maar juist iets ertussenin. Iemand die zegt hoe ik mijn haar moet doen, wat ik tegen een jongen moet zeggen of die bijvoorbeeld weet wat ik moet aantrekken. Mijn vader, Charlotte en ik zijn geen bloedverwanten, maar we zijn met elkaar verbonden door een persoon wier aanwezigheid in de kamer hangt, iemand die net zo goed in het midden van de kamer op warme, zachte kussens zou kunnen liggen.

'Lekker,' zegt Charlotte.

Mijn vader schokschoudert.

De telefoon gaat – een wreed geluid dat hier niet hoort. Ik vergeet altijd dat als de stroom uitvalt, de telefoon het nog wel doet. Heel even verroeren we ons geen van allen. Ik denk aan rechercheur Warren. Ik spring op. 'Ik neem hem wel,' zeg ik.

Tot mijn opluchting hoor ik Jo's stem aan de andere kant. 'Hallo,' zeg ik.

'Wat ben je aan het doen?' vraagt Jo.

'Aan het eten.'

'Ik verveel me dood.'

Ik kijk snel de studeerkamer in. Jo zou zich lang niet zo vervelen als ze wist dat de moeder van de in de steek gelaten baby tegenover mijn vader zat.

'Ik baal van die storm,' zegt Jo.

'Ja.'

'We zouden naar de film gaan voor het begon.'

'Met wie?'

'Met mijn nichtjes. Je komt toch nog wel skiën?'

'Ja.'

'Wat heb je de hele dag gedaan?'

Ik ben met de moeder van de in de steek gelaten baby het bos in gegaan en heb toegekeken terwijl zij helemaal door het lint ging.

'Niets,' zeg ik. 'Een paar cadeautjes ingepakt.'

'Ik ook.'

'Ik moet eigenlijk ophangen,' zeg ik. 'Bel je me later nog?'

'Oké,' zegt Jo.

Ik hang op. Ik blijf even in de keuken staan. Ik eet nog een stukje spek. Als ik terugkom in de studeerkamer heeft Charlotte haar bord leeg; ze zit stijfjes rechtop, alsof ze op instructies wacht. Mijn vader eet zijn bord leeg.

Charlotte komt overeind en neemt het blad van mijn vader van hem aan en schuift het onder dat van haar. Ze loopt naar de keuken en ik kijk haar na.

'Wat had Jo?' vraagt mijn vader.

'Niets,' zeg ik. 'Ik begrijp niet waarom je dat doet.'

'Waarom ik wat doe?' vraagt mijn vader, hoewel hij best weet wat ik bedoel.

'Waarom je niet tegen Charlotte praat. Ik begrijp het niet. Ga je er soms dood van als je tegen haar praat?'

'Ik ken haar nauwelijks,' zegt mijn vader.

'Ze wil hier niet komen wonen, hoor,' zeg ik. 'Ze zegt voortdurend dat ze weg wil.'

'En zodra de weg weer vrij is, gaat ze ook,' zegt mijn vader, en hij komt overeind. 'Het is niet voor de gezelligheid.'

'Wat weet jij nou van gezelligheid?' zeg ik vinnig.

Als ik in de keuken kom, staat Charlotte de borden schoon te schrapen. Ik zet de lantaarn op het fornuis. Charlottes haar ziet er roodachtig goud uit in het licht.

'Kun je schaken?' vraag ik.

'Niet echt,' zegt ze.

'Heb je zin om marshmallows te roosteren?'

'In het vuur?'

'Ja.'

'Eh... niet echt. Maar ga jij vooral je gang,' zegt ze.

Ik herinner me hoe ziek ik gisteren was. Ik hoor mijn vader buiten sneeuwruimen.

'Maar als je een ander spel hebt of zo, dan doe ik wel met je mee,' voegt ze eraan toe.

'Wat deed je anders altijd 's avonds?' vraag ik. 'Toen je nog bij James woonde?'

Ik heb de vraag nog niet gesteld, of ik schaam me. Waarschijnlijk lagen ze de hele avond te vrijen.

'Hij kwam altijd laat thuis van zijn practica. Dan aten we. Daarna luisterden we soms een tijdje naar muziek. Dan ging hij studeren. En ik las wat of keek tv. Soms breide ik.'

'Brei jij?' vraag ik verbaasd.

Ze knikt.

'Ik brei altijd,' zeg ik, nauwelijks in staat mijn opwinding voor me te houden. 'Die muts die je vandaag op had, hè, die paars met witte? Die heb ik ongeveer een jaar geleden gebreid.'

'Te gek,' zegt ze.

'Ik heb nog nooit iemand ontmoet die breit. Behalve dan oude dametjes. Marion van de winkel breit ook.'

'Wie heeft het je geleerd?'

'Mijn moeder.'

'Ik heb het van mijn oma geleerd,' zegt Charlotte. 'Zij heeft me leren breien en schilderen en naaien. Ze stond er vroeger ook op dat ik alleen maar Frans tegen haar sprak.'

'Heb je het niet van je moeder geleerd?' vraag ik.

'Mijn moeder heeft altijd in de fabriek gewerkt.' Charlotte zet alle vuile borden in de gootsteen. Ze veegt de dienbladen af en zet die boven op de koelkast. ''s Zomers zaten James en ik in de achtertuin. Van de huisbaas mocht ik een tuintje aanleggen. Ik had wat groenten, maar vooral bloemen.'

Mijn vader heeft de oven op tweehonderd graden gezet, en dat is genoeg om de keuken te verwarmen, maar er zijn geen stoelen om op te zitten. Ik ga terug naar de studeerkamer, maar dan komt mijn vader net binnen met een lading hout. Hij legt het zonder een woord te zeggen naast de haard neer en gaat weer naar buiten. Even later komt Charlotte bij het vuur bij me zitten.

'In welk jaar zit je?' vraag ik.

'Tweede jaar,' zegt ze.

'Ga je niet terug?' vraag ik.

'Nee,' zegt ze. 'In elk geval niet naar die universiteit.'

'Omdat hij daar misschien ook is?'

'Hij hockeyt. Daar heeft hij een beurs voor gekregen.' Ze wacht even. 'Hij wil geneeskunde gaan studeren.'

'Wauw,' zeg ik, en ik pluk aan het kleed.

'Daarom mocht ik het aan niemand vertellen,' zegt ze.

'Heeft niemand het dan gezien?'

'Ik droeg losse sweatshirts en joggingbroeken,' zegt ze. 'Ik had maar één werkgroep en daar ben ik mee gestopt. De rest waren hoorcolleges in collegezalen. Daar ben ik uiteindelijk ook mee gestopt.'

'Maar zeiden je vriendinnen of je kamergenoot dan niets?'

'Ik was de hele tijd bij James. Ik zag mijn kamergenoot bijna nooit. Misschien dacht ze gewoon dat ik dikker was geworden, ik weet het niet. Ik ben over de hele linie aangekomen. Je zou het waarschijnlijk niet zeggen als je me zo ziet, maar normaal ben ik heel mager.'

Ik kan het me niet voorstellen. Charlotte ziet er prima uit zoals ze is.

'Het zou waarschijnlijk wel zijn gaan opvallen, ware het niet dat de baby te vroeg geboren is,' zegt ze. 'Een maand te vroeg, geloof ik.'

'Weet je dat niet?' vraag ik.

'Niet precies.'

'Wist je familie niet dat je zwanger was?'

'Mijn ouders zouden me hebben vermoord. Die zijn streng katholiek. En mijn broers – ik moet er niet aan denken wat mijn broers gedaan zouden hebben.' Ze schudt één keer snel haar hoofd. 'Ik weet dat het moeilijk te begrijpen is,' zegt ze, en ze kijkt me recht aan. 'Maar ik had mezelf min of meer aan hem overgeleverd. Aan James.'

'Echt waar?'

'En, weet je, Nicky...'

'Ja?'

'Ik wilde de baby. Ik wilde het heel graag.'

'Hoe voelde het?' vraag ik.

Ze houdt haar hoofd scheef en kijkt me onderzoekend aan. 'Je hebt niemand met wie je over dit soort dingen kunt praten, hè?'

'Nee.'

'Aan je vader kun je het niet vragen.'

'Nee.'

'Een vriendin?' vraagt ze.

Ik denk aan Jo, de vikinggodin. 'Ik denk niet dat zij meer weet dan ik,' zeg ik.

Charlotte brengt haar knieën naar haar borst en slaat haar armen eromheen. Die houding moet haar echter pijn doen, want ze legt haar benen onmiddellijk naar één kant. 'Het is nergens mee te vergelijken,' zegt ze.

De wereld buiten ons huis is stil – geen geronk van motoren, geen gekreun van het fornuis, alleen het knapperende haardvuur. Zo nu en dan hoor ik door het raam een schep tegen de sneeuw schrapen.

'Je weet dat er iets is; ik zal niet zeggen dat er iets mis is, maar dat het anders is,' zegt ze. 'Meteen. Eten smaakt niet.' Ze raakt haar hals aan. 'Je hebt hier een soort metaalachtige smaak. Dingen waar je heel erg van hield ruiken vies. En je borsten doen pijn. Die worden groot en gevoelig. En dan realiseer je je dat je niet ongesteld bent geworden toen dat wel had gemoeten. Dus toen heb ik een test gekocht. Bij een drogist. En ja hoor, daar was hij. De roze donut.'

Ik geloof dat ik wel weet wat er met de roze donut wordt bedoeld.

'Ik heb nog een paar weken gewacht en het toen aan James verteld. Toen voelde ik me inmiddels al niet zo lekker. Ik was misselijk, maar niet alleen 's ochtends. Het is een soort hoofdpijnachtig, misselijk gevoel.'

'Dus toen heb je het hem verteld?' vraag ik.

'Ja,' zegt ze.

'En wat zei hij?'

'In het begin was hij geschrokken en vroeg hij telkens hoe het had kunnen gebeuren. We waren altijd vrij voorzichtig geweest.' Ze kijkt even naar me om te zien of ik begrijp wat 'voorzichtig zijn' betekent. Ik knik, hoewel de details me enigszins ontgaan.

'Hij liep voortdurend door de kamer te ijsberen,' zegt ze. 'Soms zei hij dan: "Wat moeten we doen?" en dan vroeg hij hoe het met me ging. Hij was er niet blij mee. Ik denk dat hij zijn hele leven de mist in zag gaan.'

Ik heb nu nog een grotere hekel aan James dan ik al had. 'Maar jouw leven dan?' vraag ik. 'Interesseerde dat hem niet?'

'Jawel,' zegt ze, 'natuurlijk interesseerde dat hem. Hij zei niet dat ik de baby moest laten weghalen. Hij is ook katholiek, en ik denk dat hij zo ook wel begreep dat hij me dat niet moest vragen. Maar hij had het er wel over dat we de baby moesten afstaan zodra hij geboren was. Hij zei telkens: "We gaan dit rustig regelen."' Ze wacht even en kromt haar rug. Ik heb het gevoel dat ze er pijn aan heeft. 'De ochtendmisselijkheid gaat over en dan voelt het... Het voelt gewoon... geweldig, ik kan het niet uitleggen. Je voelt de baby schoppen,' zegt ze. 'Dat is een kriebelend gevoel vanbinnen, als gasbelletjes die in het rond bewegen. Maar dan anders. Alles is anders dan wat je daarvoor ooit gevoeld hebt. En je voelt je vol. Gewoon vol.' Ze glimlacht. 'Ook al heb je voortdurend honger. Ik had vooral ontzettend trek in donuts. Met niks erop, de gewone, maar dan warm, met een knapperige buitenkant. Daar dronk ik dan melk bij.'

Charlotte strekt haar benen voor zich uit en leunt naar achteren, waarbij ze op haar ellebogen steunt. Ze gaapt. 'Voor jou wordt het heel anders,' zegt ze, en ze kijkt naar me. 'Voor jou wordt het geweldig en volmaakt, en zonder slechte afloop. Dat weet ik zeker.'

Charlotte gaapt weer. 'Bedankt dat je me ernaartoe hebt gebracht,' zegt ze. 'Het spijt me dat je vader boos op je is geworden.'

'Dat maakt niet uit,' zeg ik. 'Dat gaat wel weer over.'

Ik ga opzij van het vuur zitten en pook er zo nu en dan in om de vlammen feller te laten branden. Ik doe er nog een blok op. Ik bedenk dat ik de ketting voor mijn oma nog moet afmaken.

Ik pak de zaklamp en sta op. 'Ik moet naar mijn kamer,' zeg ik tegen Charlotte, 'om mijn kralen te halen.'

Charlotte gaapt weer. 'Ik word slaperig van dat vuur.'

Ik zou zonder zaklamp ook de weg wel vinden, maar ik gebruik hem toch. Ik vind de schoenendoos met kralen en veter en neem hem mee naar de studeerkamer. Ik zet hem naast de haard, zodat ik de kralen in het licht van het vuur kan zien. Ik rommel wat in de doos op zoek naar een knijpkraal.

'Mooi is die,' zegt Charlotte.

'Hij is voor mijn oma.'

De ketting heeft zes ronde zwarte Keniaanse kralen met in het midden een geboetseerde hanger.

'Die zou ik nog wel willen dragen,' zegt Charlotte. 'Jij hebt vast een heel hippe oma.'

Charlotte kijkt toe terwijl ik met de knijpkraal in de weer ben – altijd het moeilijkste deel van een ketting maken. 'Deze veter moet in dit dingetje hier,' zeg ik, 'en dan moet ik het over de veter dichtklemmen, zodat hij niet loslaat. Dan zit hij vast.'

'O,' zegt ze.

Ik laat het uiteinde van de dunne veter in de knijpkraal

glijden. Die druk ik dan met een tangetje plat. Als ik klaar ben, trek ik aan de veter om te controleren of hij wel goed vastzit. De veter laat los. 'Verdomme,' zeg ik.

Ik zoek tussen de kralen in mijn doos naar een andere knijpkraal. Ik heb er misschien nog een in mijn bureaula, maar ik heb geen zin om nog een keer helemaal naar boven te gaan.

De kralen in de doos glinsteren en vangen het licht van het haardvuur. Ik heb glazen ronde kraaltjes, rocailles en zilveren kralen van Bali. 'Wat is dit er voor een?' vraagt Charlotte, en ze houdt een blauwe glazen kraal op.

'Die is Tsjechisch. Dat is een kraal die met vuur is gepolijst.'

'Wat houdt dat in?'

'Dat weet ik niet.'

'Mooi is-ie,' zegt ze.

'Je zou hem eens bij daglicht moeten zien. Wil je hem hebben?'

'O nee,' zegt ze, en ze laat de kraal in de doos vallen.

Ik pak hem weer. 'Ik heb er zes van,' zeg ik. 'Jij kunt ook wel een ketting maken.'

'Maar het zijn jouw kralen,' zegt Charlotte.

'Ik heb heel veel kralen,' zeg ik.

Charlotte kijkt naar me en houdt haar hoofd schuin, zoals ze zo vaak doet. 'Bedankt,' zegt ze.

Ik geef haar een rol veter. Ik zoek in de doos naar de overige vijf blauwe glazen kralen. De kleur is moeilijk te zien in het donker, maar de kralen hebben een aparte vorm: rond en met veel facetten. Charlotte legt ze op de grond en rijgt ze aan de veter.

Ik pak de ketting voor mijn oma op en houd hem op tegen het haardvuur. De kralen hebben glans en de hanger zit precies in het midden.

Ik kijk naar Charlotte. Ze heeft de kralen aan de veter geregen. 'Wacht even,' zeg ik. 'Dat had ik je moeten zeggen. Als je het zo doet gaan ze glijden en dan komt de sluiting aan de voorkant te zitten. Je moet aan weerskanten van elke kraal een knoopje leggen. En omdat je zes kralen hebt, moet je het eerste knoopje precies in het midden van de veter leggen.'

Ik buig me naar haar toe om het voor te doen. Ik maak een eenvoudige overhandse knoop.

'Oké,' zegt ze.

Ik geef haar de veter. Ik kijk hoe ze er een kraal op laat glijden. Haar ranke vingers maken vlot een knoopje, keurig op zijn plaats. Haar haar hangt om haar gezicht en ze moet het opzijstrijken, zodat ze iets kan zien in het licht van het haardvuur. Ik kijk toe terwijl ze nog een kraal rijgt, en nog een, en dan aan de andere kant begint. Het is een eenvoudige ketting – ze zijn eigenlijk allemaal eenvoudig –, maar dit is haar eerste, en het is soms een beetje moeilijk om de knoopjes aan de andere kant precies op dezelfde plaats krijgen als aan de eerste kant.

Ik kijk een tijdje alleen maar toe. Charlottes gezicht staat strak van de concentratie. Zo ziet ze er vast uit als ze studeert, bedenk ik.

Wanneer ze de laatste kraal heeft geregen, houdt ze de ketting omhoog in het licht. De facetten fonkelen. 'Mooi,' zeg ik.

Charlotte legt de ketting tegen het driehoekje huid in

de kraag van haar witte bloes en de V-halstrui van mijn vader.

'Morgenochtend vind je hem ook mooi,' voeg ik eraan toe.

Toen ik daarnet in de doos rommelde op zoek naar de zes blauwe kralen, voelde ik een tweede knijpkraal onder mijn vingers. 'Ik geloof dat ik er hier ergens een heb,' zeg ik, en ik til de doos op en houd hem schuin naar het licht. Ik zoek tussen de kralen. Er valt licht op een stukje zilver. 'Dit is altijd het moeilijkste,' zeg ik.

De telefoon gaat. En weer komt het vreemd over in het licht van het knusse haardvuur, alsof er iets van de ene eeuw naar de andere is geslopen. Ik kijk in de richting van de keuken. 'Dat is vast Jo weer,' zeg ik, en ik kom overeind. 'Ik ben zo terug.'

Ik loop de keuken in en neem de telefoon op. 'Hallo,' zeg ik.

'Nicky?'

Ik draai me om, met mijn rug naar de studeerkamer.

'Met rechercheur Warren spreek je. Is je vader er?'

Buiten hoor ik het ritmische geschraap van de schep. Ik haal snel adem.

'Nee,' zeg ik. 'Hij staat onder de douche.'

Ik hoor Charlotte achter me in de deuropening.

'Vraag of hij me even belt als hij eronder vandaan is, oké?' vraagt Warren.

'Dat zal ik doen.'

'Ik zal je het nummer geven.'

Rechercheur Warren geeft me een telefoonnummer, dat ik niet opschrijf.

'Zitten jullie zonder stroom?' vraagt hij.

'Ja.'

'Wij ook. Zorg dat jullie het warm houden.'

'Dat zullen we doen,' zeg ik.

Ik hang op. Ik draai me om en kijk naar Charlotte.

'O god,' zeg ik.

'Wat is er?' vraagt Charlotte.

'Dat was die rechercheur.'

Charlottes gezicht is uitdrukkingsloos. 'Wat moest hij?'

'Hij wilde mijn vader spreken.' Ik heb het gevoel dat ik buiten adem ben van mijn misdrijf. 'Ik heb gezegd dat hij onder de douche stond.'

'Ik vertrek morgenochtend,' zegt Charlotte. 'Jullie kunnen dit niet volhouden.'

Ik denk eraan dat mijn vader naar het politiebureau achter het postkantoor is gereden, dat hij van plan was het aan inspecteur Boyd te vertellen. Als inspecteur Boyd er was geweest, had Charlotte nu in de gevangenis gezeten.

Charlotte draait zich om en loopt de studeerkamer in. Ik ga achter haar aan. Ze blijft even bij het vuur staan. 'Ik denk dat ik maar naar bed ga,' zegt ze.

Ik heb in de verste verte nog geen slaap.

Ze bekijkt vluchtig de kamer. 'Moeten we hier slapen?'

Ik rol de twee slaapzakken uit. Ik leg die van haar het dichtst bij het vuur, want dat is de beste plek. Ik denk aan alles wat Charlotte me heeft verteld. Hoe kan een man nu echt van een vrouw houden en dan verwachten dat ze meteen na de geboorte afstand doet van haar baby? Het idee dat je een baby afstaat – laat staan dat je die ergens neerlegt om hem te laten doodgaan – vind ik volkomen onbegrijpelijk. Ik kan er niet bij. Zou dat niet je hele leven pijn doen, net zoals het mij pijn doet dat Clara er niet meer is, ook al denk ik daar niet elke seconde aan? Daarom heb ik dat idee bedacht dat Clara nog steeds groeit, nog leeft. Zodra ik aan haar denk stuur ik daar mijn gedachten heen.

Charlotte stapt in haar slaapzak en schikt haar kussen. Ik ga opzij van het vuur zitten en pook zo nu en dan de vlammen op. Ik doe er nog een blok bij. Ik heb nog steeds geen slaap.

Charlotte valt ogenblikkelijk in slaap. Ze begint zacht te snurken en ik luister naar haar.

Ik werk verder aan Charlottes ketting tot hij klaar is. Ik leg hem in de doos. Morgenochtend sta ik erop dat ze hem omdoet. Ik ga in mijn slaapzak liggen en staar naar het plafond. Ik denk aan ochtendmisselijkheid en aan de roze donut. Ik kijk even naar Charlotte en realiseer me weer dat ze de moeder is van de baby die in de sneeuw is gelegd om dood te gaan. Ze slaapt in ons huis, op de grond, vlak naast me. Misschien wordt ze wel opgepakt en moet ze naar de gevangenis. Misschien moeten mijn vader en ik ook naar de gevangenis.

Ik draai me om en kijk naar het vuur. Ik bedenk dat ik misschien al wel uren wakker lig. Misschien moet ik mijn boek maar pakken en het in het licht van de zaklamp gaan lezen.

Maar na een tijdje stel ik me een andere toekomst voor, een toekomst waarin Charlotte niet opgepakt wordt, waarin ze haar baby terugkrijgt, waarin zij en haar baby bij mijn vader en mij komen wonen.

Ik zie die toekomst tot in de kleinste details voor me. Een wit wiegje in de logeerkamer; in de studeerkamer een oude kinderstoel met een roodleren zitje die ik ooit bij Sweetser's heb gezien. Een blauwe wandelwagen in de gang; in Charlottes auto een zacht babystoeltje. Overdag ga ik naar school, en als ik thuiskom loopt Charlotte door de gang op en neer met de baby op haar heup. Ze heeft haar pluizige roze vest en een spijkerbroek aan. Ze heeft brownies met stukjes chocola erdoor voor me gemaakt en stelt me vragen over mijn vriendje. Dan moet ze een boodschap doen, of misschien gaat ze 's avonds wel naar school en dan vraagt ze of ik op de baby wil passen. 's Avonds maken we samen ons huiswerk, en dan moeten we zachtjes praten om de baby niet wakker te maken. Charlotte neemt me mee naar Hanover om blonde plukjes in mijn haar te laten maken, en ze brengt mijn vriendinnen en mij naar de bioscoop.

Er is geen James.

Mijn vader trekt bij.

Ik maak een enkelbandje voor Charlotte, en ik brei een dekentje voor de baby van het veelkleurige pastelgaren dat Marion me altijd probeert aan te smeren en dat ik nooit neem. Nee, ik maak het van het zachte gele garen dat ik een keer bij Ames in Newport heb gezien. Charlotte neemt me mee naar de winkel, en dan koop ik het garen van mijn eigen geld. Ik denk net aan de mandensteek als de warmte van het vuur vat op me begint te krijgen, net zoals dat bij Charlotte is gebeurd. Het laatste geluid dat ik hoor is dat van mijn vader die in de gang de sneeuw van zijn laarzen stampt.

Ik word die nacht één keer wakker – er is beroering –, maar ik ben zo moe van het sneeuwruimen en lopen en van de gespannen sfeer in huis sinds Charlotte er is dat ik bijna onmiddellijk weer in slaap val. Even later word ik echter nog een keer wakker van het geluid van stemmen uit de keuken. Ik wil niet dat die stemmen daar zijn, ik wil terugglijden in mijn droom, maar doordat die stemmen er zijn doe ik mijn ogen wijd open. Stemmen? Er klinkt gemompel, lange reeksen lettergrepen, korte antwoorden, maar ik kan de woorden niet echt verstaan. Het vuur is bijna uit en er gloeien nog maar een paar sintels. Ik zie dat Charlotte niet meer in haar slaapzak ligt.

Later hoor ik dat Charlotte midden in de nacht wakker is geworden en een glas melk wilde – en niet wist dat mijn vader in de keuken lag te slapen –, dat ze over de slaapzak (met mijn vader erin) is gestruikeld en met haar handpalmen hard tegen het rooster van de kachel is gekomen. Mijn vader werd wakker en bekeek Charlottes handen. Hij stak de kerosinelantaarn aan en maakte twee ijskompressen van plastic zakjes. Hij zei tegen Charlotte dat ze op de slaapzak moest gaan zitten, met haar rug tegen het keukenkastje moest leunen en dat ze het ijs zijn werk moest laten doen op haar pijnlijke handpalmen.

Ik wurm me uit de slaapzak en loop de gang door. Ik zie Charlotte met de ijskompressen in haar handpalmen zitten. Mijn vader staat in de andere hoek, niet ver bij haar vandaan, aangezien de keuken heel klein is. Hij staat met zijn rug naar het aanrecht, daar waar dat een rechte hoek maakt. Ik kan hen zien dankzij het licht uit de kerosinelantaarn, maar de gang is donker en zij hebben mij nog niet gezien. Ik wil net de keuken in lopen als ik Charlotte hoor zeggen: 'U mag Nicky niet de schuld geven van wat er vandaag is gebeurd.'

Ik blijf staan.

'Het was allemaal mijn idee,' voegt Charlotte eraan toe. 'Ik heb erom gesmeekt.'

'Ze had beter moeten weten,' zegt mijn vader. 'Jullie hadden allebei beter moeten weten.'

Ik draai me om, weg van de keuken, en ga met mijn rug tegen de muur staan.

'Het was verschrikkelijk,' zegt Charlotte.

'Daar kan ik in komen,' zegt mijn vader.

Ik weet niet wat me nu het meest verbaast: dat mijn vader en Charlotte samen in de keuken zijn of dat ze daadwerkelijk met elkaar praten.

'Hoe gaat het met je handen?' hoor ik mijn vader vragen.

'Een beetje gevoelloos,' zegt ze.

'Hou dat ijs erop. Ik had voordat jullie naar bed gingen tegen Nicky moeten zeggen dat ik hier zou slapen.'

'Ik had u niet gezien.'

Ik laat me langs de muur omlaagglijden en ga op de grond zitten. Ik trek mijn knieën op naar mijn kin.

‘Heb je het warm genoeg?’ vraagt mijn vader.

‘Het gaat wel,’ zegt Charlotte.

Ik stel me Charlotte voor met haar hoofd naar achteren tegen de keukenkastjes, misschien wel met haar ogen dicht.

‘Morgen ga je weg,’ zegt mijn vader na een tijdje. ‘De sneeuwruimer zal hier ’s middags wel zijn.’

Het is een hele tijd stil in de keuken.

‘Het is nooit ons plan geweest om de baby in de steek te laten,’ zegt Charlotte. ‘Ik wil graag dat u dat weet.’

Mijn vader zegt niets.

‘James zei steeds: “We gaan dit rustig regelen.” Dat zei hij telkens wanneer ik over de toekomst begon. Ik dacht dat hij wel zou weten wat ons te doen stond als het eenmaal zover was. Hij had een halfjaar in een ziekenhuis gewerkt en hij zou medicijnen gaan studeren.’

Ik hoor het getinkel van ijsblokjes in een plastic zakje. Ik adem zo oppervlakkig dat ik een grote hap lucht moet nemen.

‘Je dacht zeker dat je van hem hield?’ zegt mijn vader.

‘Ik hield ook van hem,’ zegt ze.

‘Hoe oud ben je?’ vraagt mijn vader.

‘Negentien.’

‘Oud genoeg om je eigen beslissingen te nemen. Is het nooit in je opgekomen dat je het leven van het kind in gevaar bracht door het van tevoren niet aan iemand te vertellen?’

‘U bedoelt aan een arts of zo?’ vraagt Charlotte.

‘Ja, aan een arts.’

‘Daar heb ik wel over gedacht,’ zegt Charlotte. ‘Ik ben

naar de bibliotheek gegaan en heb over zwangerschap en bevallen gelezen. Aan het begin van de zomer was ik misselijk. Ochtendmisselijkheid, behalve dan dat het de hele dag duurde. Daar maakte ik me wel zorgen om. Maar als ik naar een dokter zou gaan was ik bang dat mijn ouders erachter zouden komen, of de universiteit.'

'Daar heb je klinieken voor,' zegt mijn vader.

Het is koud in de gang, en ik heb geen slaapzak. Ik rol mezelf op tot een bal.

'Ik heb als uitzendkracht bij een verzekeringsmaatschappij gewerkt,' zegt Charlotte. 'Ik ging van het ene kantoor naar het andere, als invaller voor mensen die met vakantie waren. Ik woonde toen bij James. Mijn ouders dachten dat ik een flatje samen met een ander meisje had. Ze zijn één keer op bezoek geweest, en toen moesten we alle spullen van James voor dat weekend in zijn auto stoppen. Mijn vader vond een nummer van *Sports Illustrated* op de wc, en toen moest ik een hele riedel afsteken over dat ik net honkbalfanaat was geworden.'

Charlotte zwijgt.

'In het najaar,' gaat ze verder, 'ben ik zo'n beetje gestopt met naar college gaan. Ik maakte lange wandelingen en ik leerde een beetje koken.'

'Je speelde vadertje en moedertje,' zegt mijn vader geringschattend.

'Zoiets ja.'

'Waar wonen je ouders?'

Charlotte geeft geen antwoord.

'Ik zal ze heus niet bellen, als je daar soms bang voor bent,' zegt mijn vader.

'Nee, maar ik wil...'

'En ik ga de politie ook niet bellen,' voegt hij eraan toe. 'Als ik dat van plan was, had ik het allang gedaan. Die beslissing moet je zelf nemen.'

In de gang begin ik te rillen van de kou. Ik wil in mijn handen blazen, maar ik durf niet, want dan verraad ik mezelf. Mijn vader wordt woest als hij merkt dat ik meeluister.

'Ze wonen in Rutland,' zegt Charlotte.

'Vermont?'

'Ja. Ze werkten vroeger in een papierfabriek,' zegt Charlotte. 'Ze zijn ontslagen. Mijn moeder werkt nu bij een drogist, maar mijn vader is nog steeds werkloos.'

'Dan zal het wel zwaar voor ze geweest zijn om je studie te betalen,' zegt hij.

'Een van mijn broers helpt. Hielp. En ik had leningen, hoewel ik die nu waarschijnlijk niet meer krijg.'

'En de auto?'

'Die was van mijn broer. Zijn oude. Die heeft hij aan mij gegeven.'

'Waar studeer je?'

'Aan de UVM.'

'Dan ben je een eind bij Burlington vandaan,' zegt mijn vader.

Ik weet waar Burlington ligt. Ik heb op de Stowe geskied, en die ligt niet ver van die stad in Noord-Vermont.

'Toen de weeën begonnen,' zegt Charlotte, 'zijn we in de auto gestapt. James wilde zo ver mogelijk uit de buurt van de universiteit zien te komen. En daarna hielden de weeën een tijdje op, dus zijn we doorgereden. Toen ze weer begonnen, hebben we gekeken of we ergens een motel aangekondigd zagen staan. Dat was het plan van James: naar een motel gaan en dan samen de baby krijgen. Als zich problemen aandienden, zei James, zou hij ervoor zorgen dat we maar op een paar minuten afstand van een ziekenhuis zaten. Maar we hoefden er niet heen. Waarom zouden we dat risico nemen?'

Mijn vader maakt een geluid van afkeer.

'Ja,' zegt Charlotte, 'ik denk dat ik vadertje en moedertje speelde. Ik overtuigde mezelf ervan dat James en ik zouden gaan trouwen, ik zou de baby krijgen, we zouden in zijn flat wonen, hij zou medicijnen gaan studeren en alles zou fantastisch zijn. Het feit dat het geheim was maakte het... maakte het alleen maar nog romantischer.'

In gedachten zie ik mijn vader zijn hoofd schudden.

'En wat er daarna ook gebeurd is,' zegt Charlotte met trillende stem, 'of wat er hierna zal gebeuren...' Ze haalt adem om zichzelf te kalmeren. 'Dat zal voor mij altijd een mooie herinnering zijn. De tijd die ik met haar heb doorgebracht. Met de baby. Want ze zat in mij en ik sprak met haar en...'

Ik hoor keukenrol scheuren.

'Neem me niet kwalijk,' zegt Charlotte.

'Hier, neem dit,' hoor ik mijn vader zeggen.

Charlotte snuit haar neus. 'Dank u wel,' zegt ze.

'Waar komt hij vandaan?' Aan het geluid van mijn vaders stem te horen staat hij nu weer tegen het aanrecht geleund.

'U gaat toch niet...?'

'Ik zei toch dat ik dat niet zou doen?'

'Zijn vader is arts. Ze wonen even buiten Boston. Ik heb ze nooit ontmoet.'

'Zijn ouders mochten het niet weten?'

'Dat was zijn grootste angst.'

'Hoe was hij dan van plan jou en de baby te verklaren? Uiteindelijk?'

'Dat weet ik niet,' zegt ze.

Mijn vader schraapt zijn keel. 'Ben je van plan te proberen de baby terug te krijgen?' vraagt hij.

'Iets in mij wil dat wel,' zegt Charlotte.

'Kun je voor haar zorgen?'

'Nee.'

'Ik ken de wet niet,' zegt mijn vader. 'Ik weet niet of ze haar aan jou zullen teruggeven. Ongeacht wat de uitkomst van de rechtszaak is.'

'Toen ze in mijn buik zat, wilde ik haar zo graag,' zegt Charlotte.

'Charlotte,' zegt mijn vader met zachte stem. Het is de eerste keer dat hij haar naam gebruikt, en ik schrik ervan. 'Je hebt je hele leven nog voor je. Nee, kijk me aan. Luister naar me. Wat je ook besluit, er zitten consequenties aan vast. Moeilijke consequenties. Dingen waar je de rest van je leven mee zult moeten leven. Maar denk eerst na. Denk aan de baby, aan wat voor haar het best is. Misschien moet je voor haar vechten, dat weet ik niet. Jij bent de enige die daar antwoord op kunt geven.'

'U bent een kindje verloren,' zegt Charlotte enigszins vinnig.

Door haar woorden krijgt de lucht een elektrische lading, en om de hoek sidder ook ik. Ik wacht op het geluid van voetstappen, op het geluid van mijn vader die de keuken uit loopt.

'Het spijt me,' zegt Charlotte onmiddellijk. 'Dat had ik niet mogen zeggen.'

'Dat was anders,' zegt mijn vader.

'Het spijt me, echt,' zegt Charlotte.

'Heel, heel anders.'

'Dat weet ik,' zegt Charlotte, 'dat weet ik. Dat was uw schuld niet. U hebt niets gedaan. Het is u overkomen.'

'Je weet over het ongeluk?' vraagt mijn vader.

'Ja. Nicky heeft me erover verteld.'

'O ja?'

'Alleen dat het gebeurd is.'

Ik hoor gekraak boven. Hout dat zich voegt, heeft mijn vader een keer uitgelegd. Zelfs na honderdvijftig jaar voegde het huis zich nog steeds verder in de grond. Groef zich in.

'Misschien kunnen ze er nu wel af,' zegt mijn vader.

'Ik wil u vertellen wat er in die motelkamer is gebeurd,' zegt Charlotte.

'Dat wil ik niet weten.'

'Alstublieft,' zegt ze. 'Ik wil dat u het begrijpt.'

'Waarom?'

'Dat weet ik niet. U hebt haar gevonden.'

'Slaapt Nicky?' vraagt mijn vader.

'Toen ik opstond, lag ze te snurken.'

Mijn hoofd schiet omhoog. Snurk ik?

'James en ik hebben heel lang gereden,' zegt Charlotte. 'Ik moest er opeens uit. Ik hield het niet meer op. Ik haalde het bos niet eens. Ik heb het gewoon op de sneeuwheuvel gedaan. En toen kreeg ik een vreselijk rillerig gevoel en zag ik dat er allemaal bloed lag en... en ander spul op de sneeuw... en ik werd bang en riep om James. Hij stapte uit de auto en trok wit weg toen hij het bloed zag. Ik kon niet overeind komen, zo'n pijn deden de weeën, dus hij hees me omhoog, zette me in de auto en toen zijn we naar het motel gereden.'

In de gang leg ik mijn handen als twee vuisten onder mijn kin. Mijn ogen zijn wijdopen, ook al valt er niets te zien.

'Er stonden misschien nog twee andere auto's op de parkeerplaats,' zegt Charlotte. 'Er was bijna niemand. James ging het kantoortje in en ik bleef in de auto. Hij zei dat ik niet mocht schreeuwen, dus beet ik in mijn hand. Hij kwam naar buiten en bracht me naar binnen. Ik weet nauwelijks meer hoe de kamer eruitzag. Er hingen vreselijke gordijnen. Groen geruit. Heel lelijk.'

'Ik heb de kamer gezien,' zegt mijn vader.

'Ik ging op het bed liggen,' zegt ze. 'De weeën kwamen zo'n beetje elke minuut. Er zat bijna geen tijd tussen. Ik kreunde. Door dat bloed dacht ik dat de baby wel snel zou komen, maar dat was niet zo. Het was alsof ik daar uren lag.'

'Heb je niet overwogen naar een ziekenhuis te gaan?' vraagt mijn vader.

'Ik heb één keer gezegd: "Ik moet naar een ziekenhuis", maar de weeën kwamen zo snel dat ik dacht dat de baby elk moment geboren kon worden, en ik wilde niet dat dat in de auto zou gebeuren. Ik had zo'n pijn dat ik niet eens wist hoe ik bij de auto zou moeten komen.'

Charlotte wacht even. 'Ik wist niet hoe het zou zijn. Wat normaal is. Ik was doodsbang. Ik dacht dat ik doodging.'

'En wat deed James al die tijd?'

'Soms kwam hij bij me zitten. Ik weet nog dat ik mijn nagels in zijn arm zette als ik een wee had. Hij liep in de kamer op en neer. Hij had wat Demerol van iemand gekocht om voor de pijn iets bij de hand te hebben, en daar gaf hij me er twee van, met een glas water. En toen het nog erger werd, gaf hij me er nog twee. Het interesseerde me niet eens of dat wel de juiste dosering was. Ik had er wel honderd willen hebben. Ik wilde gewoon dat de pijn ophield.'

Ik kan mijn vader horen zuchten.

'Ik wilde gaan persen,' zegt Charlotte. 'Toen realiseerde ik me dat ik niet van dat bed kon opstaan en naar de auto kon lopen. Wat er ook zou gebeuren, het zou in die motelkamer gebeuren. En toen ging James echt door het lint. Hij schreeuwde voortdurend: "Wat moeten we doen? Ik weet niet wat ik moet doen!" Dus dat moest ik hem vertellen. Ik moest hem erdoorheen praten. Ik vroeg of hij het hoofdje kon zien. Ik liet hem zijn handen wassen. Ik kreunde daarna alleen nog maar. Ik probeerde te ademen zoals dat in de boeken staat, maar dat hielp niet.'

Ik sla mijn armen om mijn benen.

'En toen móést ik wel persen, ik kon het niet tegenhouden. De pijn was onbeschrijflijk,' zegt Charlotte. 'Ik had het gevoel alsof ik uit elkaar werd gescheurd. Ik wist zeker dat ik doodging. Ik schreeuwde; het is een wonder dat niemand ons gehoord heeft.'

Het was een hele tijd stil in de keuken.

'En toen was ze eruit,' zegt Charlotte tot slot. 'De baby was geboren. James huilde. Ik zei dat hij haar moest oppakken en het slijm uit haar mondje moest halen, en ze huilde meteen. Ze zat helemaal onder dat witte spul. James dacht dat er iets niet goed met haar was. Ik zei dat hij de navelstreng moest doorknippen – de schaar zat in een plastic zakje in mijn tas – en dat deed hij ook. En toen zei ik dat hij haar in een handdoek moest wikkelen. Ik zei dat hij moest kijken of de placenta eraan kwam, dat de placenta eruit moest. Dat deed nog heel erg pijn, tot mijn verbazing. Ik denk dat er iets gescheurd is. Ik rilde en ik had vreselijke hoofdpijn.'

Weer is het stil.

'Ik denk dat ik me toen realiseerde dat James het kindje echt niet wilde,' zegt Charlotte. 'En toen brak er bij mij iets. Ik huilde. Ik zei dat hij de baby moest oppakken, moest vasthouden en moest kijken of ze al haar teentjes en vingertjes had. Toen leek hij wel wat kalmer. Ik zei: "Geef haar aan mij", en dat deed hij. Hij legde haar gewoon op mijn buik. Ik legde mijn hand op haar, maar ik zakte weg; ik zakte telkens weg en kwam dan weer bij. Ik weet nog dat ik wat rechter in de kussens ging zitten en dat ik naar haar keek. Ze had haar gezichtje naar me toe. Ik was ontzettend opgelucht. En toen ging ik weer liggen, gewoon om even uit te rusten. En toen moet ik buiten bewustzijn zijn geraakt.'

'Ben je flauwgevallen?'

'Het volgende wat ik weet is dat James voor mijn neus stond en zei: "Sta op. We moeten hier weg. We moeten jou in de auto zien te krijgen." En ik zei: "Waar is de baby?" en hij zei: "Ze is in de auto. Ze ligt te slapen in het mandje dat we bij ons hadden. Maar het is koud buiten, dus we moeten weg."

Hij hielp me overeind. Ik had pijn en kon me nauwelijks bewegen. "Je moet lopen alsof er niets aan de hand is," zei hij. Hij deed de deur van het motel dicht en stak de sleutel bij zich. Hij zette me op de stoel voorin. Hij deed het achterportier open en boog zich over het mandje heen alsof hij de baby instopte, alsof hij keek of alles goed met haar was, en hij zei: "Ze slaapt nu." En ik zei: "Ik moet haar voeden." En hij zei: "Als ze wakker wordt." Ik weet nog dat ik me omdraaide, en ik zag dat het mandje opbolde van de dekentjes die we bij ons hadden. Ik dacht dat ze daarin lag. Ik moest me omdraaien om mijn hand op de dekentjes te leggen. James stak het sleuteltje in het contact en startte de auto. Ik zakte weer weg. Ik werd één keer wakker, ik weet niet hoe ver we toen waren en ik zei: "Slaapt ze nog?", en hij zei: "Ja." Dat was alles. Gewoon: "Ja."

En toen viel ik weer in slaap.'

'Dus je hebt haar helemaal niet gezien?' zegt mijn vader.

'Alleen die ene keer toen ze op mijn buik lag,' zegt Charlotte.

'En toen, wat gebeurde er toen?' vraagt mijn vader, met kalme stem, zelfs zonder medelijden.

'Toen we de oprit naar onze flat opreden, werd ik wakker. Ik zei: "Pak de baby. Misschien is er iets niet goed. Ik hoor haar niet." En James zei: "Ze is één keer wakker geworden. Je sliep. Alles is goed met haar." En ik zei: "Echt?" En hij zei: "Ik breng jou eerst naar binnen. Dan haal ik de baby."

Dus hij liep naar mijn kant en hielp me uit de auto, de trap op en de flat in, en al die tijd zei ik: "Laat mij nou maar; haal de baby." Hij hielp me uit mijn jas en ik ging op de bank zitten, en hij ging naar buiten om de baby te halen, en dat was dat.'

Het is heel lang stil, en ik geloof dat Charlotte klaar is met haar verhaal.

'Ik moet weer een paar minuten ingedommeld zijn,' zegt Charlotte na een tijdje, 'want toen ik wakker werd, zat James tegenover me, en hij huilde.'

Charlottes stem is nu zo zacht dat ik me moet inspannen om haar te verstaan.

'Ik wist meteen dat er iets verschrikkelijks was. Ik zei: "Wat is er? Wat is er?" En James zei dat de baby was gestorven. "Dat is niet waar!" zei ik. "Ik heb haar horen huilen." Hij zei dat ze een paar minuten geleefd had, maar dat ze was overleden. Hij zei dat hij had geprobeerd haar te reanimeren, dat hij hartmassage of iets dergelijks had toegepast, maar dat ze dood was. Hij zei dat hij in paniek was geraakt en haar in een handdoek had gewikkeld en met haar het motel uit was gegaan en haar in een slaapzak die hij in de kofferbak had liggen had achtergelaten.

Ik dacht dat ik gek werd. Ik sloeg hem in zijn gezicht. Ik viel op de grond. "Misschien leefde ze nog!" schreeuwde ik almaar.

"Nee," zei hij, "ze leefde niet meer."

"Wat lag er dan in dat mandje?" gilde ik. En hij zei: "Niets." En ik zei: "Waarom heb je het niet tegen me gezegd?" En hij zei: "Ik dacht dat je hysterisch zou worden en dat ik je dan niet meer in de auto zou krijgen. Ik wilde je eerst naar huis brengen."

En ik zei: "Naar huis? Ik wou dat ik dood was."'

In de gang leg ik mijn voorhoofd op mijn knieën.

'En toen realiseerde ik me dat James ook huilde, net zo hard als ik, en daar werd ik pas echt bang van, want toen geloofde ik hem. Ik wist dat het allemaal waar was, en o god, wat was ik verdrietig...'

Ik sla mijn armen om mijn hoofd.

'"Het is een straf," zei ik tegen James,' ging Charlotte verder.

'"Straf, waarvoor?" zei James. "Voor de manier waarop we het gedaan hebben. Omdat we het aan niemand hebben verteld. Omdat we niet naar een ziekenhuis zijn gegaan. Als we naar een ziekenhuis waren gegaan zou ze nog leven." Hij zei dat we dat niet wisten. Maar ik wist het zeker. Het maakte het allemaal nog veel erger.

Die avond en het grootste deel van de dag erna bleef hij bij me. Maar toen zei hij dat hij naar huis moest, naar zijn ouders. Het was kerstvakantie, en hij had al veel te veel smoesjes moeten verzinnen waarom hij nog niet thuis was. Ik zei dat ik me wel zou redden. Ik wilde dat hij wegging. Ik wilde alleen zijn. James pakte zijn plunjezak en zei me gedag, en ik weet nog dat we elkaar niet eens een kus gaven. Ik weet nog dat ik dacht: dit betekent iets. Ik wist dat hij net zo goed bij mij weg wilde als ik bij hem.' Ze wacht even. 'Hij hield niet van me, hè?'

'Nee,' zegt mijn vader.

'Zoiets doe je niet met iemand van wie je houdt, toch?'

'Nee, zoiets doe je niet.'

Charlotte begint weer te huilen. Even later hoor ik dat ze haar neus snuit. 'Ongeveer een uur later ben ik naar de slaapkamer gegaan om te gaan liggen, en de radio stond aan. Ik weet nog dat ik dat vreemd vond. Ik had de energie niet om om het bed heen te lopen en hem af te zetten. Ik stapte gewoon in bed en trok de dekens over mijn hoofd. Toen het nieuws begon, hoorde ik iets over een baby die ergens was gevonden en die in stabiele toestand verkeerde. Ik ging rechtop zitten. De nieuwslezer zei dat het in Shepherd, New Hampshire, was gebeurd. Ik wist niet eens de naam van de stad waar het motel was. In de auto had ik een kaart van New England. Ik ging hem halen. Ik zocht waar Shepherd lag. Ik rende terug naar binnen, pakte mijn sleutels en reed naar de winkel om een krant te kopen. Daarin stond het verhaal over de baby. Ik was zo blij. Zo blij dat ze niet dood was.' Charlotte zwijgt. 'En toen drong het pas tot me door. Ik realiseerde me wat James had gedaan. *Hij had haar ergens neergelegd om haar dood te laten gaan*. Eerst kon ik het niet geloven. Ik hield mezelf voor dat hij gewoon een afschuwelijke vergissing had begaan. Hij had gedacht dat ze dood was, maar dat was ze niet echt. En toen realiseerde ik me langzaam dat hij geweten moet hebben dat ze leefde, en dat hij toch door de sneeuw geploeterd was om haar ergens neer te leggen. Ik kreeg bijna geen adem meer. Ik huilde niet. Ik kon niet schreeuwen. Er was gewoon niets.'

‘Hij heeft het met opzet gedaan,’ zegt mijn vader. ‘Hij wist dat ze leefde.’

Charlotte is stil.

‘Hij was het al die tijd al van plan,’ zegt mijn vader.

‘Ik weet het niet,’ zegt Charlotte. ‘Misschien is hij gewoon in paniek geraakt. Ik kan gewoonweg niet geloven dat hij dat hele eind heeft gereden in de wetenschap dat hij haar zou vermoorden.’

‘Waarom heb je de politie niet gebeld?’

‘Ik was bang,’ zegt Charlotte. ‘Ik wist dat ik, als ik naar de politie ging, beschuldigd zou worden van poging tot moord. Ik was bang. Dus dacht ik: nou ja, het is nu toch goed? Ze leeft, en iemand zal voor haar zorgen. Ik kon toch niet voor haar zorgen. Ik had geen geld. Ik zou niet meer in de flat van James kunnen wonen. En met een baby kon ik ook niet naar huis, naar mijn ouders. Dus het was toch goed zo?’

Mijn vader zwijgt.

‘Ik heb James bij zijn ouders thuis opgebeld,’ zegt Charlotte. ‘Hij was er niet. Zijn moeder zei dat hij met vrienden was gaan skiën.’

‘Skiën?’ vraagt mijn vader ongelovig.

‘Ik was zo verbaasd dat ik gewoon heb opgehangen.’

‘Niet te geloven,’ zegt mijn vader.

‘Ik heb een week in bed gelegen,’ zegt Charlotte. ‘Ik heb bijna niets gegeten. Ik was doodmoe. Eindelijk stond ik op en toen ben ik naar de bibliotheek gereden en heb ik alle oude kranten doorgekeken totdat ik een verhaal tegenkwam met uw naam erin.’ Ze wacht even. ‘En toen ben ik hierheen gereden.’

'Waarom?'
'Ik moest u zien.'
'Dat begrijp ik niet.'
'Wat was mijn leven nog waard als ik u niet kon bedanken?' zegt Charlotte.
Haar uitzonderlijke vraag – bijna nog verbazingwekkender dan haar biecht, bijna nog verbazingwekkender dan haar verschrikkelijke verhaal – zweeft door de keuken en de gang in. In mijn linkeroor klopt mijn hart.
'Ik kan maar beter weer naar bed gaan,' zegt Charlotte. Ik hoor geritsel, een zachte bonk tegen het kastje. 'Mijn been slaapt.'
'Schud er even mee.'
'Ik begrijp dat het moeilijk voor u is om dit te moeten aanhoren,' zegt Charlotte.
'Zo'n verhaal is voor iedereen moeilijk,' zegt mijn vader.
'Het spijt me heel erg over wat ik zei over dat u een kindje bent verloren.'
'Dat geeft niet,' zegt mijn vader.
'Ik denk aldoor maar dat ik hem had kunnen tegenhouden,' zegt Charlotte.
Er explodeert een bom, maar dan een zonder geluid. Ik breng mijn hand naar mijn ogen, tijdelijk verblind door het licht. Ons huis begint te zoemen.
'O!' roept Charlotte geschrokken uit.
'We hebben weer stroom,' kondigt mijn vader aan, en hij klinkt zelf ook een beetje verbaasd.
Ik knijp mijn ogen half dicht in het te felle licht. De houten vloer glanst en er kaatst schel licht van de ge-

schilderde muur. Ik wil mijn ogen dichtdoen. De wereld is hard en lelijk, en ik vind hem verschrikkelijk.

Ik glijd over de vloer en kruip in mijn slaapzak. Wanneer Charlotte de kamer binnenkomt, werk ik mezelf overeind. 'Wat is er gebeurd?' vraag ik, en ik kijk met half dichtgeknepen ogen naar haar op.

'Er is weer stroom,' zegt ze. Haar handpalmen zijn rood. Haar neus is roze en rauw, en haar stem is dik.

'Raar,' zeg ik.

'Het is midden in de nacht,' zegt ze. 'Zal ik het licht uitdoen, zodat je weer kunt gaan slapen?'

'Waar was je?'

'Ik ben opgestaan om wat melk te halen.'

'Wat is er met je handen gebeurd?'

'Ik ben over je vader gestruikeld,' zegt ze. Ze doet het licht uit en kruipt in de slaapzak naast me.

Ik laat me weer in mijn eigen slaapzak glijden. Ik druk mijn hand tegen mijn borst om te voorkomen dat mijn hart door mijn borstkas naar buiten springt. Ik denk aan alles wat Charlotte mijn vader heeft verteld – aan het bloed in de sneeuw, aan hoe Charlotte telkens buiten bewustzijn raakte, aan het ogenblik waarop het tot haar doordrong dat James de baby met opzet ergens had neergelegd om haar dood te laten gaan. Het was allemaal veel te vreselijk, veel te verschrikkelijk. Ik leg mijn handen tegen mijn gezicht.

En dan denk ik aan hoe mijn vader en ik vanuit New York naar het noorden zijn gereden en ons gevestigd hebben in een stadje dat Shepherd heet. Charlotte en James zijn vanuit Burlington naar het zuiden gereden en hebben bij toeval een motel in Shepherd gevonden. Onze wegen hebben elkaar op één plek in het bos gekruist. Maar wat als mijn vader en ik op de tweede dag van onze reis nu eens het ingewikkelde knooppunt bij White River Junction hadden begrepen en naar het noorden waren gegaan, zoals eerst de bedoeling was? Als mijn vader nu eens had besloten om er toch maar een succes van te maken in New York? Als mijn moeder nu eens bij de kassa een kwartje had laten vallen toen ze in het winkelcentrum een cadeautje voor haar ouders kocht en had geknield om het op te rapen, waardoor ze twee seconden later bij haar auto was geweest? Als mijn vader nu eens niet, zoals mijn moeder me een keer heeft verteld, op een voorjaarsochtend de universiteitsbibliotheek was binnengelopen om te lezen hoe de wedstrijd van de Yankees tegen de Orioles de avond ervoor was verlopen, en mijn moeder bij de uitleenbalie had zien zitten, waar ze voor een scheikunde-examen zat te studeren, terwijl ze aan het werk was, en haar in een opwelling had gevraagd hoe hij toestemming kon krijgen om een serie zeldzame tekeningen van Jefferson te bekijken die in de kluis werden bewaard?

Dan zou ik niet bestaan. Dan zouden mijn vader en moeder niet met elkaar zijn getrouwd. Dan zou er geen Clara zijn geweest.

Ik wil geloven dat mijn vader en ik voorbestemd waren om baby Doris te vinden en haar een levenskans te geven. Maar nu weet ik het zo net nog niet. Terwijl ik in slaap val denk ik aan ongelukken en elkaar kruisende voetstappen.

Zes dagen nadat Clara was geboren begon ze te hoesten en kreeg ze koorts. Mijn moeder ging met haar naar de kinderarts, die haar een licht antibioticum en koele baden voorschreef, waarvan mijn zusje ging brullen. Haar temperatuur zakte, en mijn moeder dacht dat het ergste achter de rug was. Die middag ging ik naar de kamer van mijn ouders om Clara te zien, die op haar rug sliep, helemaal bloot met alleen een luier aan. Mijn moeder, die sinds de avond ervoor niets meer had gegeten, was naar beneden gegaan om een kop soep voor zichzelf te maken. Ik ging op het bed van mijn ouders zitten en staarde naar het wiegje, waarbij Clara's lichaampje steeds scherp of onscherp werd, al naargelang ik naar de houten spijlen keek of naar haar. Het lakentje en dekentje waren pastelkleurig en geruit; in een hoek zat een versleten eend die we Kwak-Kwak noemden. Kwak-Kwak was nagenoeg intact, op het pluche aan één kant van zijn kop na. Ik vond hem er eigenlijk een beetje eng uitzien en was blij toen Clara hem kreeg. Terwijl ik zo zat te kijken liet ik mijn ogen op Clara scherp stellen en zag ik dat haar buik, onder haar ribbenkast, bij elke ademhaling samendrukte. Dat had ik nooit over baby's geweten, en ik vond het fascinerend. Het was alsof haar huid een dun rubberen membraan was en iemand de lucht uit haar rug zoog. Ik keek er nog een paar minuten naar, en toen bedacht ik plotseling dat het misschien helemaal niet normaal was.

'Mam?'

Ik hoorde haar in de keuken.

'Mam?' riep ik weer.

'Wat is er?' vroeg ze onder aan de trap.

'Clara's buikje doet vreemd,' zei ik.

Misschien was het me opgevallen doordat ik op ooghoogte met zijn zusje zat. Of misschien kwam het alleen maar doordat ik me verveelde en niets te doen had. Mijn moeder kwam de trap op gerend. 'Zie je?' Ik wees. 'Zoals dat op- en neergaat?'

'Je hebt gelijk,' zei ze, hoewel ze eerst niet begreep wat het te betekenen had. 'Ik zal dokter Blake bellen.'

Ze ging op bed zitten en belde. Ze was net Clara's toestand aan het beschrijven toen ze onderbroken werd. 'Ja,' zei ze. 'Meteen.'

Ze hing op en belde een ambulance.

'Mam?' vroeg ik. 'Wat is er?'

'Er is niets aan de hand,' zei ze. 'We moeten Clara alleen even laten nakijken.' Ze pakte Clara op en hield haar hoofdje tegen haar schouder. 'Pak de luiertas,' zei ze.

'Wat gebeurt er?' vroeg ik.

'We wachten op de ambulance,' zei ze.

'Om naar het ziekenhuis te gaan?'

'Ja.'

'Waarom rijden we er niet gewoon naartoe?'

'Dokter Blake zei dat we dat niet moesten doen, dat dit de snelste manier was.'

Mijn moeder beende zo nu en dan naar de voordeur en tuurde door de zijraampjes. Ik stond met mijn jas aan en de luiertas over mijn schouder. Een paar minuten later hoorden we de sirene al.

Noch mijn moeder, noch ik mocht met het ambulancepersoneel mee. Mijn moeder gaf hun de baby, en pas jaren later zou ik begrijpen hoe moeilijk dat voor haar was. Toen de achterdeuren van de ambulance dicht waren, rende mijn moeder naar haar auto, de groene Volkswagen. 'Stap in,' riep ze naar me.

Mijn moeder, een belachelijk voorzichtig chauffeur – soms tot ergernis van haar medepassagier, meestal ik – reed in één spurt achteruit de oprit af, scheurde achter de ambulance aan en liet daarbij rubbersporen achter. Ze gaf vol gas en liet de motor van de Kever op volle toeren draaien, zodat ze de ambulance kon blijven zien. Ik hield me aan de greep van het portier vast en probeerde mijn mond te houden, want mijn moeder was in de beste omstandigheden al geen al te kundige chauffeur. Meestal zat ze naar voren gebogen, over het stuur heen, en keek ze in beide richtingen achter zich alvorens ze van rijstrook durfde te verwisselen – iets wat ik mijn vader nog nooit had zien doen. Maar die dag was mijn moeder volleerd.

Ze liet de Volkswagen bij de ingang van de Eerste Hulp staan, met het portier open, en rende achter de brancard aan waar Clara op lag, wier gehuil wij hoorden verdwijnen. Ik rende achter mijn moeder aan; doordat de veel te grote tas tegen mijn dij sloeg moest ik langzamer lopen. Zodra ik de dokter zich over de brancard zag buigen wist ik dat het ernstig was. Clara werd een hokje met aan weerskanten witte gordijnen in gereden. Ze werd in een metalen doos gezet, wat ik bizar en mijn moeder afschuwelijk vond. 'Mag ik haar alstublieft vasthouden?' smeekte mijn moeder.

'Even opzij, mevrouw Dillon,' zei de dokter.

'Als ik haar de borst geef, houdt ze op met huilen,' zei mijn moeder.

'Haar nu de borst geven is wel het ergste wat u zou kunnen doen,' zei hij.

Ik mocht die dokter niet, die bazig en zelfingenomen deed en de verpleegsters om hem heen stond af te blaffen. Hij behandelde mijn moeder als een lastig voorwerp dat hem in de weg stond.

'Is het ernstig?' vroeg ze.

'Uw baby kan niet ademhalen,' zei de dokter.

Ik stond tegen de muur aan de andere kant van het vertrek. Ik liet de luiertas op de grond vallen.

'Nicky, hier heb je twee kwartjes,' zei mijn moeder, die voor me stond. 'Zoek een telefoon en bel je vader. Weet je het nummer?'

Dat wist ik. Ik belde hem thuis wel eens na school als ik een rekensom had waar ik niet uit kwam.

'Ga dat nu doen,' zei ze.

Ik pakte de luiertas en ging op zoek naar een telefoon. Een vrouw achter een bureau wees me de weg, en eindelijk vond ik vlak bij een lift een rij telefoons. 'Papa, je moet hierheen komen,' zei ik.

‘Waarom?’ vroeg hij, en ik hoorde de schrik in zijn stem.

‘Clara kan niet ademhalen,’ zei ik.

‘Waar ben je?’ vroeg hij.

‘In het ziekenhuis waar ze is geboren.’

‘Zeg tegen mama dat ik er direct aan kom.’

Ik ging tegen de muur zitten, en een hele buffer aan verpleegsters en gordijnen schermde me van Clara af. Ze werd naar een ander deel van het ziekenhuis gebracht, en ik ging met het gevolg mee. Die avond keek mijn moeder een keer mijn kant op en zei: ‘Rob, ze ziet groen.’

Mijn vader liep naar me toe en kwam naast me zitten.

‘Ze gaat dood, hè?’ vroeg ik.

‘Natuurlijk niet,’ zei hij.

‘Vanwaar dan al die drukte?’

‘Zo gaat het nu eenmaal in een ziekenhuis,’ zei hij.

Ik wist dat dit niet waar was. Toen ik het jaar daarvoor mijn pols had gebroken, hadden we twee uur in de wachtkamer van de Eerste Hulp moeten wachten voordat mijn vader eindelijk zijn geduld verloor en tegen de triageverpleegkundige begon te tieren dat zijn dochter pijn had.

‘Ik zal Jeff en Mary bellen,’ zei mijn vader, doelend op een echtpaar met wie mijn ouders bevriend waren en dat vlak bij het ziekenhuis woonde. ‘Dan kun je daar eten en televisiekijken, en kom ik je later halen.’

Die avond waren de artsen uren met Clara bezig. Ze had een niet-ongebruikelijke, maar levensbedreigende vorm van longontsteking bij pasgeborenen. Mijn moeder kreeg te horen dat Clara de volgende ochtend misschien niet zou halen – iets wat mij pas later verteld werd. Bij Jeff en Mary at ik een pizza en mocht ik laat opblijven en televisiekijken. Ik sliep in een logeerkamer in een T-shirt van Mary. 's Ochtends bracht Jeff me naar ons huis, zodat ik me kon omkleden en naar school kon. Toen we bij de voordeur aankwamen, stond die open, en het was ijskoud binnen. Een krant die mijn moeder op de salontafel had gelegd was door de hele kamer gewaaid. Jeff zei dat ik buiten moest wachten, terwijl hij sluipend door alle kamers ging, zoals de politie dat op de televisie doet. Hij kwam terug en zei dat het huis leeg was en dat niemand ergens aan was geweest. Maar toch durfde ik niet goed over de drempel te stappen. Jeff moest me ervan overtuigen dat mijn moeder, toen ze naar de ambulance rende, vergeten was de deur dicht te doen. Ik wilde dat Jeff mee naar boven ging en voor mijn kamer bleef wachten terwijl ik iets anders aantrok.

Clara lag drie dagen in het ziekenhuis, en mijn moeder week niet van haar zijde. Mijn vader ging alleen 's ochtends naar zijn werk, zodat hij thuis was wanneer ik met de bus uit school kwam. Dan reden we samen naar het ziekenhuis – de tweede dag heel wat ontspannener dan de eerste, en de derde ontspannener dan de tweede. De derde avond kwamen we met Clara thuis, die een kilo minder woog dan toen ze het huis had verlaten. Ze zag er iel uit, als een geplukte vogel. Die week en de week erna keken mijn vader en moeder elkaar zo nu en dan aan, zuchtten en schudden hun hoofd, alsof ze wilden zeggen: dat had niet veel gescheeld.

'Jij hebt misschien wel het leven van je zusje gered,' zei mijn moeder een keer tegen me.

Ik word bij zonsopgang wakker. Vanaf de plek waar ik op de grond lig zie ik iets wat ik al dagen niet heb gezien: een poederblauw stukje lucht doorschoten met roze zijde. Naast mij ligt Charlotte te slapen. Zelfs mijn vader is geloof ik nog niet op.

In het noorden van New England wordt het altijd snel licht. Ik weet dat de zon binnen een paar minuten, zo niet seconden, opkomt. Ik wacht, lekker warm in mijn slaapzak. Ik denk aan wat er de avond ervoor allemaal is gebeurd. Er is een verhaal verteld. In het daglicht kan ik me dat bijna niet voorstellen.

De zon komt boven de top van Bott Hill uit en verlicht de besneeuwde bossen en weilanden met zo'n intens roze licht dat ik uit mijn slaapzak glijd om te kijken. De kleur verspreidt zich langzaam over het landschap en voor de eerste keer in mijn leven wou ik dat ik een fototoestel had. Ik weet dat we er ooit een gehad hebben – ik herinner me nog dat mijn vader een foto van me nam terwijl ik op het bed van mijn moeder zat met Clara in mijn armen, en in mijn album zitten sowieso nog een heleboel andere foto's die dat bewijzen –, maar sinds we naar New Hampshire zijn verhuisd heb ik het niet meer gezien. Zoals geldt voor alles uit ons vorige leven kan mijn vader de herinnering van gezinsfoto's niet aan. Maar vanochtend wil ik dat ik er een had, gedurende die drie of vier minuten dat de sneeuw in vuur en vlam staat. Met mijn duimen en wijsvingers maak ik een vierkantje en sta bij het raam shots af te bakenen, terwijl ik met mijn tong nauwelijks hoorbare klikgeluiden maak. Dan is het prachtige roze verdwenen, zo snel dat het wel een truc lijkt, en de sneeuw is weer wit en zo schel dat het pijn doet aan je ogen. De lucht wordt donkerder en neemt de blauwe kleur van chroom aan, zoals op ansichtkaarten. Alleen de hoge dennenbomen hebben nog groen.

Charlotte ligt nog steeds op de grond zachtjes te snurken. Misschien snurkt iedereen wel. Ongelooflijk dat ze überhaupt kan slapen – het is lichter in de studeerkamer dan het in weken is geweest, misschien wel in een jaar. En in dat felle licht zie je het stof liggen: het stof van de as in de haard; een dunne laag gewoon stof op de salontafel; een vreemd, webachtig stof op de lampenkappen. De zon maakt op de vloer en het kleed en op Charlotte, die zich omdraait en haar gezicht afwendt, uitverlichte rechthoeken.

In de keuken pak ik havermout, bloem, bakpoeder en eieren. Ik meng de ingrediënten in een kom en wacht tot de pan heet is. Ik loop ontspannen tussen het aanrecht en het fornuis heen en weer. Ik vraag me af of je duistere verhalen kunt vertellen terwijl de zon door de ramen naar binnen valt. Ik strooi frambozen, alsof het zaadjes zijn, op de rondjes beslag. De frambozen zijn in de zomer ingevroren, en we hebben er talloze zakjes van in de vriezer in de kelder liggen. Ik zal er een paar pureren, er suiker door doen en die in een schaaltje op tafel zetten om over de pannenkoeken te doen.

Ik pak de borden van boven op de koelkast en zet ze

neer. Het beslag sist in de hete olie. Mijn pannenkoeken zijn altijd knapperig; de havermout is het geheim.

Het probleem is altijd om ruimte te vinden om de dienbladen neer te zetten. Eén zet ik over de gootsteen, een ander op een stapel boeken. Dan staat Charlotte in de deuropening.

Ze heeft de kleren van mijn vader uitgetrokken en haar gekreukte witte bloes en spijkerbroek aangedaan. Haar gezicht is roze en kreukelig van de slaap. Haar haar, ongekamd, valt over één oor uiteen. Ze slaat haar armen om zich heen. 'Ik heb de slaapzakken opgerold,' zegt ze.

In de andere deuropening verschijnt nu ook mijn vader, alsof hij geroepen is. Zijn haar piekt alle kanten op. Hij heeft een kastanjebruin sweatshirt aan en geelbruine mocassins die aan de hielen afgetrapt zijn. Even kan ik alleen maar denken aan mijn vader en Charlotte gisteravond hier in de keuken.

'Hallo,' zegt hij. Hij ziet er net uit zoals gisteren. Ik realiseer me dat ik een andere vader had verwacht, een andere papa.

'Goeiemorgen,' zegt hij tegen Charlotte.

'Goeiemorgen,' zegt ze.

Ik kijk van Charlotte naar mijn vader en weer terug. Zie ik een blik van verstandhouding tussen hen of verbeeld ik me dat maar?

'Pannenkoeken,' zegt mijn vader. 'Lekker. Ik rammel van de honger.'

Hij pakt de pot uit het koffiezetapparaat en vult die met water.

'Kan ik iets doen?' vraagt Charlotte.

'Nee, niet echt,' zeg ik. Ik wacht even. Ik heb een idee.

'Let jij hier even op,' zeg ik tegen mijn vader, wijzend op de koekenpan. 'Ik heb ze er net in gedaan. Ik ben zo terug. Charlotte, kom eens mee.'

Charlotte komt achter me aan naar de voorkamer, die net zo licht is als de andere kamers. Ik raak een eettafel van notenhout aan – ovaal en prachtig afgewerkt.

'Wat is de bedoeling?' vraagt ze.

'We tillen deze op en dragen hem naar de keuken,' zeg ik. 'Pak jij die kant.'

Samen manoeuvreren Charlotte en ik het tafelblad door de keukendeur en zetten het rechtop tegen de kastjes.

Mijn vader kijkt ons onderzoekend aan, met de spatel in zijn hand.

Charlotte loopt weer met me naar de voorkamer en helpt me het onderstel naar de keuken te brengen. Dat zetten we ook neer en dan tillen we het blad erop. De tafel neemt het grootste deel van de keuken in beslag. Als we ook willen koken en afwassen, zal zeker eenderde in de gang moeten uitsteken tussen de studeerkamer en het gangetje aan de achterkant. Maar we hebben wel een tafel in de keuken.

'Zo,' zegt mijn vader.

Ik leg de borden, het bestek en de glazen op tafel en leg de dienbladen boven op de koelkast. Ik haal twee stoelen uit de voorkamer en de derde uit mijn slaapkamer. Ik schenk sinaasappelsap in glazen en vul een witte kan met frambozensiroop.

Mijn vader gaat aan het hoofd van de tafel zitten en

Charlotte en ik tegenover elkaar. Een paar tellen kijken we naar elkaar en naar de stapel pannenkoeken, alsof we een gezin zijn dat overweegt of het zal bidden of niet. In onze keuken aan tafel zitten voelt zowel vreemd als vertrouwd. Het is iets eenvoudigs, maar mijn vader en ik zaten al heel lang zonder.

Ik kijk naar de plek op de keukenvloer waar Charlotte gisteravond zat. Ik denk aan het geklingel van de ijsblokjes, aan de kleine lichtkring van de lantaarn. Ik herinner me al die beelden en geluiden, maar de woorden die ik gisternacht heb gehoord lijken uit een droom te komen.

'Lekker zijn ze,' zegt Charlotte.

Ik pak mijn vork en neem een hap. Ik besluit dat ik het prettig vind dat mijn bord op een stevige ondergrond staat, dat ik mijn benen kan verschuiven terwijl ik eet. Ik vind het mooi om het witte kannetje met frambozensiroop tegen het donkere hout te zien. Voor de tweede keer die dag wilde ik dat ik een fototoestel had.

'Wat een mooie tafel,' zegt Charlotte na een tijdje.

'Toen ik veertien was heeft mijn vader me de beginselen van het timmeren bijgebracht,' zegt mijn vader. 'Ik heb hem geholpen een huis te bouwen.'

Dat is nieuw voor me. Ik kijk mijn vader onderzoekend aan. Misschien is er wel een hele wereld aan feiten die ik niet van hem ken. 'Hoe laat komt oma's vliegtuig aan?' vraag ik.

'Halfdrie,' zegt mijn vader.

Ik roer in mijn warme chocolademelk. De marshmallows zijn net kleine kartonnen bolletjes. Ik weet dat ik, als ik de chocolademelk drink, misselijk word.

'Heb je een cadeautje voor haar?' vraagt mijn vader.
'Ik heb een ketting voor haar gemaakt,' zeg ik.
Ik hoor een geluid dat ik eerst niet kan thuisbrengen. Ik houd mijn adem in en luister. Het geluid is vaag: een motor, maar meer dan een motor – een motor die maalt en dan schraapt, maalt en dan schraapt. Ik leg mijn lepel neer. Dat geluid is net zo ongewenst in die verstilde en stille wereld als een tank die een dorpje binnenrolt om het plat te walsen.
'Harry,' zegt mijn vader.
'Hij is te vroeg,' zeg ik.
'Ik ga naar hem toe,' zegt mijn vader.
Onze weg is de laatste op Harry's route. Het is niet ongebruikelijk dat mijn vader hem met een beker koffie gaat begroeten of, als het heel laat is, met een biertje. Harry is één keer bij ons binnen geweest om naar de wc te gaan, en toen is hij een uur met mijn vader blijven praten, met een biertje in de hand. Hij woont hier in de buurt en verdient de kost door in de winter voor de gemeente en voor particulieren sneeuw te ruimen. In de winter is er in New Hampshire geen gebrek aan werk.
Charlotte neemt het laatste slokje van haar koffie. Ze zet de beker neer.
Ik krijg een paniekerig gevoel in mijn borst.
'Ik denk dat ik maar naar boven ga om het bed op te maken,' zegt Charlotte. 'Heb je schone lakens, zodat ik die er voor je oma op kan doen?'
'Waarom?'
'Zij komt toch logeren?'
'Ik weet niet waar de schone lakens liggen,' zeg ik, hoe-

wel ik dat wel weet: in de bovenste la van het bureau.

'Dan haal ik alleen het bed af,' zegt ze, en ze staat op.

Ik zie voor me hoe Charlotte de lakens van het bed rukt, zodat de matras er onbedekt bij ligt. 'Je mag niet weg,' zeg ik.

'Ik zal wel moeten,' zegt ze.

'Je kunt toch bij ons komen wonen? Ik zie niet in wat daar mis mee is. We kunnen toch zeggen dat je mijn nichtje bent en dat je een tijdje bij ons woont? Je kunt een baan zoeken, sparen en dan weer gaan studeren.'

Charlotte schudt snel haar hoofd.

'Maar ik heb al helemaal bedacht hoe het zal zijn,' jammer ik.

'Als de politie me hier vindt, zijn je vader en jij medeplichtig.'

Weer dat woord. 'Dat kan me niet schelen,' zeg ik. En dat is ook zo: het kan me niet schelen. Ik wíl medeplichtige zijn in Charlottes leven.

Ik kijk toe terwijl Charlotte de borden in de gootsteen zet. Ze spoelt ze zorgvuldig af. Ze veegt haar handen af aan een theedoek. Ze glipt achter mijn stoel langs en loopt naar de trap.

Ik zit even alleen aan tafel. Ik raak het blad aan en denk aan Charlotte, die die eerste dag in de voorkamer met haar vingers over de meubels ging. Ik hoor Charlotte boven, en zie weer het beeld voor me van een afgehaalde matras, dekens en lakens netjes opgevouwen.

Ik ga naar de gang en trek mijn jas aan. Als Harry weg is ga ik het aan mijn vader vragen. Ik zal tegen hem zeggen dat we Charlotte niet zomaar kunnen wegsturen; dat kan echt niet.

Harry zit in zijn truck, met het raampje omlaag en een beker koffie in zijn hand. Mijn vader staat naast hem. 'Hé, hallo,' zegt Harry tegen me als ik naast mijn vader kom staan.

'Hallo,' zeg ik.

'Al helemaal klaar voor de kerst?' vraagt hij op de joviale manier waarop volwassenen tegen kinderen praten.

'Zo'n beetje.'

Harry, die ouder is dan mijn vader, heeft een dunne baard en een nog dunnere paardenstaart. Zijn truck is volgeplakt met stickers van Pink Floyd. Achter Harry ligt een keurige baan van anderhalve meter breed die de sneeuwruimer heeft gemaakt, en aan de rechterkant ligt de sneeuw hoog opgetast. De andere kant van de oprit doet hij op de terugweg.

'Je bent vroeg vandaag,' zegt mijn vader.

'Ik ben de hele nacht bezig geweest. Rond een uur of tien ben ik opgeroepen.'

'Je zult wel doodmoe zijn.'

'Neuh, dat valt wel mee,' zegt Harry, en hij zet zijn honkbalpet recht. Red Sox. 'Ik ga naar huis, de boom opzetten.'

'Hoeveel centimeter is er gevallen?'

'Dat kan ik je precies vertellen: een meter en drie centimeter.'

'Dat zal wel zwaar zijn, sneeuwruimen met ijs eronder.'

'Wil je dat ik tot aan de schuur ga?' vraagt hij.

'Nee,' zegt mijn vader, 'dat is niet nodig. Ik heb het bijgehouden. Doe alleen maar dit stukje dat wij niet geruimd hebben.'

Harry geeft de lege beker aan mijn vader en start de truck. Hij steekt zijn vinger naar me op. 'Niet het bier en de koekjes voor de kerstman vergeten, hoor,' zegt hij.

Mijn vader en ik doen een stapje achteruit. Harry laat de schuiver zakken. We kijken hoe hij een brede baan maakt. 'Pap,' zeg ik.

'Begin er niet over.'

'Ze kan nergens heen.'

'Ze heeft wel adressen.'

'We kunnen haar niet zomaar wegsturen.'

'Het is een grote meid. Die redt zich wel.'

Harry keert en rijdt weer naar ons toe. Hij draait de lange oprijlaan op en zwaait uit zijn raampje naar ons.

'Pap, alsjeblieft?'

Mijn vader loopt weg, naar de zijkant van de schuur. Hij kijkt even, lijkt tevreden en draait zich dan weer om naar het huis. Ik loop achter hem aan om te zien waarnaar hij keek. Zijn truck en Charlottes auto zijn helemaal uitgegraven, met alleen een dun laagje sneeuw bovenop. Daar is mijn vader dus de hele avond mee bezig geweest: ervoor zorgen dat Charlotte 's ochtends weg kon.

Als mijn vader en ik het huis binnenkomen staat Charlotte in de gang. Ze heeft haar parka en laarzen aan. Haar handtas hangt over haar schouder.

Nee.

'Ik moest maar eens gaan,' zegt ze.

'Geef Harry nog even de tijd, zodat hij de oprijlaan helemaal af heeft,' zegt mijn vader. 'Geef me je sleutels. Dan laat ik je auto alvast warmdraaien.'

Charlotte haalt haar sleutels uit haar zak.

'Hou op!' schreeuw ik. 'Hou op.'

Mijn vader kijkt geschrokken, meer door de toon van mijn stem dan door wat ik gezegd heb. Hij blijft even roerloos staan en doet dan de deur open en loopt naar buiten.

Charlotte strijkt mijn haar uit de kraag van mijn parka. 'Blijven breien, hoor,' zegt ze luchtig.

'Ik wil niet dat je weggaat,' zeg ik.

'Ik red me wel,' zegt ze.

'Je redt je niet. En hoe moet ik weten waar je bent? Zul je me schrijven? Of bellen?'

'Natuurlijk. Ik zal je schrijven.'

'Maar je weet ons adres niet. Je moet ons adres hebben.' Ik ren de keuken in en zoek een papieren servetje en een balpen. In mijn beste handschrift schrijf ik mijn adres en telefoonnummer op. Ik zet mijn naam erbij, voor het geval ze vergeet wiens adres het is.

'Ik ben blij dat ik je heb leren kennen,' zegt Charlotte, wanneer ik het haar geef. 'Ik ben blij dat ik gekomen ben.'

'Maar ik wil dat je hier komt wónen,' zeg ik hulpeloos.

'Dat kan niet,' zegt ze. 'Dat weet je best.' Ze tikt tegen haar tanden. 'Wanneer mag hij eruit?' vraagt ze.

'In april,' zeg ik.

'Wat zul je er mooi uitzien,' zegt ze met een glimlach.

Ik hoor het geluid van een motor. Ik zie dat mijn vader Charlottes auto tot naast het huis rijdt. Van de blauwe personenauto stijgt damp op.

'Ik heb een hekel aan afscheid nemen,' zeg ik. 'Waarom gaat iedereen altijd bij me weg?'

Mijn vader komt het huis binnen en stampt met zijn laarzen op de mat. Hij geef Charlotte haar autosleutels. Ik weiger hem aan te kijken.

'Bedankt,' zegt Charlotte, 'voor alles.'

'Wees voorzichtig op de heuvel,' zegt mijn vader. 'Er is geveegd, maar het zal wel glad zijn. En rustig rijden in de straten.'

Charlotte steekt haar hand uit en mijn vader schudt hem.

'Goed dan,' zegt hij.

Charlotte houdt haar hoofd schuin. Ik pak haar arm. Ze laat zich door mij omhelzen. Ik voel haar lichaam onder de wattering van haar jas. Ik ruik haar gistachtige geur. Charlotte maakt zich los, en weg is ze.

Ik ren naar het raam en druk mijn gezicht ertegenaan. Ik kijk hoe Charlotte naar haar auto loopt. Ze doet het portier open en glipt naar binnen.

'Dit gaat helemaal niet goed!' huil ik.

Charlotte blijft even zo in de auto zitten. Misschien stelt ze de temperatuur of de radio in. Misschien doet ze haar handschoenen aan. Terwijl ze dat doet, denk ik aan de ketting van blauwe gepolijste kralen die ze de avond ervoor heeft gemaakt. Die moet ik aan haar geven; ze weet niet eens dat ik hem heb afgemaakt.

Ik vind hem in de doos in de studeerkamer. Door het raam zie ik de blauwe personenauto nu langzaam voorwaarts rijden, alsof Charlotte uitprobeert hoeveel grip ze op de besneeuwde oprit heeft. Ik ren naar de achterdeur en gooi die open. 'Wacht!' roep ik haar na.

Ik ren op kousenvoeten de oprit over. Ik houd de ketting omhoog, in de hoop dat ze in haar achteruitkijkspiegel zal kijken en hem zal zien. 'Stop!' roep ik. 'Charlotte, stop even!'

Midden op de oprijlaan heeft Harry de sneeuw tot op een laag ijs geruimd. Als ik op die ijsplek kom, glijd ik op mijn kousenvoeten uit, en ik maai met mijn armen om overeind te blijven. Waar het ijs weer bedekt is met sneeuw kom ik abrupt tot stilstand. Ik wankel nog drie of vier reusachtige stappen naar voren en hervind dan mijn evenwicht.

Als ik opkijk is de blauwe personenauto bij het huis weggereden – zo ver dat ik hem nu niet meer kan inhalen.

Door de bomen, waar de lange oprijlaan een bocht maakt, zie ik een rode vlek. Ik zie een man midden op de oprijlaan uit zijn auto stappen. Ik zie remlichten flikkeren; Charlotte zet haar auto stil.

Op de ochtend van het ongeluk pakte ik een blauwe nylon rugzak voor mijn logeerpartijtje bij Tara. Ik had ook een klein plastic buideltje, met dank aan Delta Airlines, waarin een inklapbare tandenborstel, een minuscuul tubetje tandpasta, een kam, een paar sokken en oogschaduw zaten. Hoewel ik dat najaar al diverse malen bij iemand had gelogeerd, had ik dat buideltje nog niet eerder gebruikt. Ik besloot het die avond eindelijk eens mee te nemen.

Ik deed een tuinbroek van roze rib en een paarse bloes aan. Toen ik beneden kwam, zat mijn moeder aan de keukentafel. Ze had een sjofele oude geruite badjas aan, die ook als ze hem niet aanhad naar mama rook. Op de schouder zaten niet nader identificeerbare vlekken, waarvan ik de meeste aan Clara toeschreef. Mijn moeder had uitgelopen mascara onder haar ogen, en aan één kant zat haar haar plat. Onder de badjas had ze een lichtblauw nylon nachthemd aan, maar ook een paar dikke witte sokken, die aan de onderkant al bruin werden. Clara sliep blijkbaar nog.

Op mijn plaats aan tafel zag ik een kom, een lepel, een glas sap en een Flintstones-vitamine. Ik deed muesli in de kom.

‘Heb je alles gepakt?’ vroeg mijn moeder.

‘Ja.’

‘Vergeet ze niet te bedanken,’ zei ze.

‘Mam, ik ben er nog niet eens.’

‘Maar dan nog,’ zei ze. ‘En maak je bed op. Altijd je bed opmaken.’

‘We slapen op de grond.’

‘Dan rol je je slaapzak op.’

‘Oké,’ zei ik.

Mijn moeder nam een slokje thee. ‘Heb je je overblijfgeld?’

‘Nee.’

Ze stond op en pakte drie kwartjes uit een papieren bekertje in een kast. ‘We komen je om tien uur ophalen,’ zei ze.

‘Om tíén uur?’

‘Nana en Poppy komen morgen naar ons toe om alvast Kerstmis te vieren, voordat ze naar Florida gaan.’

Ik kijk om me heen. ‘Waar is papa?’

‘Hij komt zo beneden. Hij is laat opgestaan.’

Boven hoorde ik het snelle geroffel van voeten die van de badkamer de slaapkamer in liepen.

‘Heb je je cadeautjes ingepakt?’ vroeg mijn moeder.

‘Nog niet.’

‘Dat kun je morgen ook nog doen.’

‘Iedereen blijft tot elf uur,’ zei ik. ‘Mevrouw Rice maakt een groot ontbijt voor ons allemaal.’

‘Tien uur,’ zei mijn moeder.

Ik weet nog dat ze opstond en een plant op de vensterbank boven de gootsteen water gaf. Mijn vader kwam de trap af, ruikend naar Neutrogena-shampoo. Hij dronk zijn koffie staand op. 'Heb je mijn sleutels gezien?' vroeg hij aan mijn moeder.

'Die liggen op de eettafel.'

'*Ready* Freddy?' vroeg hij aan mij, terwijl hij me in mijn nek kneep.

Ik trok mijn jas aan. Mijn moeder bukte zich om me een kus te geven. 'Lief zijn,' zei ze. 'Ik hou van je.'

'Ik ben altijd lief,' zei ik geërgerd.

We gingen de deur uit en ik keek niet om. Ik zag niet of mijn moeder nog in de deuropening stond, terwijl ze haar badjas bij de hals dichthield. Misschien zwaaide ze, of misschien ging ze naar boven om te douchen voordat Clara wakker werd. Ik zei niet 'ik hou ook van jou' tegen mijn moeder. Ik zei Clara geen gedag. Ik weet niet of mijn zusje op haar buik sliep, met haar armpjes en beentjes wijd, waarbij haar luier een dik pakket onder haar slaappakje vormde, of dat ze zich helemaal in een hoek had gewurmd, zoals ze soms deed, en ze een witte gehaakte deken tegen haar kin gedrukt hield. Ik weet niet of Kwak-Kwak bij haar in haar bedje lag. Ik weet niet eens zeker wanneer ik Clara voor het laatst gezien heb: bij het avondeten op mijn vaders knie of in haar bedje toen ik daar op weg naar de badkamer langs kwam?

Ik was op weg naar school en ik keek niet om. Ik zou die avond naar Tara gaan.

Er komt een hulpsheriff naar het huis om ons mede te delen dat Charlotte in een politieauto naar Concord is gebracht. Charlottes auto zal naar het politiebureau van

Shepherd worden gesleept. Wij mogen geen van beiden het huis verlaten. Er komt binnenkort een politieagent om ons te ondervragen.

'Waar is rechercheur Warren?' vraagt mijn vader.

'Hij is met de vrouw naar Concord,' zegt de hulpsheriff.

Mijn vader doet de deur dicht en blijft met zijn hand nog op de knop staan. Het kan niet waar zijn, denk ik. Dat heb ik niet tegen mezelf gezegd toen we de baby vonden.

'Ze denkt vast dat jij de politie hebt gebeld,' zeg ik.

Mijn vader staat als aan de grond genageld.

'Héb je de politie gebeld?' vraag ik.

'Nee.'

'Doe dan iets!' gil ik.

Hij haalt zijn hand van de deurknop.

'Je weet dat ze het niet wist!' roep ik uit. 'Je weet dat ze het niet heeft gedaan!'

Mijn vader draait zich om om naar mij te kijken, met een vragend gezicht.

'Ik heb jullie gesprek in de keuken gehoord,' zeg ik.

'Heb je alles gehoord?'

'Ik heb alles, tot en met het laatste woord, gehoord,' zeg ik uitdagend.

'Nicky,' zegt hij.

'Charlotte is in slaap gevallen. Ze had medicijnen geslikt. Ze wist niet wat James van plan was. Het is niet eerlijk.'

'Toen ze thuis was, wist ze wat hij had gedaan,' zegt hij.

'Ze was bang,' zeg ik. 'Ze was ziek.'

'Ze had de politie kunnen bellen.'

'Zou jij dat gedaan hebben? Zou jij toen je negentien was de politie hebben gebeld?'

Hij doet de rits van zijn jas los en gooit hem op het bankje. 'Ik wil graag geloven dat ik dat gedaan had, ja.'

'Nou, als je niets doet,' schreeuw ik, 'dan zetten ze haar in de gevangenis. En dan krijgt ze haar kindje nooit meer terug.'

'Gaat het daar allemaal om?' vraagt mijn vader, en hij schopt zijn laarzen uit.

'Nee,' zeg ik, 'het gaat erom dat we Charlotte redden.'

Ik ben me vaag bewust van een overdreven gevoel voor drama, van een manier waarop mijn vader en ik nooit spreken. 'Je moet ingrijpen,' zeg ik vlak. 'Dat moet gewoon.'

'Niets wat ik zeg zal enig verschil maken.'

Ik kijk naar de ketting die ik in mijn handen heb. Ik slinger hem zo hard ik kan zijn kant op.

De ketting treft hem vol op zijn kaak. Aan de manier waarop hij zijn hand naar zijn wang brengt zie ik dat het pijn doet. 'Nicky,' zegt hij, eerder verbijsterd dan boos.

'Die heeft Charlotte gemaakt,' zeg ik. 'En nu kan ik hem nooit meer aan haar geven. Dus jij mag hem hebben.'

Mijn vader doet een stap naar voren, maar ik blijf staan. Hij haalt zijn hand van zijn wang. Op de plek waar de ketting hem geraakt heeft zit een rode vlek. 'Naar je kamer,' zegt hij.

'Nee.'

'Zo is het genoeg,' zegt hij, en zijn stem klinkt nu strenger.

'Nee, ik ga niet naar mijn kamer,' zeg ik, 'en je kunt me toch niet dwingen.'

Plotseling weet ik dat dit waar is. Mijn vader kan me op geen enkele manier dwingen naar mijn kamer te gaan. Dat besef is zowel opwekkend als beangstigend.

'Je bent gewoon zwak, weet je dat?' zeg ik, en ik zet mijn handen op mijn heupen. 'Je durft niet naar het politiebureau te gaan. Je durft helemaal nergens heen te gaan. Je verstopt je gewoon voor de wereld.'

'Nicky, niet doen,' zegt hij.

'Je trekt je als een lafaard terug uit de wereld.' Er loopt een opwindend soort angst over mijn ruggengraat. Ik heb nog nooit zo tegen mijn vader gesproken.

'Daar heb ik mijn redenen voor,' zegt hij.

'O ja?' vraag ik. 'Nou, voor het geval je het wilt weten: ik heb ook mijn moeder en zusje verloren, hoor.'

Mijn vader doet even zijn ogen dicht. Ik wacht tot zijn gezicht zich op die verschrikkelijke manier voor mij afsluit: de lege ogen zien alleen nog maar beelden uit het verleden. Even zeggen we geen van beiden nog iets.

'Dat weet ik,' zegt hij.

'Je leidt geen normaal leven, papa.'

'Ik doe mijn uiterste best.'

Ik duw mijn hoofd naar voren. 'Maar ík leid geen normaal leven,' zeg ik. 'Hoe denk je dat het voor mij is? Er mogen hier geen vrienden komen. Ik mag geen televisiekijken. We gaan nooit ergens heen. Je neemt nooit de telefoon op. We hebben zelfs een halfjaar geen telefoon gehad omdat jij met niemand wilde praten. En waarom heb je die Steve het verkeerde nummer gegeven? Omdat je niet wilde dat hij je zou bellen. Dat is gestoord, papa. Dat is gewoon gestoord.'

'Jij wilt te veel,' zegt hij.

'Ik wil gewoon mijn leven terug! Is dat te veel gevraagd?' Ik wil niet huilen – daarmee verpest je alle ruzies –, maar ik huil wel.

'Je krijgt dat leven niet terug,' zegt hij.

Ik ben te ver gegaan – dat weet ik –, maar ik kan niet stoppen. 'Maar ik mag toch wel een béétje leven?' protesteer ik.

Mijn vader draait zich om en kijkt naar buiten. Hij legt een hand op het houtwerk om daarop te leunen. 'Ik heb er al honderd keer spijt van gehad dat we verhuisd zijn,' zegt hij.

'We hadden in New York kunnen blijven,' zeg ik.

'Je was jong, en ik dacht dat je er wel snel overheen zou zijn.'

'Nou, dat was dus niet zo,' zeg ik.

'Ik dacht altijd dat het wel goed met je ging,' zegt hij.

'Ik doe maar alsof,' zeg ik. 'Voor jou.'

Hij draait zich naar me toe en kijkt nu verbaasd. 'Doe je alsof?' vraagt hij. 'Heb je al die tijd gedaan alsof?'

'Zodat jij maar niet verdrietig zou zijn,' zeg ik. 'Ik kan het niet uitstaan als jij verdrietig bent.'

Mijn vader bijt op de binnenkant van zijn wang. Ik zie dat ik hem pijn heb gedaan.

'Probeer je gewoon verdrietig te blijven?' vraag ik. 'Om mama en Clara niet te vergeten?'

Mijn vader geeft geen antwoord.

'Want ik zal je namelijk eens wat vertellen, papa,' zeg ik. 'Ik kan niet meer voor je zorgen!'

Mijn vader wendt zijn blik af. Mijn oren zitten vol met witte ruis. Hij trekt met nadrukkelijk langzame bewegingen zijn laarzen weer aan en pakt zijn jas. Met drie stappen is hij de deur uit.

Ik laat me op het bankje zakken, licht in mijn hoofd en buiten adem.

Ik besluit dat ik niet achter mijn vader aan ga.

De zon schijnt door de ramen van de gang aan de achterkant van het huis naar binnen. Het is warm geworden door de zon. De onderkant van mijn sokken is doorweekt, en ik trek ze uit.

Ik ga niet mijn excuses aanbieden.

Ik pak de ketting en trek mezelf aan de leuning van de trap omhoog, alsof ik honderd kilo weeg. Ik loop naar mijn kamer en ga op mijn rug op bed liggen.

Ik heb buikpijn. Ik heb te veel pannenkoeken gegeten. Ik draai me op mijn zij en houd mijn buik met mijn handen vast. Ik bedenk dat ik niet begrijp waar die beloofde politieagent blijft. Worden mijn vader en ik gearresteerd? Ik probeer me dat voor te stellen: mijn vader en ik met handboeien om, die naar een politieauto worden geleid, mijn vader en ik die geboeid naast elkaar zitten. Het is zo vreemd dat ik er niet eens over kan nadenken. Wat zouden we tegen elkaar zeggen? En dan de rit naar het politiebureau. Warren zou ons dan staan op te wachten, met een grijns op zijn gezicht. Hij had immers gewonnen, toch? En daarna zouden mijn vader en ik van elkaar worden gescheiden, en ik zou door een dikke mevrouw die er net zo uitziet als mevrouw Dean op school, naar een gevangeniscel worden gebracht. Zou Charlotte in een cel bij mij in de buurt zitten? Zouden we met elkaar kunnen praten? Zouden we een code moeten verzinnen die we dan door de muren heen naar elkaar kunnen seinen? En waarom, o waarom heb ik zo veel pannenkoeken gegeten? Ik heb ontzettende kramp.

Ik denk aan mijn vader, alleen in de schuur. Is hij woedend, schopt hij tegen houtblokken en gooit hij zijn gereedschap hard op zijn werkbank? Of is het nog erger? Zit hij in zijn stoel, in de papahouding, en staart hij alleen maar naar de sneeuw? Als ik niet zo'n buikpijn had, zou ik geloof ik nu wel naar hem toe gaan. Ik weet niet wat ik zou moeten zeggen, maar ik zou proberen te zeggen dat ik weet dat hij zijn best heeft gedaan. Dat ik niet voortdurend doe alsof. Dat het meestal eigenlijk wel goed met me gaat.

Ik sta op en ga naar de badkamer. Ik beloof mezelf plechtig dat ik nooit meer pannenkoeken zal eten. Dat wordt mijn goede voornemen voor het nieuwe jaar: nooit meer pannenkoeken eten. Ik blijf bij de wasbak staan en bekijk mijn gezicht in de spiegel. Mijn huid is wit en ik zie er ziek uit. Ik probeer te glimlachen, maar het enige wat ik zie is metaal. Ik wend me van de spiegel af, doe de rits van mijn spijkerbroek open en ga op de wc zitten.

Mijn hoofd schiet omhoog. Het is toch niet waar?

Ik bekijk mijn onderbroek nog eens.

Het is maar een minuscule vlek, maar het is bloed – dat valt niet te ontkennen.

Misschien is het toeval. Of misschien komt het door de ruzie. Ik was er waarschijnlijk gewoon aan toe. Maar het is wel moeilijk, in die verwarrende en opwindende eerste momenten, om het niet te beschouwen als iets wat Charlotte aan me doorgegeven heeft. Ik denk aan mijn moeder en voel een steek, maar ik wil het nog het liefst aan Charlotte vertellen.

Ik zal het aan mijn oma vertellen als ze hier is. Ze gaat misschien wel huilen. En ik zal het na de kerst aan Jo vertellen, als we gaan skiën. Ik zie al helemaal voor me dat ze gaat gillen. En een voor een zal ik het ook de anderen vertellen – of Jo doet dat wel. Mijn vader zal het pak maandverband in de badkamer zien staan en denken dat Charlotte het heeft vergeten. Dan bergt hij het op. Ik haal het weer te voorschijn en zet het op de wasbak, om hem een hint te geven. Uiteindelijk dringt het tot hem door, zonder dat ik er ook maar een woord over heb gezegd. Ik vraag me af of er een moment komt waarop hij me anders zal bekijken, en als hij dat doet, of ik het dan zal merken. Ik hoop dat hij er niet verdrietig van wordt, verdrietig om mijn moeder die er niet meer is en niet meemaakt dat ik deze mijlpaal bereik.

Ik heb genoeg verdriet meegemaakt voor een heel leven.

Ik heb Charlotte niet het pak maandverband zien meenemen. Ik zoek in de kast in de badkamer. Er liggen uitgeknepen tubes tandpasta en restjes zeep in, maar geen maandverband. Ik loop de logeerkamer in en doe de kastdeur open, en daar ligt het pak, op de bovenste plank, half verscholen achter een wollige deken met een satijnen rand. Ik pak het en ga terug naar de badkamer, en hoewel ik niet ingewijd ben, kijk ik hoe het niet al te ingewikkelde proces van het aanbrengen van een verbandje werkt.

Ik kijk weer in de spiegel. Ik ben een vrouw, zeg ik tegen mijn spiegelbeeld, om het uit te proberen.

Wie houd ik nu voor de gek? Ik ben maar een meisje van twaalf dat wacht tot er een politieagent komt om haar te arresteren. Ik heb nog steeds kramp, maar nu ik weet dat ik niet hoef over te geven is de pijn draaglijker. Ik probeer me te herinneren wat Jo altijd inneemt als ze op school kramp heeft. In het medicijnkastje vind ik een pijnstiller, en daar neem ik er twee van.

Ik hoor een geluid dat ik overal zou herkennen. Ik weet dat ik maar zestig seconden de tijd heb om bij de stoel van de bijrijder te komen – de tijd die mijn vader altijd wacht tot de truck warmgedraaid is. Ik ren de badkamer uit en loop met twee treden tegelijk de trap af. Ik steek een arm in de mouw van mijn jas en mijn tenen in mijn schoenen. Met de jas hangend aan mijn arm hobbel ik naar de truck, de veters van mijn schoenen achter me aan slepend. Ik doe het portier open en klauter op de stoel. Mijn vader kijkt me één keer aan en schakelt de truck dan naar de eerste versnelling.

'Ik ben net ongesteld geworden,' zeg ik.

Om op de snelweg te komen die naar het zuiden, naar Concord, loopt, moeten mijn vader en ik door Shepherd rijden. Er zijn maar weinig auto's op de weg; de meeste zijn niet bereid de gladde wegen te trotseren, ook al is de sneeuwruimer van de gemeente al geweest. Omdat het de dag voor Kerstmis is brandt in alle winkels en een aantal huizen de kerstverlichting. De lichtjes twinkelen zwakjes in het felle zonlicht. Ik knijp mijn ogen tot spleetjes.

'Gaat het?' vraagt mijn vader.

'Prima,' zeg ik, en ik duw mijn voeten in mijn schoenen.

'Moet je even bij een winkel langs of zo?'

'Nee, dat hoeft niet,' zeg ik snel.

Ik kan bijna horen hoe mijn vader de juiste woorden zoekt. Het afgelopen uur heb ik hem kritiek gegeven, heb ik hem verdrietig gemaakt, heb ik hem op zijn donder gegeven, heb ik hem boos gemaakt. En nu heb ik hem zonder overleg en zonder voorbereiding zulke schrikbarende informatie in de maag gesplitst. Hij is er sprakeloos van.

'Denk je dat hij met je wil praten?' vraag ik in de truck als we op Route 89 rijden.

'Ik denk van wel,' zegt mijn vader.

'Gaan ze haar naar de gevangenis sturen?' vraag ik.

'Als ze veroordeeld wordt, gaat ze waarschijnlijk naar de gevangenis.'

'Waar wordt ze dan van beschuldigd?'

'Dat weet ik niet. Roekeloos in de steek laten? Het in gevaar brengen van het welzijn van een kind?'

Hij zegt niet: poging tot moord.

'Dat is een en al ellende,' zeg ik.

'Het is een en al ellende,' beaamt hij.

Hij rijdt langzaam; zijn houding is alerter dan anders. Op de snelweg is maar één baan vrij, en die is glad in de schaduw en modderig in de zon. Aan de andere kant van de snelweg, in noordelijke richting, tolt een auto de weg af de middenberm in, waardoor een hoge staart van heldere kristallen opstuift, die wegdrijven in de wind.

Ik ga naar voren zitten, bezorgd en ongeduldig. Zal Charlotte nog op het bureau zijn of hebben ze haar al ergens anders naartoe gebracht? Ik zit met opgetrokken schouders en mijn handen in mijn zakken. De verwarming van de truck stelt niets voor.

Naast ons torent de wal van sneeuw drie, vier meter hoog op. Auto's zijn onder sneeuwladingen begraven en de dennenbomen buigen zwaar door naar de grond. Wanneer de sneeuw smelt of uit elkaar valt, zullen de takken omhoogzwiepen, een voor een, ontdaan van hun last.

'Gaan ze ons arresteren?' vraag ik.

'Dat weet ik niet.'

We hebben een crimineel bij ons in huis gehad. Warren zal zeggen dat we alle gelegenheid hebben gehad om de politie te bellen, dat dat onze plicht was. Dat heeft hij ons al min of meer gezegd. En aangezien we dat niet hebben gedaan, zullen we schuldig bevonden worden.

'Ben je bang?' vraag ik.

Mijn vader kijkt even naar me en kijkt dan weer naar de weg. 'Je bent een dappere meid,' zegt hij. 'Net als je moeder.'

De tranen springen me in de ogen. Ik knijp mijn handen in elkaar tot de knokkels wit zijn. Ik ga niet huilen, houd ik mezelf voor.

Aan de rand van de stad nemen we een afslag van een andere snelweg en zoeken we de straat waar het politiebureau is. Op de hoek komen we langs het gebouw van de nationale garde en dan langs het departement van Transport en langs het hooggerechtshof. Mijn vader slaat rechts af en rijdt een parkeerplaats op achter een gebouw dat groot en vierkant en modern is en me aan het Regional-ziekenhuis doet denken.

'Ik ga met je mee naar binnen,' zeg ik. Al voordat mijn vader de auto stilzet heb ik het portier open. Bij de geringste aarzeling in zijn stem spring ik eruit.

'Je krijgt het hier toch ijskoud,' geeft hij toe. Hij heeft een bruine gebreide muts op. Warren zal wel denken dat die man zich nooit scheert. De vlekken op zijn parka – die bultige, beige, vormeloze jas waar ik zo aan gewend ben dat hij me nauwelijks meer opvalt – zijn in het felle zonlicht goed te zien.

Ik loop achter hem aan over een geruimd pad het politiebureau in.

Mijn vader fronst zijn wenkbrauwen. Zo te zien zijn we op de afdeling Motorvoertuigen. Hij controleert het adres dat hij op een stukje papier heeft geschreven. Hij vraagt een baliemedewerker waar hij rechercheur Warren kan vinden. 'Die lift daar,' zegt de man, en hij wijst. 'Derde verdieping.'

We gaan met de lift naar boven. De vloer is nat en de lift ruikt naar sigaretten. Op de derde verdieping vinden we alleen een serie geboende gangen en een rij houten deuren. Mijn vader steekt zijn hoofd om een van die deuren en vraagt waar hij rechercheur Warren kan vinden.

'O,' zegt een jonge vrouw, 'dan moet u in het souterrain zijn.'

Mijn vader kijkt haar niet-begrijpend aan.

'Wacht even,' zegt ze, 'dan breng ik u er wel heen.'

De vrouw heeft een trui met turtleneck aan, een wollen rok en zwarte laarzen. 'Wat een storm, hè?' zegt ze in de lift.

In het souterrain stapt ze uit de lift, houdt hem open en wijst een gang door. 'De ondervragingsruimte en de kamer waar de leugendetector staat zijn daar. Daar zit rechercheur Warren waarschijnlijk. U mag dat gedeelte niet in, maar er is daar wel een cafetaria. Als u het daar even aan iemand vraagt, zeggen ze wel tegen rechercheur Warren dat u er bent.'

'Bedankt,' zegt mijn vader.

De cafetaria heeft muren van baksteen en fluorescerende lampen. De meeste tafeltjes van wit formica zijn leeg. Mijn vader wijst naar een zwarte plastic stoel. 'Wacht hier maar even,' zegt hij.

Mijn vader loopt naar een ander tafeltje en vraagt een man in uniform waar hij rechercheur Warren kan vinden. Hij noemt zijn naam. Robert Dillon. Als ik het hoor gaat er een schokje door me heen; het herinnert me eraan dat hij iemand anders is dan 'mijn vader' of 'papa'. Hij krijgt te horen dat hij moet gaan zitten.

Mijn vader komt terug bij ons tafeltje en gaat tegenover me zitten. Een echtpaar van middelbare leeftijd aan de tafel naast ons zit met hun lichaam naar elkaar toe gedraaid. Ze praten in zachte, gecodeerde boodschappen. De vrouw zegt: 'De derde,' en even later zegt de man: 'Achttien pas.' De vrouw zegt: 'Maar hoe...?' En de man zegt: 'Lopen.'

Rechercheur Warren verschijnt in de deuropening.

'Pap,' zeg ik, en ik wijs.

Mijn vader staat op. 'Ik ben zo terug,' zegt hij. 'Hier heb je wat geld. Daar staan automaten, of je kunt een broodje halen.'

Ik kijk hoe mijn vader langs de rechercheur heen loopt. Warrens ogen staan rustig, zijn mond vastberaden. Hij geeft op geen enkele manier te kennen dat hij mijn vader ooit ontmoet heeft. Vlak voor hij zich omdraait om achter hem aan te lopen, kijkt de rechercheur even naar mij. Hij glimlacht niet.

Ik weet niet wat er in het kamertje waar Warren mijn vader naartoe brengt wordt gezegd. Ik ben er niet bij. Later zal ik wat dingen in elkaar kunnen passen aan de hand van gespreksflarden die mijn vader vertelt. Er is een doorkijkspiegel en op tafel staat een bandrecorder. Mijn vader krijgt geen kop koffie of glas water aangeboden. Hem wordt te verstaan gegeven dat hij zijn jas moet uittrekken. Charlotte ziet hij niet – dan niet en later niet.

Warren vraagt hem het hele verhaal van begin af aan te vertellen.

'Vanaf het moment waarop we de baby hebben gevonden?' vraagt mijn vader.

'Helemaal vanaf het begin,' zegt Warren.

Mijn vader vertelt hoe hij de baby in de slaapzak heeft gevonden. Hij vertelt het hele verhaal langzaam en zorgvuldig, en hij probeert zich alle details te herinneren.

'Had u Charlotte Thiel voor die avond al eens ontmoet?' vraagt Warren.

'Nee,' zegt mijn vader.

'U had haar nog nooit eerder gezien?'

'Nee.'

Mijn vader zegt dat hij Charlotte voor het eerst bij ons in de gang achter in het huis zag, toen ze in de blauwe Malibu naar ons toe gereden was. Ze zei dat ze een kerstcadeau voor haar ouders zocht, een verhaal dat mijn vader, nu hij erop terugkijkt, toen al doorzichtig vond. Hij herinnert zich dat Charlotte hem later bekende dat ze helemaal niet gekomen was om iets te kopen; dat ze alleen mijn vader wilde zien.

'Waarom?' vraagt Warren.

'Om me te bedanken,' zegt mijn vader.

'U te bedanken?'

'Ja.'

'Waarvoor?'

'Omdat ik de baby gevonden had.' Mijn vader denkt

even na. 'Ze wilde ook dat ik haar de plek liet zien waar we de baby hadden gevonden.'

'In het bos?'

'Ja.'

'Hebt u haar die laten zien?'

'Nee. Althans, ja. Ik niet, maar Nicky... heeft het geprobeerd. De volgende dag.'

Mijn vader legt uit dat hij wilde dat Charlotte meteen zou vertrekken. 'Ze probeerde trouwens ook weg te gaan,' zegt mijn vader.

Hij vertelt Warren dat Charlotte flauwviel.

Hij vertelt dat hij Charlotte te eten heeft gegeven, dat hij haar heeft laten slapen.

Dat hij niet meer wilde weten dan noodzakelijk was.

Dat Charlotte over de slaapzak was gestruikeld. Dat ze haar handpalmen had bezeerd.

Hij vertelt wat zij verteld heeft.

'Dus als ik het goed begrijp,' zegt Warren, terwijl hij zijn stoel naar voren schuift, 'heeft ze u verteld dat James had gezegd dat de baby in de auto lag. Geen achternaam?'

'Nee.'

'En dat ze, toen ze in de auto zat, de baby heeft aangeraakt?'

'Nee, ze raakte de berg dekens aan. Ze dacht dat de baby eronder lag.'

'Ze vermoedde niets?'

'Nee.'

'En u geloofde haar?'

'Ja.'

Wat mijn vader niet weet, en wat hij pas veel later te horen zal krijgen, is dat Warren dit verhaal al gehoord heeft. De versie van mijn vader – afgezien van de mogelijkheid dat er nieuwe feiten in aan het licht zouden komen – is een manier om de betrouwbaarheid van Charlottes bekentenis te controleren.

'Gaat u me arresteren?' vraagt mijn vader.

'Dat is van later orde.'

'Mijn dochter heeft hier niets mee te maken,' kondigt mijn vader aan.

'Ik dacht dat u zei dat Nicky geprobeerd heeft om Charlotte Thiel naar de plek in het bos te brengen?'

'Ja, dat klopt.'

'Wat is daar gebeurd?'

'Niets. Ik merkte dat ze weg waren en ik heb hen ingehaald voordat ze er waren.'

'Er is anders wel iemand geweest,' zegt Warren. 'En die heeft er een behoorlijke bende van gemaakt.'

Mijn vader ziet meteen in dat hij een fout heeft gemaakt. Hij weet niet dat Charlotte al een verklaring heeft afgelegd, maar hij denkt dat ze dat in de toekomst wel zal doen. En hij heeft geen idee wat zich binnen het oranje lint heeft afgespeeld.

'Ik had duidelijk de indruk dat ze van het huis weggliepen en er niet naar terugkeerden,' zegt mijn vader in een halfhartige poging zijn geloofwaardigheid te herstellen en mij te beschermen.

Maar tegen Warren kan hij niet op.

'Waarom hebt u de politie niet gebeld?' vraagt de rechercheur.

‘Ik wist dat ze, zodra ik de telefoon zou pakken, weg zou gaan.’

‘Maar u wilde toch dat ze weg zou gaan?’

‘Jawel. Maar ze was ziek. Ze was niet in orde.’

‘Waarom hebt u dan geen ambulance gebeld?’

‘Ik denk niet dat een ambulance bij ons de weg op was gekomen.’

‘Ik ben die weg toch ook op gekomen?’

Mijn vader wacht even. ‘Is dit het moment waarop ik om een advocaat moet vragen?’ vraagt hij.

Warren negeert de vraag. ‘Ze ging vanochtend bij u weg, voorgoed,’ zegt hij.

‘Ja.’

‘Waar ging ze naartoe?’

‘Dat weet ik niet.’

‘Hebt u dat niet gevraagd?’

‘Nee.’

‘Waarom niet?’

‘Omdat ik het niet wilde weten.’

Een jongen in de tienerleeftijd wordt de cafetaria binnengebracht en bij de ouders van middelbare leeftijd naast mij afgeleverd. De zoon is stuurs en de vader is zo te zien zenuwachtig nu hij hem weer in levenden lijve ziet. De zoon mag met de ouders mee, zegt een agent, maar hij moet vanmiddag terugkomen voor de aanklacht. Ik kijk het drietal na terwijl ze de cafetaria uit lopen; de verbijsterde ouders schuifelen achter de jongen aan.

Ik sta op en loop naar de automaten. Er is er een met frisdrank en een met snoep. Ik kies een cola en een zakje M&M’s, en ga terug naar mijn tafeltje.

Ik drink mijn cola en eet het snoep op. De agent in uniform staat op om weg te gaan. Ik overweeg of ik ook nog chips zal nemen. Na drie kwartier begin ik me zorgen te maken. Als ze mijn vader nu eens arresteren en het mij vergeten te zeggen? Hoe kom ik dan thuis? Wie haalt mijn oma dan van het vliegveld? Moet mijn vader de kerst dan in de gevangenis doorbrengen?

'Heeft ze u verder nog iets over dat vriendje verteld?'

'Dat hij op dezelfde universiteit zat als zij. Dat hij hockeyde. Zijn ouders wonen buiten Boston. Ze zegt dat ze naar zijn ouderlijk huis heeft gebeld en dat zijn moeder zei dat hij was gaan skiën.'

'Ongelooflijk,' zegt Warren.

'Ongelooflijk,' herhaalt mijn vader op een zeldzaam moment van kameraadschap.

Ik merk dat ik geen buikkramp meer heb. Die pijnstiller doet wonderen. Ik vraag me af of ik een nieuw verbandje nodig heb. Hoe weet je zoiets? Verkopen ze die hier op de damestoiletten, net als op school? Ik heb nog wat kleingeld.

Ik loop de cafetaria uit en zoek een bord met TOILETTEN. Ik vind het en volg de pijlen, en onder het lopen vraag ik me af achter welke gesloten deur mijn vader zit. Ik luister of ik stemmen hoor. Ik vind de damestoiletten. Niet te missen. Op de deur staat het grootste symbool van een vrouw dat ik ooit heb gezien.

Als ik terug ben in de cafetaria ben ik teleurgesteld dat mijn vader niet al op me zit te wachten. En als hij nu eens geweest is terwijl ik er niet was? In een hoek zie ik een man met een pak aan en een kop koffie en een krant. Ik haal diep adem en loop naar hem toe. 'Pardon, meneer?' vraag ik.

'Ja?' zegt hij, en hij kijkt op.

'Werkt u hier?'

'Ja,' zegt hij.

'Ik vroeg me af,' zeg ik. 'Mijn vader is met rechercheur Warren ergens naartoe.'

'Nou, dan is hij waarschijnlijk nog steeds bij rechercheur Warren,' zegt de man.

'Hij zal toch niet... nou ja, zonder mij weg moeten, hè?' vraag ik.

'Nee, ik weet zeker dat er zo wel iemand komt om met jou te praten.'

Het is geen erg geruststellend antwoord, maar ik begrijp wel dat ik niks beters hoef te verwachten.

'Bedankt,' zeg ik.

'Wat is er gebeurd toen Charlotte en James eenmaal in de auto zaten?' vraagt Warren.

'Ze zijn naar huis gereden.'

'En daarna?'

'Ze zei dat ze de baby zelf naar binnen wilde dragen, maar hij zei dat hij wilde dat zij – Charlotte – eerst naar binnen ging en dat hij dan de baby wel zou brengen. Ze ging naar binnen. Ze zei dat ze in slaap gesukkeld was, want toen ze wakker werd, zat James tegenover haar. Hij huilde.'

'En toen?'

'Hij zei dat de baby dood was.'

'En u geloofde haar; dat een jonge moeder haar huis binnengaat en haar baby in een mandje op de achterbank van een auto laat staan?'

'Gezien de omstandigheden leek het me niet uitgesloten. Ja, ik had het gevoel dat ze de waarheid sprak.'

'Waarom belde u de politie niet?'

Warren heeft die vraag al eerder gesteld. Mijn vaders borst knijpt samen. 'Dat heb ik al uitgelegd.'

Warren vouwt zijn handen op de tafel in elkaar. 'Hoe lang is ze bij u geweest? Achtenveertig uur? In die tijd had u elke minuut de telefoon kunnen pakken. Dan hebt u heel wat minuten besloten om níét de politie te bellen.'

Mijn vader zegt niets.

'Ik zou u een jaar, een halfjaar in de gevangenis kunnen laten zetten. Wie zorgt er dan voor uw dochter?'

'Geen dreigementen,' zegt mijn vader, en hij staat op.

'Ga zitten, meneer Dillon. Waarom hebt u niet gebeld?'

'Dat heb ik u al gezegd,' zegt hij. 'Ik wilde dat ze meteen zou weggaan. Toen ze merkte dat ik haar niet naar die plek zou brengen... in het bos... zei ze dat ze wegging. Maar toen viel ze flauw. Ik was bezorgd. Ik zei dat ik een ambulance zou bellen, maar toen klampte ze zich aan mijn arm vast. Ze zei dat als ze naar het ziekenhuis ging ze – u – haar zou arresteren. Wat ook waar was.'

'En?' zegt Warren.

'En ik kon de vrouw niet in de auto duwen. Ze zou niet uit zichzelf vertrekken. Aan de andere kant wilde ik niet dat ze wegging omdat ze nog wel een keer kon flauwvallen.'

'Dus waarom belde u de politie dan niet?' vraagt Warren voor de derde keer.

'Wat heeft dit te betekenen?'

'Vertel me waarom u niet hebt gebeld.'

'Ik ben hier klaar mee,' zegt mijn vader. 'Ik ga.'

'En verder?' vraagt Warren.

'En verder? Ik weet niet wat u wilt. Ik weet nog dat ik dacht: als ik deze vrouw naar het ziekenhuis breng – ervan uitgaand dat ik haar in mijn truck krijg –, dan weet de politie binnen de kortste keren dat er in een aftandse truck een vrouw die net is bevallen is gebracht. En dan zou ik er nog meer bij betrokken zijn dan ik al was. Hoewel ik daar, als ik heel eerlijk ben, helemaal niet zo over inzat. Nee, ik zat vooral over Nicky in. Stel dat ik vastgehouden werd, of, erger nog: gearresteerd, wat zou er dan met haar gebeuren? Iedere beslissing die ik neem heeft nu ook betrekking op haar.'

Mijn vader buigt zich naar Warren toe. 'En dan nog eens iets,' zegt hij. 'Mijn dochter ziet alles wat ik doe. Ze rekent erop dat wat ik doe goed is. Charlotte kon best onschuldig zijn. Ik heb niet gebeld. Ik heb gewacht. En hoe langer ik wachtte, hoe ingewikkelder het werd.'

Warren blijft hem aanstaren. Mijn vader heeft onmiskenbaar het gevoel dat hij zijn eigen procesdatum bepaalt, maar hij voelt nog steeds de aandrang om het uit te leggen – aan zichzelf nu, meer nog dan aan iemand anders.

'Ik was niet bereid haar zomaar in de steek te laten,' zegt mijn vader. 'Haar aan u over te laten, als u de waarheid wilt weten. Telkens wanneer ik overwoog de telefoon te pakken kreeg ik een vieze smaak in mijn mond.'

Mijn vader staat weer op. Hij doet de rits van zijn jas dicht.

'Ze heeft de jongen aangegeven,' zegt Warren.

Mijn vader schrikt van dat bericht. 'Hebt u dan al met haar gesproken?'

'Hij is in Zwitserland.'

'Heeft ze u dan het hele verhaal al verteld?'

'Hij is aan het skiën,' zegt Warren.

De rechercheur en mijn vader verschijnen bij de ingang van de cafetaria. Zodra ik hen zie spring ik op. 'Alles is goed,' zegt mijn vader.

'En Charlotte?' vraag ik.

'Tegen haar wordt een aanklacht ingediend,' zegt Warren, 'en dan wordt er een procesdatum vastgesteld.'

'Mag ik naar haar toe?' vraag ik.

'Dat kan niet,' zegt Warren. Hij draait zich naar mijn vader om. 'Luister, ik moet een paar dingen regelen, maar u zei dat u hier zou blijven.'

'Ja.'

'Het kan zijn dat ik u nog een keer wil spreken.'

'Hoe wist u dat u vanochtend bij ons thuis moest zijn?' vraagt mijn vader.

Warren rommelt met het kleingeld in zijn broekzak. 'De eigenaar van de ijzerhandel zei dat hij de vorige dag maar drie nieuwe mensen in de winkel had gezien: een stel uit New York en een vrouw die vroeg of ze een tafel kon kopen.'

De rechercheur kijkt even mijn kant op. Hij zegt er niet bij dat de reden waarom hij Sweetser nog een keer heeft ondervraagd is dat ik had gezegd dat het maandverband niet voor mij was, of dat ik gelogen heb over mijn vader en de bijl, of dat een huis zo ver van de stad, dat afhankelijk is van een bron, elektriciteit nodig heeft om genoeg water op te pompen om te kunnen douchen wanneer de stroom is uitgevallen.

'Dus daarom was de sneeuwruimer er zo vroeg,' zegt mijn vader.

'We hadden al die tijd nodig om bij uw weg te komen. We waren net afgeslagen en toen zagen we de Malibu.'

'Treurig,' zegt mijn vader.

'Het is allemaal treurig,' zegt Warren.

Mijn vader en ik gaan naar buiten, het felle licht in. Mijn vader zet zijn zonnebril op. Ik scherm mijn ogen met mijn hand af.

'Hoe ging het?' vraag ik.

'Hij heeft me een heleboel vragen gesteld.'

'Hadden ze een doorkijkspiegel?'

'Ja.'

'Brandde er zo'n felle lamp aan het plafond?'

'Het was een gewone kamer met een tafel en een paar stoelen.'

'En jullie hebben alleen maar gepráát?'

'Min of meer,' zegt mijn vader. Hij kijkt me aan. 'Hoezo? Wat dacht je dan dat er zou gebeuren?'

'Ik weet het niet,' zeg ik. 'Iets.'

We stappen in de ijskoude truck. Mijn vader start de motor en rijdt de truck achteruit de parkeerplaats af. Hij voegt zich behoedzaam in het verkeer. Hij gaat te laat naar de rechterbaan en snijdt een andere auto. De chauffeur toetert, maar mijn vader lijkt het niet te horen.

Zijn bewegingen zijn langzaam, zijn ogen staan glazig. Hij stopt voor een rood licht.

'Denk je dat we Charlotte ooit nog zullen zien?' vraag ik.

'Ik weet het niet,' zegt mijn vader.

Het licht springt op groen, maar mijn vader komt niet in beweging. De auto achter ons toetert weer. 'Het is groen,' zeg ik.

We rijden Concord uit, en mijn vader rijdt als een bejaarde, terug naar ons afgelegen huis aan de rand van het bos. Mijn vader is in gedachten verzonken of laat alles wat er is gebeurd de revue passeren of denkt aan wat rechercheur Warren een keer gezegd heeft over dat je terug moet naar de plek die je een schok heeft bezorgd. Ik houd de weg in de gaten, zoals je doet met een chauffeur die elk moment in slaap kan vallen. Beide rijstroken zijn open en het verkeer rijdt stevig door. Het is kerstavond en iedereen moet ergens naartoe.

Op weg naar huis vanuit Concord rijden we door de stad. Ik hoef mijn vader niet meer te zeggen dat hij op de verkeerslichten moet letten. Hij stopt voor Remy's en zegt dat hij een paar dingen moet halen die op het lijstje van oma staan. Elk jaar belt mijn oma van tevoren om mijn vader te zeggen wat voor ingrediënten ze voor de maaltijd op kerstavond nodig heeft. Als ze dan komt kan ze meteen de keuken in.

Ik wacht in de truck; het duurt een minuut of zes, zeven voor mijn vader heeft wat hij zoekt. Hij is de snelste shopper van heel Zuid-New Hampshire. De slaap zit nog op mijn gezicht en ik moet nodig douchen. Sinds het ontbijt van gisteren heb ik mijn tanden niet meer gepoetst. Maar ik ben blij dat ik in de truck zit, met mijn voeten op het dashboard, terwijl ik kijk naar de mensen die op een holletje naar Remy's of naar Sweetser's of naar de kelder van de kerk gaan, waar de congregationalisten hun jaarlijkse kerstmarkt houden. Zelfs de mannen lopen met babypasjes over de glibberige stoep, met hun armen wijd om in evenwicht te blijven. Ik zie mevrouw Kelly, de moeder van mijn vriend Roger, op weg naar het postkantoor. Ik zie mevrouw Trisk, mijn lerares Spaans, en ik haal mijn voeten van het dashboard. Mijn vader komt Remy's uit, met een papieren zak in de hand, en daaruit steekt een klein wonder: een krant. Hij zet de boodschappen op de stoel tussen ons in en gooit me een chocoladecakeje met marshmallow toe. Die maakt de zus van Muriel 's ochtends, en meestal zijn ze tegen tien uur al op. Mijn vader haalt er een voor zichzelf uit het papier en terwijl hij de truck weer in het verkeer voegt, neemt hij er een hap van.

'Kunnen we bij Charlotte op bezoek in de gevangenis?' vraag ik, terwijl ik de vulling weglik die aan de zijkant van het cakeje naar buiten is gepiept.

'We zullen kijken of dat kan,' zegt mijn vader.

'Mag ik de ketting dan voor haar meenemen?'

'Ik ken de regels niet.'

We komen langs de drie voorname huizen, langs Serenity Tapijten, langs de brandweer.

'Hoor eens,' zegt mijn vader. 'Ik zal je twee regels vertellen die je nooit mag overtreden.'

Ik verroer me meteen niet meer, en mijn tong blijft tegen het cakeje zitten alsof hij eraan vastgevroren zit.

'Je mag nooit zonder condoom seks met iemand hebben,' zegt hij, en hij wacht even om dit te laten bezinken. 'En je mag nooit, maar dan ook nooit in een auto stappen bij een chauffeur die gedronken heeft; ook niet als je zelf die chauffeur bent.'

Deze regels spreekt hij met de stem van een strenge ouder uit. Ik weet zeker dat het woord 'seks' nog nooit eerder tussen ons gevallen is.

Ik laat mijn tong weer in mijn mond glijden. Vanwaar dit opeens, vraag ik me af. En dan begrijp ik het: dat mijn vader me dit vertelt binnen drie uur nadat ik gezegd heb dat ik ongesteld ben geworden, kan geen toeval zijn.

In de jaren die komen gaan zijn dit, door alle ruis heen, de twee regels die ik me zal herinneren.

Mijn vader kijkt voor zich uit, alsof hij geen woord gezegd heeft.

'Oké,' zeg ik met een klein stemmetje.

Zijn gezicht ontspant zichtbaar. Na een poosje durf ik nog een hap van het cakeje te nemen. Als ik het op heb kijk ik uit het raam en zie ik dat er iets met de sneeuw gebeurd is. Hij is gesmolten en weer opgevroren in kleine kristallen die overal op zitten en fonkelen. Ik lik mijn duimen en wijsvingers af, leg ze tegen elkaar en maak een klikgeluid.

'Wat doe je?' vraagt mijn vader.

'Ik neem foto's,' zeg ik. 'Dat doe ik de hele dag al.'

'Waar maak je dan foto's van?'

'Gewoon van de sneeuw,' zeg ik. 'De vorm die hij heeft. Zoals hij op dingen ligt. Op bomen bijvoorbeeld. En op hekken. Zoals hij fonkelt. Net diamanten.'

We komen langs het huisje waarvan je kunt zien dat er jongens wonen. Tegen de veranda aan de voorkant staat een slee. Ik zie dat er een krans op de deur hangt. Ik tuur naar binnen. Volgens mij zie ik een open haard, maar misschien verbeeld ik het me maar. Op de oprit naast het huis staat een grijs autootje vast. Er zit een vrouw in, en bij haar zit een jongen van zo te zien een jaar of acht. Wanneer we langsrijden hoor ik de motor loeien en de wielen draaien.

Mijn vader zet de truck stil langs de kant van de weg.

Hij doet zijn portier open en klimt eruit. Met zijn handen in zijn zakken loopt hij naar de grijze auto. Ik buig over de stoelen heen en draai het raampje van mijn vader omlaag.

'Hallo,' zegt mijn vader.

'Hallo,' zegt de vrouw.

'Hulp nodig?'

'Ik ben achteruitgereden en nu zit mijn auto vast,' zegt ze verontschuldigend.

'Laat mij maar even proberen,' zegt mijn vader.

De vrouw stapt uit. Ze heeft een groene parka aan en haar spijkerbroek is in rubberlaarzen gestopt die bijna tot aan haar knieën komen. Haar haar zit onder een donkerblauwe gebreide muts. De jongen stapt ook uit.

We luisteren hoe mijn vader gas geeft en de wielen laat draaien, telkens weer, tot hij eindelijk uitstapt. 'Hebt u een sneeuwschep?' vraagt hij.

'Ik wil u niet lastigvallen,' zegt de vrouw, en ze knijpt haar ogen dicht tegen de zon.

'Geen punt.'

'Nou... oké... graag dan,' zegt ze haperend. Ze doet een stap naar voren en steekt haar hand uit. 'Ik heet trouwens Leslie.'

'Robert,' zegt mijn vader, en hij schudt haar hand. Hij draait zich om en wijst naar mij in de truck – het teken dat ik moet uitstappen. 'Mijn dochter, Nicky.'

'En dit is Jake,' zegt de vrouw, terwijl ze een hand op de schouder van haar zoon legt.

Ik ga naast mijn vader staan en de vrouw haalt de sneeuwschep uit haar garage.

Mijn vader neemt de schep van de vrouw aan, die een beetje lacht terwijl ze hem aanreikt. Over de schouder van mijn vader zie ik een oudere jongen, van een jaar of tien, elf, uit het raam kijken.

Jake komt dichter bij me staan. 'Jij hebt die baby gevonden, hè?' zegt hij. Hij heeft een rond gezicht en een wijkende kin. Op zijn bovenlip zit snot vastgevroren, en hij komt in aanmerking voor een beugel. Ik zie dat de bovenkant van zijn want kapot gekauwd is. Wie kauwt er nou op wol?

'Mijn vader en ik,' zeg ik.

'En leefde hij nog?'

'Ze leeft nog steeds.'

'Was het een meisje?' vraagt hij.

'Ja.'

'En ze had geen vingers?'

'Wel waar, ze had al haar vingers,' zeg ik. 'Alleen is er één vinger bevroren, en die moesten ze eraf halen.'

'Gatver,' zegt hij.

'Nou ja.'

Ik tuur door alle ramen van het huis en merk witte gordijnen met ruches op, gebloemd behang, een rol zilverkleurig cadeaupapier, een lamp in de vorm van een vliegtuig. Ik zie dat er toch een open haard is. Vanwaar ik sta, op een sneeuwheuveltje, kan ik in de keuken kijken, waar het licht nog brandt. Iemand heeft op een tafel een vreselijke bende gemaakt. Er liggen stukjes deeg en een dunne laag bloem, en een verfrommelde zak bloem. Op het aanrecht staat een familiefles sinas en daarnaast een beker met een theezakje eroverheen gedrapeerd. Op een deur die misschien naar een kelder of bijkeuken leidt, hangt een geborduurde kerstman.

'Heb je zin om een sneeuwpop te maken?' vraagt de jongen.

'Oké,' zeg ik. 'Mij best.'

Jake en ik lopen-vallen, lopen-vallen in tegenovergestelde richting. Ik rol de onderkant van de sneeuwpop en Jake de bovenkant. We maken schokkerige banen door de voortuin. Ik duw mijn reusachtige sneeuwbal naar zijn wat kleinere. Zo nu en dan kijk ik op naar mijn vader, die de sneeuw onder de achterwielen vandaan haalt of die even op adem komt.

'Oké,' zeg ik, 'laten we jouw bal op die van mij leggen.'

Samen worstelen we om het middelste deel van de sneeuwpop op de onderkant te krijgen. Ik rol snel nog een bal voor het hoofd. We steken ogen uit. 'We hebben een wortel nodig,' zeg ik. 'En twee steentjes.'

'Mam,' roept de jongen, 'hebben we een wortel?'

'In de koelkast,' zegt ze.

De jongen loopt naar het huis, en ik ga – onuitgenodigd – achter hem aan. In de gang stamp ik mijn laarzen af, maar Jake rent rechtstreeks naar de koelkast, waardoor er kleine rasters van sneeuw op de vloer achterblijven.

De oudere jongen die ik bij het raam heb gezien en een jongere, van zes of zeven, komen op de drempel van de keuken staan. De oudere jongen heeft een ijshockeyshirt van de Boston Bruins aan. De jongere heeft een dikke bril, waardoor zijn ogen lijken uit te puilen.

'Jij woont op de heuvel,' zegt de oudere jongen. 'Jij hebt de baby gevonden.'

'Hij had een bevroren vinger,' meldt Jake, en hij ramt de groentelade dicht.

'Dat weet ik, sukkel,' zegt de oudste jongen.

De keuken is geel geverfd en is kleiner dan ik had gedacht. Naast een broodrooster staat een pot jam met een mes erin. Op de grond staat een doos chocoladecornflakes. Ik zie waar de bende op tafel voor diende: op de koelkast staan twee borden met koekjes, stevig in plasticfolie gewikkeld.

'We hebben steentjes nodig,' zegt Jake.

'Waarvoor?' vraagt de oudere jongen.

'Voor de ogen.'

De oudere jongen kijkt de keuken door. Zijn blik blijft bij een doos flikken hangen. Hij rukt het cellofaan eraf, doet het deksel open en daar liggen twaalf donkere ronde chocolaatjes.

Perfect, denk ik.

Hij geeft de doos door, en we nemen er allemaal een. Ik neem er twee en leg die op mijn handpalm. De jongens trekken hun jas en laarzen aan. De oudere jongen pakt nog een muts en sjaal voor de sneeuwpop. 'Hoe heet jij?' vraag ik.

'Jonah,' zegt hij. 'En hij heet Jeremy,' voegt hij er wijzend op het jongetje met de bril aan toe. Ze lijken allemaal op hun moeder, met een wipneusje en brede jukbeenderen, hoewel alleen Jonah en Jake bruin haar hebben. Het haar van Jeremy is bijna wit.

We kleden onze sneeuwpop aan. Door de wortel en de chocolaatjes komt hij er goedmoedig, maar suf uit te zien. Als we niet kijken eet Jonah een van de ogen op.

Jake is woedend en bijna in tranen, en gooit een haastig gemaakte sneeuwbal naar zijn oudere broer. Ik ben ogenblikkelijk onderdeel van een sneeuwballengevecht, hoewel het niet duidelijk is aan wiens kant ik sta.

'Jongens,' roept de moeder vermoeid, alsof ze het al vijftig keer heeft gezegd.

Jonah valt in de sneeuw en maakt een rechte hoek met zijn armen. Ik kan de verleiding niet weerstaan en laat me ook achterovervallen. De sneeuw komt onder mijn jas en bloes. Ik bedenk dat ik net ongesteld ben geworden en ga overeind zitten. Hier ben ik te oud voor, bedenk ik.

Mijn vader stapt weer in de auto, start de motor en schiet naar voren. De vrouw, Leslie, zet haar muts af. Bruine krullen vallen tot op haar schouder. Haar pony zit tegen haar voorhoofd geplakt. Mijn vader stapt uit en zegt iets; ik versta niet wat. De vrouw wijst naar het huis, en ik denk dat ze hem binnenvraagt voor een kop koffie of warme chocolademelk. Mijn vader kijkt naar mij en gebaart naar de truck. Boodschappen, zal hij wel tegen haar zeggen. Mijn moeder op het vliegveld. De vrouw glimlacht naar mijn vader, en ik weet dat ze hem uitbundig bedankt. Hij schudt zijn hoofd. Het was een kleine moeite.

'Nicky,' roept hij.

'Tot kijk,' zeggen de jongens tegen me.

Mijn vader en ik klimmen in de truck. Er zit sneeuw in mijn sokken en in de tailleband van mijn spijkerbroek. De vrouw zwaait ons helemaal tot aan de afslag na.

'Zo,' zegt mijn vader.

Terwijl mijn vader mijn oma van het vliegveld ophaalt, zoek ik de kerstboomversieringen uit. Ik ben met de tweederangsversieringen bezig. De doos met de 'beste' versieringen is kwijt, en noch mijn vader, noch ik weet wat ermee is gebeurd. Tussen de versieringen die we nog over hebben zitten zes met de hand beschilderde uitgesneden figuurtjes van sneeuwpoppen. Je ziet meteen welke ik beschilderd heb en welke mijn moeder. Er zitten vijf zilverkleurige ballen met namaakedelstenen bij, het resultaat van een ander knutselwerkje toen ik een jaar of acht was. Ik herinner me de geur van de lijm, hoe het glitter op de tafel viel en dat je maanden later nog fonkelingen in het tapijt zag. Er zitten een stuk of tien rode houten appeltjes in, de meeste bedekt met een fijn craquelé ten gevolge van de temperatuurswisselingen op zolder. Er zit een papieren bord in met goudkleurige macaroni erop geplakt en in het midden een foto van mij, toen ik zes was. Mijn moeder zei dat dat het mooiste cadeau was dat ze dat jaar had gekregen. Aan sommige versieringen zit een fatsoenlijk haakje, aan andere niet. Van paperclips maak ik provisorische haakjes. Ik haal zilverkleurige stukjes van de ijspegels van vorig jaar uit de lichtjessnoeren en steek de stekker in het stopcontact om te kijken of ze het doen. Ze doen het, maar het is een wirwar. Elk jaar zeggen we dat we ze zorgvuldig zullen opbergen voordat we ze weer in de doos stoppen, maar dat doen we nooit. We gooien ze er zo in.

In de auto vertelt mijn vader aan mijn oma over de baby die we gevonden hebben, en over de rechercheur en over Charlotte, die naar ons toe kwam. Hij vertelt haar over zijn bezoek aan het politiebureau, over dat Charlotte in de gevangenis zit. Mijn oma schrikt ervan en is een beetje bang. Mijn vader moet haar ook verteld hebben dat ik ongesteld ben geworden, want als ze binnenkomt omhelst ze me op een manier zoals ze al lang niet meer gedaan heeft, waarbij ze een beetje heen en weer wiegt. Ze heeft een tere witte huid met vlekken op haar wangen en voorhoofd. Ze ruikt net als het lavendelzakje dat ze in mijn kerstkous zal doen. Ik denk dat ze een kunstgebit heeft, maar dat weet ik niet zeker. Ze is lekker om te omhelzen, want haar lichaam vult alle lege plekken op.

Ze heeft haar jas nog niet uit of ze kijkt al in de keukenkastjes en de koelkast om te zien of mijn vader de juiste ingrediënten voor de maaltijd op kerstavond heeft gekocht. Ik hoor haar zachtjes alles afstrepen: kleine uitjes, nootmuskaat, runderbouillon. Ze heeft haar eigen schort meegenomen en haar eigen aardappelschilmesje. Ik moet de aardappels met het nieuwe mesje schillen, en dat werkt zo goed dat ik het helemaal niet erg vind. Ik laat het water zachtjes uit de kraam stromen, want dat maakt het schillen en schoonmaken gemakkelijker. Naast me snijdt mijn oma de harde schil van de rapen. Ze heeft een mes van wel dertig centimeter lang, zo'n mes dat je in een horrorfilm ziet. Ze steekt het in de raap, met allebei haar handen op de achterkant van het mes, en ze duwt het omlaag. Het mes knalt tegen de snijplank. Het verbaast me dat ze zo veel kracht in haar armen heeft. Van achteren gezien is mijn oma één grote massa met een hoofdje vol strakke grijze krullen. Van opzij is ze bijna mooi.

'Ik ben ongesteld geworden,' zeg ik.

Mijn oma legt het mes neer en veegt haar handen aan haar schort af. Ze doet alsof ze het nog niet weet. Ze slaat haar armen om me heen. Ik heb nog steeds een schilmesje en een aardappel in mijn handen.

'Hoe voel je je?' vraagt ze, en ze houdt me op een armlengte afstand vast.

'Goed,' zeg ik. 'Ik had een beetje kramp, maar nu niet meer.'

'Heb je maandverband?'

Ik knik.

'Heb je hulp nodig?'

'Ik geloof van niet,' zeg ik.

Ze legt haar vingers onder mijn kin en brengt mijn gezicht naar het hare toe. 'Als je ooit ergens over wilt praten hoef je het alleen maar tegen me te zeggen. Het is lang geleden dat ik ermee van doen had, maar dat betekent nog niet dat ik er niet alles van weet.'

Ze omhelst me nog een keer, en ik voel dat ze me eigenlijk niet wil loslaten.

'Oma,' zeg ik even later.

'Wat is er, liefje?'

'Weet jij wat pfeffernusse zijn?'

Terwijl mijn oma kookt, gaan mijn vader en ik het bos in om een boom om te hakken. Ik ben bang dat we te lang gewacht hebben; het is al aan het eind van de middag en de zon gaat bijna onder. We kunnen uit honderden bomen kiezen; het probleem is dat we de sneeuw eromheen moeten weghalen, zodat we hem naar binnen kunnen brengen. We hebben allebei een schep bij ons, en mijn vader ook een bijl.

Al die tijd dat we in het bos zijn zeggen we geen van beiden een woord. Het zwijgen komt volstrekt natuurlijk en prettig over en dringt pas later die avond tot me door. We hebben onze sneeuwschoenen aan, en ik stap in zijn voetstappen. In mijn ene hand heb ik een schep, zodat ik mijn duimen en wijsvingers niet tegen elkaar kan leggen, maar ik maak toch foto's. Van roze sneeuw die tegen een boom op klimt. Van de top van de dennenbomen, roestkleurig, in vuur en vlam. Van minuscule speerpuntvormige sporen die om een struik heen schieten. Mijn vader blijft staan en schudt aan de takken van iets wat eruitziet als een puntige struik. Hij veegt de sneeuw van de onderste takken. Waar de sneeuw hard is, scheppen we hem weg. Even later is het rondom de onderkant van de boom sneeuwvrij. Mijn vader bukt zich en haalt een paar keer uit met de bijl. De boom valt om en we trekken hem uit de sneeuw. We leggen hem neer. Het is een mager boompje met een paar kale plekken, maar het kan ermee door. Mijn vader pakt de zware kant, ik de andere, en we dragen hem terug naar huis.

De boom is te groot, dus mijn vader moet hem weer mee naar buiten nemen om er nog tien centimeter af te zagen. Als we hem eenmaal in de standaard hebben vastgeschroefd doe ik een stap achteruit en zie ik dat hij scheef staat. We doen er nog wat aan, maar dan besluit mijn vader dat we hem aan een deurknop moeten vastbinden, zodat hij niet in de kamer zal vallen. Hij ontwart het lichtjessnoer en hangt dat in de boom, terwijl ik de versieringen op tafel leg.

Dit jaar ben ik al zo lang dat ik bij de bovenste takken van de boom kan. Ik hang de versieringen er ordelijk in, en probeer gelijke afstanden aan te houden. Mijn vader laat het verder aan mij over en gaat naar boven om te douchen. De boom heeft dikke kleurige lampjes, zoals mijn vader die naar eigen zeggen in zijn jeugd ook had. Vorig jaar had de boom van Jo piepkleine witte lampjes met zilveren ballen en rode linten – hij leek wel zo uit een tijdschrift te komen.

Als ik klaar ben doe ik een stap achteruit om mijn creatie te bewonderen. Ik bewonder hem in de weerspiegelingen die de boom in de donkere ramen maakt. Ik roep mijn oma en zij bewondert hem ook. Ik ga in de leren stoel van mijn vader zitten en probeer te bepalen of ik het macaronibord zal verplaatsen zodat het een kale plek bedekt, maar dan moet ik plotseling aan Charlotte denken. In de gevangenis. Op kerstavond. Ik leg mijn handen tegen mijn gezicht. Ze zit in een cel. Haar ouders zullen nu ook wel van de baby weten. Misschien moet ze wel heel lang in de gevangenis blijven.

Ik laat mijn hoofd achteroverleunen tegen het leren kussen en staar naar het plafond. Ik weet dat Charlotte altijd bij me zal zijn, dat ik elke dag aan haar zal denken. Ze wordt een onderdeel van mijn kleine cast van personages met wie ik regelmatig spreek, van wier leven ik me dagelijks een voorstelling moet maken. Er zitten nog vier anderen in mijn toneelstukje: mijn moeder, die even oud blijft als toen ze overleed en die me zo nu en dan raad geeft over hoe ik met mijn vader moet omgaan; Clara, die drie jaar is en die voor kerst een lappenpop krijgt; Charlotte, die mijn haar doet en met me mee kleren gaat kopen en die mijn vriendin is; en ook baby Doris, die misschien nu wel een flesje krijgt. Of een dutje doet.

Ik blijf zo een paar minuten zitten. Ik besluit dat ik alle cadeautjes onder de boom ga leggen. Het zijn er niet veel, maar ik zie toch mijn naam op een paar staan. Morgenochtend geef ik mijn vader de muts die ik heb gemaakt en mijn oma de ketting met de geboetseerde hanger. Ze zal 'o' en 'ah' zeggen, maar ik vermoed dat ze de ketting zodra ze hier weg is nooit meer zal dragen.

Mijn oma vraagt of ik de tafel wil dekken, die nog steeds half uit de keuken steekt. Ik dek hem zo feestelijk mogelijk, met een hele reeks halfopgebrande kaarsen in het midden. Ik probeer net te bedenken of we iets hebben wat als servetring dienst kan doen als ik licht op de weg zie flitsen. De auto stopt en de lichten gaan uit.

Mijn vader, die in de studeerkamer zit te genieten van de luxe dat hij niet hoeft te koken, loopt de keuken in en zet ondertussen zijn leesbril af. 'Blijven jullie maar hier,' zegt hij tegen mijn oma en mij.

Mijn oma komt naast me staan. We horen een autoportier dichtslaan. Een paar seconden later hoor ik een mannenstem.

Rechercheur Warren komt het huis binnen.

Daar zul je het hebben, denk ik.

Ik maak me zorgen om mijn oma. Om het eten dat ze heeft gemaakt. Om de cadeautjes onder de boom. Wie moet die dan openmaken?

'Ik weet dat ik ongelegen kom,' zegt Warren.

'Kom binnen,' zegt mijn vader, en hij doet de deur dicht.

Warren maakt snel twee pasjes op de mat. Zijn donkerblauwe jas is open en de sjaal hangt er los bij. Ik ben gewend aan zijn gezicht, maar ik vraag me af wat voor effect het op mijn oma heeft: de korrelige littekens, de huidflap.

'Nicky,' zegt Warren.

'Hallo,' zeg ik.

'Dit is mijn moeder,' zegt mijn vader.

'Hoe maakt u het?' zegt Warren tegen mijn oma. 'George Warren.'

Geen 'rechercheur'. Geen 'politie'.

Mijn oma, die allebei haar handen op mijn schouders heeft gelegd, knikt alleen maar. Als Warren me wil arresteren zal hij me uit de handen van mijn oma los moeten rukken.

'Jullie gaan net aan tafel,' zegt Warren. 'Het ruikt heerlijk.'

'Wat kan ik voor u doen?' vraagt mijn vader.

'Ik weet dat het een vreselijk tijdstip is – ik moet ook naar huis, naar mijn jongens –, maar ik wil u iets laten zien.'

'Waar?'

'Niet ver hiervandaan.'

'Kan het niet wachten?' vraagt mijn vader.

'Nee, u moet het nu meteen zien,' zegt Warren.

Ik zie een blik – een soort wapenstilstand? – tussen mijn vader en de rechercheur.

'Hoe lang duurt het?' vraagt mijn vader.

'Een halfuur? Drie kwartier?'

Mijn oma laat mijn schouders los en trekt haar schort over haar hoofd uit. 'Maak je geen zorgen over het eten,' zegt ze tegen mijn vader. 'Ik moet toch naar boven om mijn tas uit te pakken.' Ze vouwt het schort op en legt het op een stoel.

Mijn vader pakt zijn jas van de haak.

'Ik vind dat Nicky mee moet,' zegt Warren.

Mijn vader gaat naast de chauffeur zitten en ik schuif achterin. Warren keert en rijdt de heuvel af. Ik zie dat er een Snickers in het zakje van de stoel zit.

'De broer van Charlotte Thiel is naar ons toe gekomen en heeft haar borgsom betaald,' zegt Warren, terwijl de jeep over de voren hotst. 'Het probleem is alleen dat ze de staat niet uit mag. Ze is voorlopig bij een tante.'

'Tot het proces,' zegt mijn vader.

'Of totdat ze schuld bekent.'

'Hoeveel krijgt ze?' vraagt mijn vader.

Warren draait de weg op die naar de stad gaat. 'Dat hangt van James Lamont af, of hij haar te hulp komt of niet. Dat hangt van de advocaat van Lamont af. Drie jaar misschien? In het ergste geval is ze er over vijftien maanden weer uit.'

'En Lamont? Waar is hij?'

'Zijn ouders zijn naar Zwitserland om hem te halen en mee terug te nemen. Voor hem ziet het er beroerd uit. Tien, twaalf jaar. Misschien is hij er over zes jaar uit. De jury zal er niet blij mee zijn dat hij het land uit is ge-

vlucht. En een borgtocht kan hij wel op zijn buik schrijven.'

'Heeft Charlotte een advocaat?' vraagt mijn vader.

'Daar zorgt haar broer voor.'

Ik vraag me af hoe de broer van Charlotte eruitziet. Wat is er gebeurd toen ze elkaar voor het eerst weer zagen? Hebben ze elkaar omhelsd, als een familie in nood? Of was hij geschokt? Woedend? Met stomheid geslagen?

'Waar woont die tante?' vraagt mijn vader.

'In Manchester,' zegt Warren. 'Ik kan u het adres wel geven.'

'Graag,' zegt mijn vader.

Dank je wel, pap.

Ik ga Charlotte de ketting toesturen, besluit ik. Ik zal haar zeggen dat ik meteen nadat zij bij ons weg was gegaan ongesteld ben geworden. Als ze uit de gevangenis is zal ze me bellen.

We rijden Shepherd uit en komen op Route 89. De wegen zijn helemaal schoon. Na een minuut of twintig gaat Warren bij een afrit langzamer rijden en slaat hij rechts af. We komen meteen in een stadje dat me vaag bekend voorkomt, een stadje waar mijn vader en ik tijdens onze doelloze reizen in de zomer waarschijnlijk een keer doorheen gekomen zijn.

We rijden door een dorpje, dat grotendeels donker is, op een Shell-station op een hoek na. Een paar straten lang is de straatverlichting versierd met kerstkransen. Hoe laat zou het zijn? Vijf uur, zes uur? Warren slaat links af, dan rechts en rijdt een heuvel op een woonwijk in. Ik tuur bij de huizen naar binnen. We komen langs een huis waar tientallen auto's buiten staan geparkeerd. Door de ramen zie ik mannen in colbert en vrouwen in jurk met een drankje in de hand. Een feestje. Leuk, een feestje, denk ik.

Warren kijkt op een papiertje met een adres erop en slaat nog een keer af. We rijden in een straat met vrij kleine huizen met één verdieping. Bij sommige hangt er een lamp boven de deur; bij andere zijn de rand van het dak en de ramen met lampjes verlicht. Eén huis is helemaal donker, op één lampje per raam na. Het effect is kil en griezelig. De weg is geveegd, maar toch nog wit. Aan weerskanten ligt de sneeuw hoog opgetast. Onderweg tel ik de kerstbomen.

Warren kijkt naar de huisnummers. Hij gaat langzamer rijden en zet de jeep op de hoek langs de stoeprand stil. Hij draait zijn raampje omlaag en tuurt bij een huis naar binnen. 'Hier moet het zijn,' zegt hij, en hij wijst.

Het is een huis met één verdieping en een schuin dak en een kamer die uitsteekt aan de kant die het dichtst bij ons is. De kamer heeft veel ramen; je zou hem een veranda kunnen noemen. De eigenaren moeten besloten hebben de veranda als eetkamer te gebruiken, want om een grote ovale tafel zitten een paar mensen.

Ik draai mijn raampje ook omlaag en er stroomt koude lucht de auto in. 'Ik heb het adres ongeveer een uur geleden gekregen,' zegt Warren. 'Ik wilde het met eigen ogen zien. Zo te zien hebben we geluk.'

De tafel is goed verlicht; er hangt een kroonluchter boven. Ik zie een kalkoen, rode bloemen, witte schalen met eten. Ik tel een stuk of zes kinderen en minstens evenveel volwassenen. Aan de ene kant zit een oude vrouw, aan de andere een man. Een jongen pakt een kan. Een vrouw loopt heen en weer onder de boog van de brede opening van de eetkamer naar de rest van het huis. Ze heeft een baby tegen haar schouder.

Ik kijk snel even naar mijn vader.

De baby is in een wit dekentje gewikkeld, waardoor alleen een klein gezichtje en piekerig zwart haar te zien zijn. De vrouw loopt met een huppeltje in haar stap heen en weer, alsof ze de baby in slaap probeert te krijgen of haar een boertje probeert te laten doen. Ze lacht en zegt iets tegen een man aan de tafel. De baby wiebelt met haar hoofdje en drukt haar gezicht tegen de schouder van de vrouw. De vrouw geeft de baby bijna afwezig een kus boven op haar hoofd.

'Dit is een pleeggezin,' zegt Warren. 'De baby zal hoogstwaarschijnlijk worden geadopteerd. Blank kindje. Pasgeboren. Maar dit is voorlopig een goede plek voor haar. Sommige zijn niet zo goed, maar deze wel. Hierna weet ik niet waar ze naartoe zal gaan. Daarom wilde ik dat jullie haar nu zouden zien.'

Mijn vader is stil, alsof hij naar een belangrijke scène in een film kijkt, een scène waarbij je je adem inhoudt. Ik weet dat hij aan Clara denkt en dat er diep binnen in hem een verschrikkelijke pijn zit. Maar er is ook een genezende werking – alsof je een zucht slaakt, zoiets. Door een verlicht raam kijken we naar baby Doris, wier echte naam we nooit zullen weten.

Na een tijdje draait mijn vader zich om. 'Ben je zover?' vraagt hij.

Ik probeer iets te zeggen. Ik schud mijn hoofd.
Mijn vader knikt, en Warren weet dat hij de jeep in beweging moet zetten.